沖縄文教部／琉球政府文教局 発行　復刻版

文教時報 第17巻

第116号～第120号／号外17・18
（1969年10月～1970年11月）

編・解説者　藤澤健一・近藤健一郎

不二出版

『文教時報』第17巻（第116号～第120号／号外17・18）復刻にあたって

一、本復刻版では琉球政府文教局によって1952年6月30日に創刊され1972年4月20日刊行の127号まで継続的に刊行された『文教時報』を「通常版」として仮に総称します。復刻版各巻、および別冊収載の総目次などでは、「通常版」の表記を省略しています。

一、第17巻の復刻にあたっては下記の機関に原本提供のご協力をいただきました。記して感謝申し上げます。

　　沖縄県公文書館

一、原本サイズは、第116号から第120号までＡ５判です。号外17、18はＢ６変型判です。

一、復刻版本文には、表紙類を含めてすべて墨一色刷り・本文共紙で掲載し、各号に号数インデックスを付しました。なお、表紙の一部をカラー口絵として巻頭に収録しました。また、白頁は適宜割愛しました。

一、史料の中に、人権の視点からみて、不適切な語句、表現、論、あるいは現在からみて明らかな学問上の誤りがある場合でも、歴史的史料の復刻という性質上そのままとしました。

（不二出版）

◎全巻収録内容

復刻版巻数	原本号数	原本発行年月
第1巻	通牒版1～8	１９４６年２月～１９５０年２月
第2巻	1～9	１９５２年６月～１９５４年６月
第3巻	10～17	１９５４年９月～１９５５年９月
第4巻	18～26	１９５５年１０月～１９５６年９月
第5巻	27～35	１９５６年１２月～１９５７年１０月
第6巻	36～42	１９５７年１１月～１９５８年６月
第7巻	43～51	１９５８年７月～１９５９年２月
第8巻	52～55	１９５９年３月～１９５９年６月
第9巻	56～65	１９５９年６月～１９６０年３月
第10巻	66～73／号外2	１９６０年４月～１９６１年２月
第11巻	74～79／号外4	１９６１年３月～１９６２年６月
第12巻	80～87／号外5～8	１９６２年９月～１９６４年６月
第13巻	88～95／号外10	１９６４年６月～１９６５年６月
第14巻	96～101／号外11	１９６５年９月～１９６６年７月
第15巻	102～107／号外12、13	１９６６年８月～１９６７年９月
第16巻	108～115／号外14～16	１９６７年１０月～１９６９年３月
第17巻	116～120／号外17、18	１９６９年１０月～１９７０年１１月
第18巻	121～127／号外19	１９７１年２月～１９７２年４月
付録	『琉球の教育』1957（推定）、1959『沖縄教育の概観』1～8	１９５７年（推定）～１９７２年
別冊	解説・総目次・索引	

〈第17巻収録内容〉

『文教時報』琉球政府文教局 発行

号数	表紙記載誌名(奥付誌名)	発行年月日
第116号	文教時報(文教時報)	1969年10月15日
号外第17号		1969年10月30日
第117号	文教時報(文教時報)	1969年12月7日
第118号	文教時報(文教時報)	1970年1月25日
第119号	文教時報(文教時報)	1970年6月10日
第120号	文教時報(文教時報)	1970年10月26日
号外第18号		1970年11月1日

『文教時報』復刻刊行の辞

　わたしたちは、沖縄現代史のあゆみをどこまで知っているだろうか。この問いを掲げつつ、第二次大戦後、米軍によって占領されていた時期（1945－1972年）、沖縄・宮古・八重山（一時期、奄美をふくむ）において、文教担当部局が刊行した『文教時報』を復刻する。

　同誌は沖縄文教部、つづいて琉球政府文教局が刊行した。前者では示達事項を中心とした指導書であり、後者では教育行政にかかわる情報、教育についての調査・統計、教室での実践記録や公民館を中心とした社会教育関連記事など、盛り込まれた内容は幅広い。総じて教育広報誌といえる同誌は、発行期間の長さと継続性から、沖縄現代史を分析するうえで、もっとも基礎的な史料のひとつと目される。しかし、これまで同誌は全体像についての理解を欠いたまま、断片的に活用されるにとどまってきた。

　その背景にはなにがあるのか。まず、発行が群島ごとに分割統治されていた時期から琉球政府期にいたるまで四半世紀におよび、雑誌としての性格が変容していることがある。くわえて多くの機関に分蔵されるとともに、附録類、号外や別冊など書誌的な体系が複雑に入り組みつかみにくい。このために本格的な調査が進まなかった。今回、わたしたちは所蔵関係にかかわる基礎調査をふまえ、添付書類までもふくめた全体像の把握に体系的に取り組んだ。その成果をこうして全18巻、付録1に集約して復刻刊行する。解説のほか、総目次や執筆者索引などから構成される別冊をあわせて刊行する。今回の復刻により、教育行政側からみた沖縄現代史について、それを総覧できる史料的な環境がようやく整備されることになる。

　統治者として君臨した、米国側との関係、また、沖縄教職員会をはじめとした教員団体との関係、さらに「復帰」に向けた日本政府や文部省との関係、さらに離島や村落の教育環境など、同誌は変動する沖縄現代史のダイナミズムを体現するかのような史料群となっている。

　沖縄の「復帰」からすでに45年にいたるいま、沖縄研究者はもとより、教育史、占領史、政治史、行政史など複数の領域において、本復刻の成果が活用され、沖縄現代史にかかわる確かな理解が深まることを念じている。物事を判断するためには、うわついた言説に依るのではなく事実経過が知られなければならない。あらためて問いたい。沖縄現代史のあゆみははたしてどこまで知られているか。

（編集委員代表　藤澤健一）

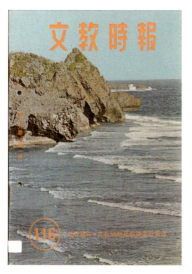

116号

117号

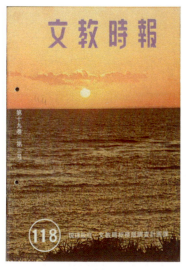

118号

119号

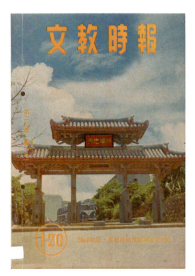

120号

フォート ニュース
第20回全国高等学校定通制教育振興会総会・大会より…

　去る8月4〜6日にかけて第20回全国高校定通制教育振興会の総会及び大会が東急ホールと首里の政府立博物館で開催された。参加者は本土から約700人、地元沖縄から約300人の計1,000人で、勤労青少年教育振興のための諸施策の確立、施設設備の拡充整備、就学奨励措置の早期実現等の主題をかかげて3日間にわたり熱心な研究討議が展開された後、①定通教育振興のための関係法規の抜本的改正、②定通高校の独立校設置の促進、③45年度定通教育予算の大巾増額の宣言決議を行ない大会の幕を閉じた。なお本大会では定通制教育に対する功労者の表彰も行なわれた。

◀ 大会のあいさつを述べる稲葉修会長

▶ 意見発表に聞きいりメモを取る参加者

◀ 功労者の表彰

第22回全国造形教育研究大会

主催者あいさつをする大会会長中山興真文教局長（右）と大会副会長（全国造形教育連盟委員長）長谷川信也氏。

琉大体育館をうめつくした2千余名の参加者
（本土側関係者約千人）

研究授業：ビン型について質問する本土
　からの参加者（右）
5年生（糸満小 幸地ゆきえ先生）の
　研究授業（下）

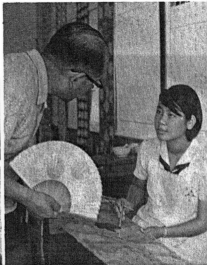

風疹聴覚障害児聴能訓練

去る3月と8月の春・夏期休暇を利用して第1次・第2次の風疹聴覚障害児指導団が日政援助により来沖し各地で指導にあたった。講師団の熱意と、親の愛情、関係当局や連合区のいきの合った努力で、三日はしかの障害から子どもたちが解放される日も近い。

◀ 受講者を一堂に集め、ムード作りをしながら一斉訓練
　（第二次指導・大道小にて、8月）

玩具や絵などを利用しての発声訓練
▼　（第一次指導・那覇中にて、3月）

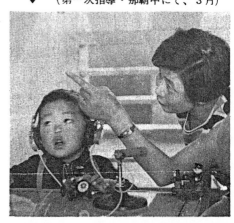

インターハイ ボクシングの優勝杯 海を渡って沖縄へ
—中央高校優勝—

優勝旗を先頭に歓迎式場へ入場する中央高校ボクシングチーム
　（下・那覇港埠頭で）
チーム優勝の原動力となり、また個人ライト級でも
優勝して最優秀選手のタイトルも獲得した
上原康恒君（右）

文教時報

No. 116　　69 / 10

〈写真ページ〉……フォートニュース
　第20回全国高校定通制教育振興会総会並大会
　第22回全国造形教育研究大会
　風疹聴覚障害児の指導・
　中央高校ボクシングチーム優勝

沖縄の義務・後期中等・高等教育について(2)
　　　　　　　世嘉良　栄…… 1

公立学校職員共済組合法の
　施行にあたって〔1〕……
　　　　　　　安村　昌享…… 5

風疹障害児の教育対策について
　　　　　　　平良　正久…… 11

1970年度　教育研修センター
　　　　　研修事業計画
　　　　　　沖縄教育研修センター…… 19

放送教育の展望
　　　　　　　嘉数　正一…… 25

沖縄一健康優良学校に選ばれて
　　　　　豊見城教育区立 長嶺小学校…… 29

〈社教主事ノート〉 (4)
　社教主事あれこれ
　　　　　　　平良　親徳…… 34

1969年度、ラジオ学校放送番組改訂時刻表
　　　　　1969年9月1日以降……… 28
テレビ・学校放送番組時刻表（OHKテレビ）
　　　　　1969年4月以降 ……… 40

〈教育財政資料〉
　1969年度・普通交付税の算定資料…… 36
　1969年度・教育区の財政力指数
　　　　　　　及び段階区分…… 38

　　　表紙…喜屋武岬

沖縄の義務・後期中等・高等教育について(2)

高校教育課長　世嘉良　栄

2　後期中等教育

　沖縄の後期中等教育の制度も本土と同じく六・三・三制を採用し、教育の機会均等の原則に立って男女共学の制度を採っている。高校の設置も戦前のような学校の都市集中とちがって、1学区1高校の小学区制と総合高校制度をとって各地区に分散して設置された。

　高校の現況は表一に示されるとおりで、学校数37校、生徒数約5万3千人、教員数約2千人となっている。37高校のうち19校に全日制課程のほかに定時制課程が、他の1校には通信制課程が併設されている。独立校としての定時制・通信制高校はまだ設置されていない。

　つぎに学校規模についてみると、全日制課程の在籍総数は4万7千人で、1高校在籍平均が約千3百人となり、在籍千5百人以上の大規模高校が14校で、そのうちには2千人以上のマンモス高校が3校もふくまれている。一方、5百人以下の小規模高校は離島にある水産高校と商工高校の2校だけである。

　沖縄の義務教育人口の比率が本土のどの県より高いことは、前節の義務教育でもふれているとおりで、これらの現象は、やがては高校生徒の急増を本土の各県よりも激しいものとした。

　高校生徒の急増期にはいる直前の昭

表1　高等学校設置状況

区　分		学校数	生徒数	教員数
総　数		37	53,412	2,260
政府立	全日	33	41,161	1,811
	定時	※18	6,052	228
私立	全日	4	6,124	218
	定時	※1	75	3
政府立通信制課程		※1	268	6

※は全日に併設（昭43.5）

和36年には、33高校の全日制課程の在籍総数は2万余人で、1校平均約660人となっている。また、この時期には

在籍千5百人以上の大規模高校は1校もなかったのである。

このような急増期に直面して、貧困な財政の中で、その対策に憂慮し、苦労を続けた多くの教育関係者の努力はたいへんなものであった。

もとより、じゅうぶんに整備されていない教育条件の中で続けられた沖縄の教育は、この急増期をのりこえるため、内容面でその整備は遅々として進まず、特に学校施設設備の整備状況は表2にみるようにふじゅうぶんであり本土との格差は、大きく開いている。

表2　政府立高等学校施設状況

区　分	必要面積	保有面積	達成率
校　舎	m² 375,784	m² 165,336	44.00 %
屋内運道場	34棟	1棟	2.94
水泳プール	34基	1基	2.94

(注)　校舎には一般校舎のほか産振校舎（昭和43年6月末現在）を含む。

表3　公教育費1人当たり額本土比較
(昭和41年度)

区　分		公教育費1 人当たり額	b/a×100
全日制	本土 (a) 沖縄 (b)	73.4千円 63.2	86.1 %
定時制	本土 (a) 沖縄 (b)	66.7 37.3	55.9

(注)　本土は文部統計要覧の中間報告による

昭和42年における沖縄の1人当たり県民所得は、約18万円で本土の昭和41年の1人当たり国民所得28万円に比べて、その64％にすぎない。教育の総体的な水準を示すといわれる公教育費1人当たり額についてみると表3にみるように、本土に対する沖縄の水準はかなり低いものがある。

次に高校への進学率を見ると昭和43年3月に中学校を卒業した生徒2万7千人のうち、高校へ進学した生徒は1万8千人で、進学率は約67％となる。そのうち政府立（本土の公立に相当）高校に進学した生徒の数は1万6千人で進学率は約59％である。

中学校卒業者は、昭和42年をピークにして次第に減少していく傾向にあるが、その度合は本土のそれに比べて少なく、また社会の要請や高校進学希望者の増加とあわせて、高校の量的拡充および質的充実は今後とも文教行政の重点施策として継続的にとり上げる必要がある。また、沖縄の基地経済からの脱脚は、ひとえに地域経済の育成、ひいては産業教育の振興にある。これらの社会的要請から従来、産業教育を重要視し、普通教育を主とする学科と専門（職業）教育を主とする学科の構

成を政策的に4対6として産業教育振興をはかってきた。しかしながら、昭和38年から高校生徒急増対策として都市地区に普通高校がつぎつぎに増設されて、表4に示されるように普通科と

表4 高等学校・普通科・職業科の構成比推移

学年度区分	昭和38	〃39	〃40	〃41	〃42
普通科	61%	58	55	53	51
職業科	39	42	45	47	49

職業科の構成比が変わってきている。生徒急増期を終了した時点で、また従前の構成比にもどすよう検討を加える必要がある。

図1(次ページ)は、昭和42年5月現在の高校生徒数の学科別構成比を本土と比較したものである。

沖縄における高校生徒急増対策の1つとして働きながら学ぶ青少年に対して高校教育の機会を与える定時制課程を拡充してきた。このことは表5のとおり、昭和36年と昭和43年現在の高校進学者の収容状況から、本土においては定時制課程が減少しているといわれている現在、沖縄ではそれが逆に増加している実情からも定時制教育拡充への努力をうかがうことができよう。

さいごに、後期中等教育の拡充のために設立された沖縄独得の産業技術学校についてふれることにする。

中学校を卒業して直ちに就職しようとする青少年に技能を習得させて就職を容易ならしめ、かつ沖縄の地域産業を育成する目的で昭和41年に那覇産業技術学校を設立した。機械、建築大工、家具木工、自動車整備、冷暖房、板金溶接、配管、印刷、調理などの19学科で修業年限は1年または2年の各種学校である。教育課程は実習50%、専門科目25%、残り25%が普通科目となっている。この産業技術学校は技能労働者の不足に悩む産業界と中学校卒業後すぐ就職しようとするものから歓迎されて、設立2年目の昭和42年3月には入学志願者が募集人員の4倍に達し、求人申込みが卒業生の十倍にも達した。現在4校の産業技術学校が設置されるまでになっている(うち2校は昭和40年4月に開校予定)。昭和43年5月現在これらの産業技術学校で、870人の生徒が技能修得に励んでいる。将来これらの産業技術学校を整備して高等学校に位置づけるよう制度の検討をはじめている。

これまで主として沖縄の後期中等教育の現況と急増対策を中心に述べてきたが、今後ともに地域社会の要請と後期中等教育の多様化をじゅうぶんに結びつけるとともに、内容の整備充実を図る方向に努力をつづける必要がある。

これらの目標を達成するためには、これまで以上に本土政府ならびに本土の教育関係者の暖かいご指導とご援助を得なければならない面があり、沖縄の教育行政にたずさわる者の1人として心からそれを願うものである。

図1 高等学校生徒数の学科別構成比本土比較（昭42.5）

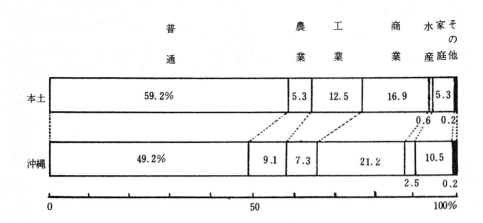

表5 高校進学者課程別推移

区　　　分	昭和36年 (A)	昭和43年 (B)	B/A×100 %
中学校卒業生徒数	10,304	27,028	262
高 校 進 学 者	7,367	18,174	247
内　政府立全日制	5,186	14,163	273
政府立定時制	526	1,964	373
訳　私 立 高 校	1,655	2,047	124

公立学校職員共済組合法の施行にあたって〔1〕

公立学校職員共済組合
事務局長　安　村　昌　享

　昨年(1968年)8月29日に署名公布された教職員の福祉の向上を目的とする公立学校職員共済組合法と同法施行法は、去る7月1日から施行され、待望の教職員の共済制度がようやく本土並みに実施することができるようになりました。このことは、沖縄教育界多年の悲願ともいうべきことであり、更に日本復帰へのさきがけともいえることであって、1万余の組合員とともに喜びにたえません。申すまでもなく、公立学校職員共済組合は、公立学校教職員等及びその家族の生活の安定と福祉の向上に寄与するために、病気、負傷、出産、休業、災害、退職、廃疾又は死亡に関して適切な給付(短期給付及び長期給付)と福祉事業を行なうための相互救済を目的とする社会保険制度として発足したものであります。公立学校職員共済組合法及び同法施行法については、すでに1968年11月1日づけ文教時報(号外)第16号でその概要について説明しましたが、更に要点を抽出し説明を加えることによって、組合員の皆さんのより一層の理解を深め、共済組合法の意図する事業が円滑に実施され、組合員の福祉が充実向上されることを期待して、以下、説明を続けたいと思っています。

1、組合員の範囲

　常勤の公立学校(幼、小、中、高特殊、各種)の職員、琉球大学の職員、文教局及び附属機関の職員連合区委員会事務局職員、区委員会の職員、私大委員会の職員及び共済組合の職員を強制的に組合員としており、その数は約14,000人と推定されています。更に、特例として、常に勤務に服することを要しない者でも、常勤職員について定められている勤務時間以上勤

務した日が、引き続き12ケ月をこえるに至った者で、このこえるに至った日以後引き続き当該勤務時間により勤務することを要することとされている者については、組合員の資格が与えられるようになっています。

2、組合員の資格の得喪

組合員となるべき職員となった者は、その職員となった日から公立学校職員共済組合の組合員の資格を取得する。その者が死亡したとき又は退職（職員でなくなった日又はその翌日に再び職員となる場合を除く。）したときは、その翌日から公立学校職員共済組合の組合員の資格を喪失するようになっています。特に現行法では、公務員退職年金法及び公務員等共済組合法（1970年7月1日施行予定）との関係について規定がないが今度の公立学校職員共済組合法の一部改正及び同法施行法の一部改正によりこれらの関係が補充される予定であります。すなわち、これらの規定が施行されると公共学校職員共済組合の組合員が公務員退職年金法の適用を受ける公務員又は公務員等共済組合の組合員となる職員となったときは、重複して組合員となることをさけるため、その職員となった日から公立学校職員共済組合の組合員の資格を失い、公務員退職年金法の公務員又は公務員等共済組合の組合員の資格を取得するようになります。

3、被扶養者の範囲及び届出

共済組合は、組合員の被扶養者の病気、負傷、出産、死亡又は災害に関して短期給付を行なわれなければならないこととされているので、この被扶養者の範囲をどのようにするかは共済組合制度上きわめて重要なことであります。次に被扶養者の範囲図を示しますのでこれにより、被扶養者の事実が生じたならば、すみやか（できるだけ30日以内）に届け出るようにして下さい。なお、当分の間は従来通り医療保険法に基づく給付が行なわれますので、医療保険法による被扶養者と共済組合法による被扶養者の届出の内容は一致する必要があります。

4、共済組合の事業

公立学校職員共済組合は、短期

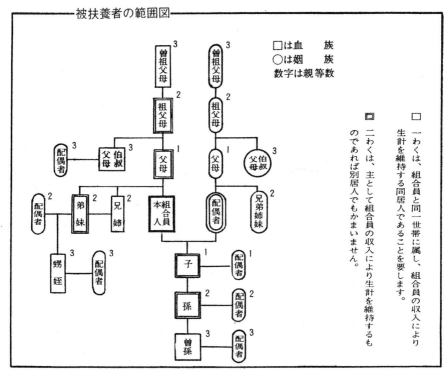

▲ だれを被扶養者とすることができるか
  1．組合員の配偶者（事実婚を含む）、子、父母、孫、祖父母および弟妹で、主として組合員の収入によって生計をたてていることが必要です。
  2．前記以外の3親等内の親族については、組合員と同一世帯であることが必要です。
▲ 被扶養者としての要件は何か
  1．組合員が扶養義務者であること。
  2．恒常的な所得が、年間360ドル程度以下であること。
▲ 18才以上〜60才未満でも次の場合は別に扱う。
  1．学校教育法第1条に規定する学校の学生、生徒（年収360ドル程度以上の定時制、通信制、夜間課程などは除きます。）
  2．病気のための長期療養者、又は自活能力のない半永久不具廃疾者
  3．所得税法上の扶養親族
  4．その他特に必要と認められる者

給付及び長期給付の給付事業と宿泊施設の経営、組合員に対する生活資金の貸付事業等の福祉事業を行なうようになっており、これを表示すると次のようになっていま す。なお、短期給付及び長期給付の具体的内容及び福祉事業の内容については、この稿を継続することにより逐次説明を加えていきたいと考えています。

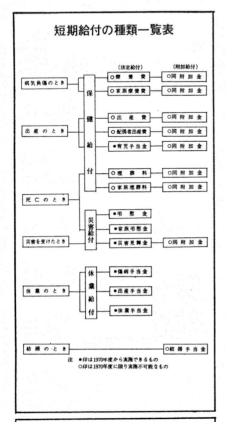

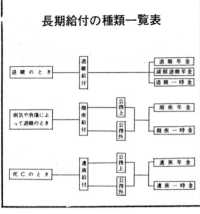

5．福祉事業の内容

短期給付、長期給付が、組合員の生活の保障を主体としているのに対し、福祉事業は、組合員またはその家族のための、積極的な福祉をはかることを目的としています。財源は、短期給付に要する費用の95分の5、および長期給付に要する責任準備金からの借入金をもってあてることになっており、次のような事業を予定しています。

○保健事業　（元気回復、健康増進をはかるものです。）

○宿泊事業　（保養、宿泊、会合などの便宜のため、保養所、宿泊所などの施設を経営する）

○住宅事業　（教職員住宅を建設し、安い家賃で利用に供する）

○貸付事業　（臨時の支出に対する資金の貸付をする）

6．費用の負担割合

(1) 給付に要する費用の負担割合

　イ　短期給付に要する費用の負担割合

短期給付に要する費用は、組合員と当該組合員の給与を負担する琉球政府及び地方教育区（職員団体の専従職員については当該職員団体、公立学校職員共済

組合の役職員については、当該共済組合）が折半する。すなわち掛金100分の50、琉球政府及び地方教育区（以下「政府等」という。）の負担金100分の50とされています。
　ロ、長期給付に要する費用の負担割合
　　長期給付に要する費用は、組合員が100分の42.5,政府等（なお、長期給付分についてのみ公庫等復帰希望職員については当該公庫等）が100分の42.5、公的保険制度への政府の負担として100分の15をそれぞれ負担することになっています。
(2)　福祉事業に要する費用の負担割合
　　組合員と政府等とが折半負担する。
(3)　事務に要する費用の負担割合
　　福祉事業に係る分を除き、事務費は、琉球政府が全額負担し、その負担すべき金額は、毎年度政府の予算をもって定められます。
(4)　追加費用の負担
　　長期給付について、公務員退職年金法及び公立学校職員共済組合法施行後の期間分については、これらの立法施行後の掛金及び負担金でまかなえる計算がなされていますが、公立学校職員共済組合法の長期給付に関する施行法によって、公務員退職年金法施行前の期間、さらには、1946年1月28日以前の期間についても公立学校職員共済組合法の組合員期間として通算されることとなるので、公立学校職員共済組合としては、過去の期間に対する責任準備金を保有していないため所定の責任準備金が不足することになりますので、この過去期間を通算することにより必要とされる責任準備金に相当する額を追加費用として政府が負担しています。現年度の追加費用ととして政府の負担する額は、組合の給付総額の1000分の21.1であります。

7．掛金及び負担金

(1)　掛金率及び負担金率
　　組合の給付に要する費用は、組合員の給付に対する一定率として定め、所要財源率といわれます。この所要財源率に前記6で述べた費用の負担割合を乗じた率が掛金

率及び負担金率とよばれ、給料にそれぞれの率を乗じた額が掛金及び負担金の額となります。これらの掛金に関する事項は、定款事項となっており、次のように定められています。

区分 組合員種別	掛金率			負担金率		
	短期給付	福祉給付	長期給付	短期給付	福祉給付	長期給付
一般組合員	$\frac{1}{1000}$		$\frac{42}{1000}$	$\frac{1}{1000}$		$\frac{56.8}{1000}$
復帰希望職員	―		$\frac{42}{1000}$	―		$\frac{56.8}{1000}$

(2) 掛金の算定と徴収

掛金は、毎月初日における組合員の給料を標準として算定し、月の中途で組合員の資格を取得した者については、その組合員資格を取得した日（職員となった日）における組合員の給料を標準として算定されます。欠勤、休職その他の理由により、組合員の給料の全部又は一部が支給されない場合でも、掛金の基礎となる給料は、減額しない給料によることになっています。　なお、今度の共済組合法の一部改正が署名公布されたならば、給料の額が305ドルをこえる者は、給料が305ドルであるものとして掛金も計算されることになります。

さらに、組合員の給与支払機関は、毎月、給料その他の給与を支給する際、組合員の給与から掛金に相当する額を控除して、これを組合員に代って組合に支払うよう義務づけられていますので、特に記してご協力をお願いします。

(3) 負担金の払込み

政府、政府等又は職員団体は、その負担金を、毎月組合に払い込むよう義務づけられています。そしてその支払については概算払によることができることになっており、その場合には、当該事業年度末において精算するものとされています。

以上7項目にしぼって概説をいたしましたが、この稿を初稿として継続して、共済組合法の説明を加えていきたいと考えていますので是非ご一読下さって理解を深めていただくとともに積極的なご協力をお願いいたします。

風疹障害児の教育対策について

義務教育課　平良正久

1. 風疹とは

風疹とは俗にいう「3日はしか」のことで妊娠中の母親が、それに罹ると胎児に悪い影響を与え、障害児の出生率が高くなるといわれています。

風疹のヴィールスは感染すると2、3週間で発疹症状をおこしますが3日程でなおってしまいますので風邪気味だと軽くあしらいがちです。また健康度、体質等によっては本人が知らぬ間に感染し、発疹症状もなく、微熱程度ですませてしまう人もあるようです。しかしいずれの場合も胎児に及ぼす影響は大きく、聴覚神経や視覚神経などが冒されやすいといわれています。特に妊娠初期の胎児には悪影響を及ぼし、時には2重、3重の障害をうけて出生することも少なくありません。その他未熟児、虚弱児の出生率も高くなっています。このような障害児の出生の原因となる風疹が沖縄では1964年の秋から1965年の春にかけて大流行し、障害児が多く誕生するという結果になってしまいました。

2. 風疹障害児の実態

九州大学の小児科、耳鼻科、眼科の各専門医による検診班が1968年7月、宮古を除く各地区での検診の結果、風疹による障害児が意外に多いことが判明し、大きな社会問題として取り上げられるようになったことはご承知のとおりであります。

文教局では全琉的な推計によって障害児の数をおさえて、その対策を急いでいたがたまたま本土政府から第2陣の検診班（班長平山宗宏東大医学部助教授）が1969年1月30日から2月16日まで派遣され、全琉6地区（北部、中部、那覇、南部、宮古、八重山）で大がかりな検診の結果、沖縄における風疹障害児の実態が次表のとおり発表されました。

検診を受けた幼児数		559人
風疹による異常児と思われるもの		330例
360例の内訳	先天性心臓疾患	52例
	先天性白内障	28例
	聴力障害	339例
	聴力、視力、心臓疾患を合せもつもの	21例

　心臓疾患と白内障は現代の進歩した医学の力によって完治することも可能である。厚生局ではそれらの幼児のために予算措置を講じ、設備の整った本土の病院へ送り出し、手術を施すべく計画を進めているということです。聴力障害児は339例で、そのうち228例は聾児であり、他の幼児も聾に近い高度難聴となっています。検診結果によると339例ということになってはいますが、いろいろな事情で当日受検することが出来ず名簿漏れになっている難聴幼児もいるのではないかと思われます。それで文教局においては、約4百名の聴力障害児が全琉にはいるものと推計しています。難聴児に対しては特に早期教育が必要とされています。風疹障害児は1971年の4月に幼稚園、1972年には小学校1年に就学するので、それまでに聴能訓練を徹底的に行なうことによって大きな効果があり、就学すれば特殊学級で充分な教育が受けられるといわれています。それで文教局ではそれらの難聴幼児のための教育的施策を具体的に検討し、実践に移しつつあります。

3．文教局における難聴児の教育対策

　文教局では1968年10月30日に風疹による難聴児の教育対策を次のとおり発表し、実施していくことになりました。
（1）難聴幼児母子講習
　（イ）文教局主催によるもの
　　○年3回の長期休暇（春夏冬休み）を利用し、沖縄聾学校（予定)で実施する。

○言語指導及び生活指導の方法を主として行なう。
(ロ) 本土政府技術援助によるもの
○1969年の3月に指導員を招聘し講習会をもつ。
○指導内容は聴能訓練を主として行なう。
○1969年4月以降は教育研修センターに常駐予定の指導員により別に指導計画を立案し実施する。
(2) 教員養成
○1969学年度及び1970学年度に聾教育研究教員の増員派遣を計る。
○東京教育大学聾教育学部教員養成科に教員を派遣し養成する。
○教育研修センターに常駐予定の指導員による現職教育を行なう。（沖縄聾学校及び公立小・中学校教員を対象とする。）
○聾教育研究教員帰任者により、公立小、中学校に設置する難聴学級担任予定者の養成をはかる。
(3) 難聴学級の設置
○1971学年度には、必要に応じて幼稚園に難聴幼児のための特殊学級を設ける。
○1972学年度には、小学校に難聴児学級を市町村別に計画を設置する。
(4) その他
○聴力欠損児の父兄及び沖縄聾学校のために「テレビろう学校」の放送促進とその活用をはかる。
○「幼児難聴の発見から治療、教育まで」のパンフレットを印刷配布する。
○「難聴児をもつ親の会」の育成強化をはかる。

以上4項目にわたる基本的な計画をたてるかたわら、文教局と厚生局にそれぞれ「風疹障害児対策研究委員会」を設け、万全の策を推進していくことになりました。

早期教育の実施というたてまえから、難聴幼児に対する直接の指導も早急に行なわれなければならないということは当然である。然し肝心な指導者がいないとなると指導効果をあげることはできない。幼児の直接指導と平行して、教員の養成も急務であり、文教局では本土政府の協力を得て、次のとおり指導者養成のための年次計画をたて実施していくことになっています。

(1) 指導者養成計画
　(イ) 聴能訓練年次計画

事項	講習会実施期間	講師人員	受講人員	受講親子	備考
第1次	1969・3・25〜4・7	14	20	20組	聴能訓練指導者講習会
2〃	1969・8・12〜8・25	18	20	各連合区内の全幼児	
3〃	1970・3・25〜4・7	10	20	20	

備考
各連合区ごとに2人の巡回教師を配置し、指導者として養成する。なお　受講人員欄の20人は6連合区の巡回教師12人、養護教諭3人、児童福祉司5人とする。

(ロ) 聾教育関係指導員配置計画(教育研修センター常駐予定の指導員による。)

年次 事項	学年度	指導員数	備考
第1年次	1969	2	難聴学級担任者の指導に当る巡回教師12人を教育研修センターで訓練し、各連合区において母子の教育相談にも応ずるようにする。
2〃	1970	1	
3〃	1971	1	

(ハ) 聾教育認定講習会

学年度 事項	講習時期	場所	備考
1969学年度及び1970学年度	夏季	教育研修センター(予定)	難聴児指導予定者及びろう学校教員50名で1学級を編制する。

(2) 難聴学級担任者養成計画

(イ) 聴能訓練年次計画

	講習実施期間	講師人員	受講人員	受講親子	備考
第四次	自1970・8・1 至1970・8・14	8	50	25組	難聴学級担任予定者に対して講習を行なう。
第五次	自1971・3・25 至1971・4・7	8	50	25	
第六次	自1971・8・1 至1971・8・14	8	50	25	

(ロ) 指導員による養成計画

学年度＼事項	実施時期	場所	備考
1970	随時	連合区及び市町村	難聴学級担任者を対象に、指導員及び巡回教師による連合区単位の講習会もできるだけ多くもつ。
1971	〃		

(ハ) 研究教員の本土派遣計画

学年度＼事項	派遣期間	派遣人員	備考
1969	6か月	4	○難聴学級担任希望者から選考して本土に派遣し、研究させる。 ○現在実施の研究教員の別枠として考慮する。
1970	6か月	20	
1971	6か月	20	

(ニ) 聾教育初任者講習会

学年度＼事項	講習時期	受講者数	備考
1971	夏季	50	○難聴学級担任者に対して、ろう教育、ろう心理、言語指導の理論及び病理等について、認定講習を行なう。
1972	〃	50	
1973	〃	50	

4 難聴幼児の教育指導経過

（イ）第1回指導者講習会

1969年3月25日から4月7日まで本土政府派遣の指導員によって第1回の、風疹による難聴児指導者講習会が那覇中学校で開催されました。受講者のうちの12名は各連合区から選考派遣された優秀な中堅教員でありましたが、特殊教育については殆んどが未経験者である上に、しかも今回の指導対象児が風疹障害児の高度難聴幼児とあっては、さすがの中堅教員も初めのうちは戸惑うばかりで手のつくしょうがありませんでした。日時がたつにつれ、真剣で熱心に取組まれた指導員のご指導のお蔭で、或程度指導技術も身につくようになりそして「このいたいけな子どもたちの教育は、私たちが責任をもってやらねば…。」という勇気と自覚にもえ、身振り手まねのジェスチャーをまじえながら指導に全身全霊を打込んでいる姿は、はたで見ても本当に涙ぐましい程で、ヘレンケラ女史のかつての指導者、サリバン先生を思い出さずにはいられませんでした。

10日間の講習会は無事終ることが出来ましたが、12名の巡回教師にとってはこれらが大変です。各連合区に帰り、

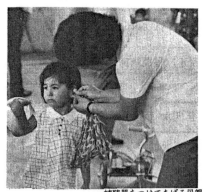
補聴器をつけてあげる母親

管内に在住する風疹障害児の調査確認、指導計画の立案、実地指導等、やらねばならない仕事が山積していたからである。僅か10日間の講習を受講して、全く未知の分野を開拓するのには、あまりにも障壁が多すぎた。備品もなければ予算もない、子どもらを指導する会場の確保ですら思うようにいかない。幾度かくじけようとする心に鞭打ち、自己を励ましつつ、まがりなりにも3か月間にわたり指導を行なってきた。今日では社会の関心と理解も深まり、協力体制もできたので指導もスムーズに行なえるようになり、その効果もあがりつつある。

（ロ）連合区別の難聴児指導概況
（1）北部連合区（巡回教師岸本ミツ、具志堅秀子）
○4月26日に北部親の会総会を開き、難聴児の教育のあり方につ

いて話合う。
○難聴児のグループ編制をし、巡回指導も開始した。
○33人の障害児を5班に分け、北部会館、公民館等を利用して指導に当っている。
○遠隔の地に子どもらが分散しているので不便であり、充分な教育相談や指導ができない。
（2）中部連合区（巡回教師仲本とみ、中根和子）
○4月18日に母親の会を結成し、グループ編制、諸係等を決める。
○障害児77人を6班に分け、月12回は班別指導、1回は母親だけの講習会、その他は重障児のために個別訪問指導を行なっている。
○常設会場がなく、会場折衝に無駄な時間と労力が費やされて困っている。
（3）那覇連合区（巡回教師儀間真勝、名嘉山英子）
○大道小学校の3教室を借りて指導に当っており、親の会が協力的でスムーズにいっている。
○143人の障害児を12班に編制し、原則として週1回は各個人、指導が受けられるようにしている。
○久米島にも5人の障害児がいるが離島であるため指導が充分にされない。
（4）南部連合区（巡回教師、当原繁子、山内千代）
○4月9日親の会の総会を開き、指導計画等について話合う。
○指導対象児は30人で、週1回、合同指導を行ない、他の日は1日2人平均の割で巡回指導をしている。
○村単位の指導も行なっているが、備品の持ち運びや会場借用に若労している。
（5）宮古連合区（巡回教師、川満トヨ、野原廣子）
○風疹障害児が89人もおり、10班編制で指導している。
○5月7日に親の会総会を開き、指導計画等について話合う。
○主として連合区ホールで指導しているが、備品、遊具がもっとほしい。
（6）八重山連合区（巡回教師、大浜信、砂川清）
○4月いっぱいは家庭訪問を行ない、家族構成等の調査をする。
○4月29日親の会が結成された。
○親の会が平得公民間を借用し、集団指導をしてほしいとの申し

出があったので5月20日から常設会場で指導する。
○障害児は31人いるがそのうち8人は離島に在住しており、4人は東京で行なわれている講習会に参加されているので、集団指導は普通10名内外である。

以上ごく簡単に、連合区に配置された巡回教師の活動状況を紹介してきましたが、各連合区とも、いろいろな悩みはあるにしても、真剣に取組み問題解決に当りつつ、子どもらの指導に懸命な努力を払っておられることに対し敬意を表したいと思います。

むすび

「禍転じて福となす。」ということばがあるが、障害を生れながらにして背負わされたところのいたいけな子どもたちを将来幸せにするためには、どうしても教育の力にまつほか道はないと信じます。

2、3年後に就学適令に達するこの子どもたちのために今からでも充分な聴能訓練を施していかなければ手遅れになるといわれています。幸にしてこの子らのために、各方面から続々と愛の手がさしのべられつつあることは、既に新聞紙上でもご承知の通りであり、喜こばしいことであります。愛の援助の一例としましては、本土の民主団体から第1回の指導班に託送されました補聴器があり、講習終了後引続き日程をわざわざ延長していただき、専門の講師にお願いして、遠く宮古、八重山までも飛んで、直接難聴幼児各個人に配布し、そしてその取扱い方、装用の方法等懇切丁寧に指導が行なわれました。

巡回教師の話によりますと、指導された通り、常に補聴器を装用させ、そして家庭においても家族の協力のもとに聴能訓練されている子どもの指導効果はめきめき向上しているとのことであります。補聴器の装用を嫌がる子どもも中にはいるということでありますが親の躾け方如何によっては喜んで使用するようになるとのことであります。

教育は1朝1夕にして成就されるものではありません。根気強く努力することによって子どもの将来に幸せが約束されるものと確心いたします。ご両親をはじめ、家族のみんなが、否地域社会全体の共同責任の名においてこの子らを温く見守り、そしてすくすく成長していただきますよう念じてむすびとします。

1969年8月

1970年度教育研修センター研修事業計画

沖縄教育研修センター

教育研修センターにおいては、1969年7月から1970年6月までの研修事業を次のとおり計画していますのでご協力をお願いします。

一　経営に関する研修

　①　校長研修会

　各連合区ごとに小中学校長を対象に3日間づつ、教育指導員の滞在期間の9月から12月の間に全員に対して研修を行なう。

　②　教頭研修会

　上記の校長研修会と同様な方法で行なう。

　③　中堅教師研修会

　小中校の教務主任級を対象に7月16～17日の2日間センターにおいて行なう。人員は40人

　④　女教師研修会

　小学校の教職経験15年以上の幹部女教師を対象に、8月5～6日の2日間、センターにおいて行なう。人員は各連合区5名の計30人。

二　教科、領域に関する研修

　①　国語学習指導研修会

　小中高校の国語研究主任を対象に2日間づつ次の会場ごとに研修を行なう。

　　八重山　　7月22～23日　20人
　　北部　　　8月13～14日　15人
　　センター　8月18～19日　35人
　　宮古　　　12月26～27日　30人
　高校はセンターで7月28～29日　20人

　②　算数学習指導研修会

　小学校の算数主任を対象に4月28日～29日の2日間、センターにおいて行なう。人員は40人。

　③　数学学習指導研修会

中校の数学主任を対象に7月22〜23日の2日間、北部連合区で、又4月7〜8日はセンターにおいてそれぞれ行なう。人員はいずれも40人。

④　数学講習会

中学校数学の免許外担当者を対象に8月18日〜22日の5日間、八重山連合区で行なう。人員は40人。

⑤　社会科学習指導研修会

中校の社会科主任を対象に8月25〜26日の2日間、センターで行なう。又八重山でも行なうが期日は未定。人員はいづれも40人。

⑥　道徳教育研修会

小学校道徳主任を対象に12月26〜27日、センターにおいて行なう。人員は40人。

⑦　特別活動研修会

小学校の特活主任を対象に6月3〜4日、センターにおいて行なう。人員は40人。

⑧　国語学習指導定期研修会

小中校の国語主任級を対象に長期間、毎月2〜3回定期的にセンターにきて研修する。

小学校は、4〜6月の期間
中学校は、9〜12月の期間

⑨　道徳教育定期研修会

小学校道徳主任を対象に長期間、毎月2〜3回定期的にセンターにきて研修する。期間は9〜12月。人員は20人。

三　教育相談、特殊教育、幼稚園等に関する研修

①　教育相談研修会

訪問教師を対象に11月27〜28日、センターにおいて研修を行なう。人員20人。

②　特殊学級経営研修会

小学校特殊学級担当者を対象に5月19〜22日の4日間、センターにおいて研修を行なう。人員40人。

③　幼稚園指導者研修会

幼稚園の園長及び指導者を対象に9月29日〜10月2日の6日間、センターにおいて研修を行なう。人員80人。

④　幼稚園教諭研修会

幼稚園教諭を対象にセンター及び北部、宮古、八重山において研修を行なう。期間は10月〜12月の間、人員59人。

⑤　中学校進路指導定期研修会

進路指導主事を対象に長期間、毎週1回定期的にセンターにきて研修する。期間は4〜9月。人員10人。

⑥　高校生徒指導定期研修会

高校のカウンセラーを対象に長期間毎週1回センターにきて研修する。期

間は4〜9月。人員10人。

⑦　幼稚園指導者定期研修会

幼稚園の指導者級を対象に長期間、毎週1回センターにきて研修する。4〜6月の期間。人員24人。

四　理科に関する研修

① 理科長期研修講座

理科の指導者級を長期間（6ケ月）センターに入所させて研修を行なう。

○小学校理科長期研修は10月1日〜3月31日。

受講資格は、主任研修会、女教師研修会を修了した者で、人員は各連合区1人の計6人。

○中学校理科長期研修は4月1日〜9月30日。

受講資格は、主任研修会を修了した者で、人員は小学校の場合と同じ6人。

② 理科主任研修会

理科主任級を12日間センターにおいて研修を行なう。

○小学校理科主任研修会は、8月4日〜15日。

人員は、各連合区5人の計30人。

○中学校理科主任研修会も同期日に併行して行なう。人員も同じ30人。

③ 小学校女教師理科研修会

小学校の上学年及び下学年担当の女教師各30人を対象に、センターにおいて研修を行なう。

期間は同じく12月26日〜30日の5日間。

④ 理科実験研修会

理科担当教員に対し、センター及び連合区の会場において2日間づつの実験実習の研修を行なう。

○小学校理科実験研修会は、上学年と下学年に分け、1組の人員は40人。

○中学校理科実験研修会は、1組の人員は30人で、会場と期日は次のとおり、

北部	名護中	7月1日〜2日
中部	北谷中	7月1日〜2日
那覇	教育センター	7月3日〜4日
南部	教育センター	7月3日〜4日
宮古	平良中	10月7日〜8日
八重山	石垣二中	10月14日〜15日

⑤ 小学校生物野外研修会

植物領域について野外観察の研修を連合区の11会場において各1日行なう。実施期日、会場は別表のとおり。

小学校理科研修会（下学年部会）

連合区	会場	期日
北部	辺土名	4月14、15日
〃	東江	4月15、16日
〃	宜野座	4月16、17日
中部	美里	4月21、22日
〃	あげな	4月22、23日
〃	中の町	4月24、25日
那覇	教育研修センター	4月21、22日
〃	大岳	5月26、27日
南部	東風平	4月27、28日
〃	南風原	4月27、28日
宮古	北	5月12、13日
八重山	大浜	5月19、20日

小学校理科研修会（上学年部会）

連合区	会場	期日
北部	辺土名	1月12、13日
〃	屋部	1月22、23日
〃	宜野座	1月27、28日
中部	美里	1月14、16日
〃	あげな	1月20、21日
〃	中の町	1月29、30日
那覇	教育研修センター	1月27、28日
〃	大岳	5月28、29日
南部	東風平	1月29、30日
〃	南風原	2月3、4日
宮古	北	5月14、15日
八重山	大浜	5月21、22日

小学校生物野外研修会

連合区	会場	期日
北部	辺土名	11月20日
〃	宜野座	11月26日
〃	名護	11月28日
中部	石川	12月2日
〃	前原	12月5日
〃	コザ	12月9日
南部	糸満	12月12日
〃	知念	12月16日
那覇	那覇	12月18日
八重山	八重山	10月9日
宮古	宮古	10月16日

⑥ 中学校地学野外研修会

地学領域について理科担当教師を対象に、次の会場で研修を行なう。

1組の人員は40人。

北部	上本部中	9月18日
中部	北谷中	9月8日
那覇	教育センター	9月10日
南部	教育センター	9月12日
宮古	平良中	10月9日
八重山	石垣二中	10月13日

⑦ 辺地理科研修会

へき地の小中校教員に対し当該学校において研修を行なう。

会場及び期日は次のとおり。

北部	瀬底小中	10月2～4日
中部	平安座小中	10月2～4日
南部	渡名喜小中	9月25～27日
宮古	池間小中	9月5～8日
〃	伊良部小中	9月5～8日
〃	来間小中	9月5～8日
〃	佐良浜小中	9月5～8日
〃	大神小中	10月9～11日
八重山	波照間小中	10月15～17日
〃	大原小中	10月16～18日
〃	竹富小中	10月17～20日

⑧ 高校理科授業研修会（地学）

高校の理科授業の改善をはかるため教育指導員の滞在期間において示範授

業や授業研究会を普天間高校と那覇高校を会場として次の期間に行なう。

　普天間高校　　9月29日～11月1日
　那覇高校　　　11月8日～12月13日
　⑨　高校理科実験研修会（生物）
　高校の実験観察技術の向上と指導法の改善をはかるため生物担当教員に対し、センターにおいて5日間研修を行なう。
　⑩　高校理科実験研修会（地学）
　上記生物領域と同じ趣旨で普天間高校と那覇高校において教育指導員を中心にして研修を行なう。

五　教育指導員による研修

　今年度は、従来の学校訪問による巡回指導の方法を改めて、教育センター及び学校に配置して指導に当ってもらうことにしている。

　特に学校配置については当該教科の推進校育成のために適当な学校を定めて重点的に指導し、地域の学校又は研究団体の指導も行なうようにする。

　推進校においては示範授業や授業研究会等を通して研修を行なう。

　センター配置の指導員は全琉的に研修を行なう。

　指導科目、人員は次のとおり。

　教育センター（6人）　学校経営、幼稚園教育、教育相談、特殊教育
　　　（精薄1、難聴児2）
　高等学校　　（4人）　国語、社会科
　　　（世界史）、数学、理科（地学）
　北部連合区　（3人）　音楽（小）
　　英語（中）、生徒指導（中）
　中部連合区（2人）道徳（小）、特活（小）
　那覇連合区　（2人）国語(小)、算数(小)
　南部〃　　　（2）図工(小)、体育（小）
　宮古〃　　　（3）国語（小）、理科（小）、数学（中）
　八重山〃　　（3）算数（小）、道徳（小）、体育（中）

　小中校の場合は一校に常駐して指導するが、高校の場合は前後期に分けて二校づつ指導することになる。

　指導員は9月25日来島し、12月18日帰任の予定である。

六　「研修員」に関すること

　当教育センターでは、指導者養成の目的で現在、小中校理科、特殊教育、幼稚園の長期入所研修を行なっているが、今年度から更に他の教科、領域にも広げて小中高校の指導者級若干名を選定して長期入所研修を実施する。以後これを「研修員」と呼ぶことにする。

　期間は、一ケ年を原則とする。ただし、今年度は学年度の切れ目等を考慮

して9月～3月の7ケ月とする。

人員は、各連会区及び高校とも2人とする。

研修科目は、センターの施設及び指導職員等を考慮して教育長等と協議してきめることにする。

七　その他（申請研修）について

上記一から六までは、当教育センタの計画による研修事業であるが、そのほか、学校または教育研究団体もしくは研究グループ等が自主的な計画によってセンターの施設や職員を利用して研修会をもちたい場合にはできるだけ要望に応じたい方針である。

このような申込み（申請）によって行なう研修会を「申請研修会」と称し、今後これを奨励して行きたい。

申請研修を希望する場合は、少なくとも2週間前に研修の目的、内容、参加人員、日時、講師名等記載のうえ申請されたい。

1970年文教予算成立の経過について

1.概算要求の基本方針及び規模

1970年度の文教予算の概算要求は「沖縄における教育条件を整備することにより本土との較差是正をすること」すなわち本土並み教育水準を維持することを目標としてなされた。そしてこの目標達成のための予算規模を**78,614千ドル**と概算したのであるが、その根拠は①本土水準の予算規模（生徒1人当り公教育費をもとに積算）**62,815千ドル**、②較差是正相当分**15,799千ドル**である。

2.1970年度の文教予算

本年度の予算編成から成立までの過程は主席公選や政権交代による事務引継ぎ、1969年度予算の財源落ち込みによる財政硬直化等の事情により例年より幾分おくれ、2カ月の暫定予算を余儀なくされたわけであるが、1月上旬概算要求に対する説明、4月上旬に第一次内示、その後2度にわたる復活要求のすえ4月末に政府参考案ができ、その中で文教予算は**48,395,336ドル**となったが、立法院で最終的にきまった額は**48,332,167ドル**である。政府参考案より減少したのは、期末手当一律10ドル支給が削除されたこととそれに伴なう保険料等の減額によるものである。

本年度文教予算**48,332,167ドル**は前年度予算に対しては**8.6％**の伸び、琉球政府一般会計予算**170,785,000ドル**に対しては**28.3％**である。

放送教育の展望

指導課　嘉数正一

　児童生徒が（大人も含めていえることでもあるが）文字や口頭のことばだけで理解できるためには、その根底において、アナロジックな背景が同時にともなってこなければならない。そのことばの裏づけとなる視聴覚的なイメージがわき出てこなければ真の理解がはかられたことにならない。

　この意味において、学習指導における視聴覚的な提示は、こども達の頭の中に、ことばの背景となる、豊かな映像を貯えておくうえで極めて重要である。私はこのことを、心的学習環境とよぶが、あるいは、余備的な知識とよぶ人もいる。

　いずれにせよ、こどもの学力向上や教育効果や向上のスピードというものは、大部分この心的学習環境の整備如何にかかっているともいえると思う。

　こどもを大きく伸ばすコツは、適当な時期に──だいたい9才前後までに──適度の知識を投与し、適当な訓練をすることにあるといわれている。

　概して、これまでの教育のし方は、ことばによる、ことばだけの学習指導が高い比率を占めてきたように思われる。そのため転移性に乏しい学力、単なる抽象的・概念的知識が頭の中に去来するような上っ調子の実生活に対して殆ど役立たないものになっていたように考えられる。

　例えば、6ケ年〜10ケ年間、学校で英語を学習してきたにかかわらず、外人の話す英語がじゅうぶんききとれず、外人に対して、意のままに話しかけることができない人が多いという事実、家庭に必需品のようになっている、洗濯機・電気アイロン・扇風機・蛍光灯等の修理・点検・手入れが自信をもってできるかどうか──というようなごくありふれた日常生活の中に、かなりの問題点をみつけることができる。

　視聴覚的心的学習環境をととのえてやることが、学力の貧困から抜けだす道であることを、教師自身の、体験的指導理念として心の中に確立できるかどうかが、新しい時代における有能な教師となりうるか否かにかかっているといっても過言ではない。

　私達・沖縄の教師は、これまで5〜6年の間の、本格的な視聴覚教育活動・運動の歩みの中で、沖縄の先生方の視聴覚教育に対する認識や、放送教育の重要性に対する理解を広げていくように努力し、相当な程度にそのレベルをたかめることができたように思う。

　沖縄の津々浦々の、農村・山村・漁村の学校の先生方にも、一応の視聴覚教育

に対する見識をもっていただくことができ、ごく少数の学校を除いて、テレビ・ラジオの学校放送が毎日の学習指導にとりいれられることを可能ならしめ、且つ、実現することができた。このことは、世界的な視野からみれば、まさに、おどろきであり、大いに自負してよいものであることが、この頃になってようやくわかりかけてきた。

沖縄の学校教育の近代化―現代化とよんでもよいが、現代化のことばのもつひびきが、なんとなくだらしなくきこえるので、ピーンと金属音のするキンダイカをとってよぶことにする―の基盤はすでに確立されたものとみることもできよう。

というのは、沖縄のどの学校にも、ラジオ・テレビがあり、映写機・オーバーヘッド投映機・録音機等の近代教具が整えられて常備薬のような存在になってきているからである。

情報時代の、著しい発達をとげた、高度の通信技術と、伝達内容とのすぐれた調和が、ラジオ・テレビによる、日本の学校放送である。

新しいミーデアとしての、電波通信による教育の方法は、まず、**教育の機会均等を名実共に可能ならしめ、教育における民主化をより一層徹底することができる**ようになった。ただ、これが、ほんとの意味で、価値あるものになるためには、送り手であり、制作者である放送局側の人々と、受け手である教師の呼吸とが、渾然一体となってとけ合わねばならぬ。

受け手の、利用者としての教師が、わだかまりなく番組の制作者にものがいえ、制作する立場の放送従事者が、遠慮なしに学校教師にものがいえる時代になったとき、いいかえれば、対等の、主体的な、共通の広場が確立されたとき、そこに放送教育の黄金時代が出現する。

残念ながら、学校放送をだす方と、利用する学校現場とのアンバランスが本土の、沖縄の放送教育の現状であるともいえる。

送る側と受ける側とが質的に対等であるということは極めて重要である。

このバランスがとれた状態のときに、その国における、その地域における、その学校における最ものぞましい番組が生れてくるし、最大の利用の効果がでてくるものである。

私は、遠からぬ将来に、この時期がくることを心ひそかに期待し、毎日の仕事の中に、私に要求される学校放送の仕事に、はりあいをみつけ、懸命にやりとおす。

沖縄の児童生徒の学力が、全国最下位という汚名を返上し、堂々と日本国民の中で自主的にやりとおしていけるこども

達に育てていき、その学力が、本土の平均に追いつき、追いこしていくというのが当面の重要な課題であると思う。これは、あながち、私一人のねがいだけでもあるまい。

今や、世界は急速に狭くなりつつある。毎日沢山の人々が各国間往来し、さまざまな媒体をとおしての各種の情報がたえまなしにみだれ飛ぶ世の中である。旅客用ジェット機はますます大型化し、運賃も近く30％値下げになるといわれている。この動向からみるとき、本土の各県と比較する時期はすでに去ったのではないかと思われる。

教育は、民族の、私達の子々孫々の繁栄をめざし、百年の大計のもとにすすめられねばならないものと思う。

広い教育的視野にたつ——というのは二つの側面をもつものであるが、一つは、横の、地域的なひろがりともう一つは、縦の、時間的なひろがりである。横のひろがりの中に、世界の動向をみきわめ、その進運からとり残されないような配慮をし、縦の計画の中に、30年、50年の社会に役立つ能力の付与が考慮されていなければならない。教育はいわば、このX軸とY軸の座標のどこにコマをすすめていくかということであろう。

世界の先進国といわれるアメリカ・ソビエト・イギリス・日本・フランス等の欧米のこども達を相手にして、四つに組んでも劣らぬ文化国家・国民をめざして一人一人の教師ががんばっていくこと。

なにも、放送教育・視聴覚教育なぞと、もったいぶった言葉を使わずとも、そういうことが今の時代の学校教育のあたりまえのことだと考えて、ごく自然の、習慣的な利用になっていくことがいい。

これから放送教育などよぶのをひかえめにしたい。テレビ・ラジオの利用などと時折口ぐせのようにいうのを止めようではないか。

家に帰れば、ごく自然に、家庭団らんのなかに、テレビをみて楽しんでいるし、音楽をラジオからきいて、心の安らぎを得、楽しい思い出にひたったりする。ラジオ・テレビをとりだしての生活が考えられない程、深く、広く、大衆の生活の中に生きている。

が、一度、学校の門をくぐると、このラジオ・テレビがよそ物扱いにされているのでは、昔風の、生活から遊離した教育といわざるをえないし、社会のテンポに間に合わないことは火をみるより明白である。教育と名のつくものは、いずれにせよ、現在および将来の、社会の要求にこたえうるものでなければならない。

社会の要求・必要に即応しうるものかどうかの一つの検証としての立場や、社会の中で行なわれているものの中で有効

だと考えられるものをすすんで教育の場に利用するというような考え方から、放送教育の必要性がしばしば強調される。

一つの流れとして、先進国といわず、後進国といわず、世界的な傾向は、放送による教育を重要視しているということである。先進国における立場は、教授内容の高度化・多様化にともなう有効な教授力としてのテレビ・ラジオの利用であり、後進国においては、文盲をなくし、基本的な最小限度の教育を均しく国民にほどこすという趣旨のものといわれる。

放送による教育は、1900年台に新しく登場した近代教具としてのテレビ・ラジオによる教育のし方である。

ラジオ・テレビは、教科書等の活字教材の長い歴史のあとをうけて出現した、近代情報時代のにない手である。

文字教材と音声・映像教材とは互に合い補うもので、このことは、新聞と放送、学校放送とテキストとの関係からも理解できよう。

今や、学校における教育コミューニケイションは、それぞれの教材の特性のうえにたった、最も効果的なインフオメイションがなしうるような方向に向いつつあるものとみられ、この点からも、放送教材の価値追求は一層深く広く続けられていくに違いない。

1969学年度　ラジオ学校放送番組改訂時刻表

1969年9月1日以降

放送時刻	放送局	月	火	水	木	金	土	対象
9:15〜9:30	ROK	げんきなこども（2年道）	みんなのくらし（3年社）	ぼくはいちろうた（1年道）	みんなの図書室	お話たまてばこ	なかよしグループ	小学校低中
9:30〜9:45	ROK	世界名曲めぐり	わたしたちは考える（3年道）	学級の話題	青空班ノート（1年道）	昭夫の日記（2年道）	名作をたずねて	中学校
9:45〜10:00	RBC	名曲ライブラリー	世界の歴史	青年期の探求	人間とはなにか	国語研究	古典研究	高校
10:45〜11:00	RBC	国語教室6年生	音楽教室6年生	音楽教室5年生	音楽教室4年生	国語教室4年生	国語教室5年生	小学校国音
11:45〜12:00	RBC	国語教室3年生	音楽教室2年生	音楽教室3年生	音楽教室1年生	国語教室1年生	国語教室2年生	小学校国・音

沖縄一健康優良学校に選ばれて

豊見城教育区立　長嶺小学校
校長　謝花喜俊

　健康優良学校の表彰は、本土では昭和26年度から行なわれていますが沖縄では19年遅れ、今年度から朝日新聞社のきもいりで、やっと本土の仲間入りすることができたのであります。そのために去る6月11日、日本学校保健会理事長の湯浅謹而先生と朝日新聞社企画部の水原孝次長がわざわざ御来沖下さいまして審査の方法や資料作成の仕方を御指導下さったのであります。両先生の御指導によりまして私の学校も応募しましたところ図らずも沖縄一健康優良学校の栄冠を得ることができまして感激で一ぱいであります。

〔一〕　健康優良学校とは

①児童は明るく健康で常に自他の健康の保持増進に努力している。

②学校は児童の健康の保持増進のため教育活動の中で計画をたてて実践し、かつ努力のあとが顕著である。

③父母は家族の健康に関心をもつと共に明るく健康な家庭づくりと学校づくりに極めて協力的である。

すなわち身身共に健康な国民の育成に学校父母、及び児童も努力しそうしてどれだけ成果をあげてきたかによって決定されるものだと思います。

〔二〕　健康優良学校の審査

地方審査（沖縄における審査）は、各連合区から推せんされてきた学校について書類審査を行い、その結果2校にしぼり、両校現地審査を行なって沖縄一健康優良学校を決定したのであります。

書類審査は学校から提出した学校保健の活動状況を記載した資料によって、学校経営、保健管理、保健教育及び組織活動について計画、実践ならびにその効果がどのように向上しているかについて審査します。

現場審査は、資料に記載されている学校保健の活動状況がどのように具現されているかということについて諸活動をとおして細部にわたり審査するのです。

審査日程は次のとおりです。

① 朝の健康観察及び保健指導
② 授業参観（授業中の保健的配慮及び教室経営について）
③ 児童の研究発表（日常生活の中で調査し研究したもの）
④ 審査員と児童との話し合い（児童が健康安全面でどの程度理解し関心をもちかつ実践しているか）
⑤ 清掃の実施状況
⑥ 学校環境の整備状況
⑦ 学校保健委員会開催状況
⑧ 審査員と父母との話し合い
⑨ 審査員と教師との話し合い
⑩ 諸帳簿の点検
　　㋑学校保健委員会記録簿　㋺児童保健委員会記録簿、㋩学級保健会記録簿
　　㋥学級親子保健会記録簿、㋭家族保健会、㋬健康観察簿、㋣学校保健日誌、㋠健康手帳、㋷健康相談日誌、㋵児童会記録簿

〔三〕　本校学校保健活動の状況

本校が学校保健に本格的にとっくむようになったのは、1968年4月学校保健の実験学校として文教局の指定を受けてからであります。

それまでは学校環境の整備の面でも、また学校職員の保健に対する知識理解の面でも著しく低調であったのでありますが、実験学校にそなえて年度はじめに職員の研究組織を指導部、調査部及び環境整備部の三つの部に分け、研究計画を樹立したり、健康生活に必要

な基本的事項の調査を行ない、かつ学校環境を健康的に整備するなど研究態勢を整えたのであります。

御承知のとおり学校保健には保健管理、保健教育および組織活動の三領域があります。

文教局から示されたテーマは「学校保保健委員会の活動を活発にするにはどうすればよいか」という組織活動に関するものであります。

しかし保健管理と保健教育の統合調整と実際活動に具現させる橋わたし的役割をもつものが組織活動でありますので、この3領域を総合的に取り扱い、その中で組織活動が保健管理と保健教育の橋わたしとなっていくよう研究を進めることにしたのであります。健康優良学校の選定にもこの3領域がどのような活動をしているかを細部にわたって審査されるのであります。

本校がこの研究を進めてから現在までにおける主なる活動とその実践状況は、次のとおりであります。この中には学校保健の充実強化の上から学校独自の計画実践もありますが保健管理、保健教育に属するもので、学校保健委員会や児童保健委員会、または学級保健会、学級親子保健会で取りあげられ

① 保健管理
　（A）　環境整備
　　㋑　机腰掛けの調整（高くしたり、低くしたり）
　　㋺　手洗湯　足洗場（ガランの増と流し）
　　㋩　給水施設（ポンプ設置）の整備
　　㋥　チリ焼場の補修
　　㋭　歩道（渡り廊下）の舗装
　　㋬　環境検査
　　　（照度、水質、そう音、その他）
　　㋣　教室整備（清掃用具入れ、歯刷子立健康観察板）
　　㋠　植樹
　（B）　心身の管理
　　㋑　病気の治療
　　㋺　う歯の治療（夏休み中に60％以上の児童）
　　㋩　安全日の設定とその対策（月2回）
　　㋥　病気の予防（うがいの励行、手洗）
　　㋭　給食室の管理
② 保健指導
　（A）　保健指導
　　㋑　関連教科内での保健学習
　　㋺　道徳、特別教育活動、保健体育での保健学習
③ 組織活動
　　㋑　学校保健委員会
　　㋺　児童保健委員会
　　㋩　学級保健会（学級親子保健会を含む）
　　㋥　職員保健体育部会
　　㋭　ＰＴＡ保健体育部会
　　㋬　地域社会の協力
　　㋣　研究活動（児童の研究発表）

〔四〕　ＰＴＡの協力

　子どもの教育は、学校、家庭、地域社会の三者の協力が必要なことは今更申し上げるまでもないことであります。しかも子どもの身近かな健康問題をテーマに掲げて研究を進めるにあたって特に父母の協力が必要でありまず。

　本校区のＰＴＡの学校への協力は沖縄ではどこの校区よりも優れていると思います。これまでの協力状況では、環境の整備（ＰＴＡが年間各自1日は労力奉仕をする）疾病の予防の治療（歯科治療）健康習慣の育成、行事等への協力等、その他にも数多くあるのであります。このたびの沖縄一健康優良学校に選定されたのもＰＴＡの協力

があったからだと思います。

　ＰＴＡの年間の主なる行事は、次のとおりです。

① ＰＴＡ新聞年間三回発行し、会員にＰＴＡの正しいあり方と学校の状況を知らせる。
② ＰＴＡ運動会を開催し、会員相互の親睦と親子学校との結びつきを緊密にする。
③ 他校参観（優良学校参観）
④ ＰＴＡ研究会（ＰＴＡの資質の向上をはかるための研修）
⑤ ＰＴＡ授業参観（毎月１回）
⑥ 婦人学級の開設（毎月１回）
⑦ ＰＴＡ作業

　ＰＴＡは年間１日学校に労力奉仕をして施設、設備、整備にあたる。

　最後に沖縄ではじめて行なわれた、健康優良学校の審査の結果は、教育愛に燃えた本校教師の並々ならぬ働きと、ＰＴＡの物心両面からの協力及び地域社会の協力により沖縄一の栄冠を獲得することができました。この方々に衷心から感謝しますとともに、本土の健康優良学校にはまだ大部の格差がありますので、今後一層努力して本土並にもっていくようにしたいと思います。

〈社教主事ノート〉　（4）

社教主事あれこれ

社会教育課　主事　平良親徳

　7月23日（水）静岡県青年沖縄派遣団南部戦跡案内、7月24日（木）同派遣団中北部案内、同日夜沖縄青年との交歓会、7月25日（金）から同月27日（日）まで中央青年幹部研修会（久志村久辺小中校）7月28日（月）、29日（火）青年隊（東村青年隊キヤンプ）、7月30日（水）31日（木）第二青年の家候補地調査、8月4日（月）〜6日（水）青年隊講義、ざっと最近のメモをくつてみたのである。夏休みに入って子どもたちはすごく退屈しているのか、父親とどこかキャンプでもしたいと思っているのか、「父ちゃんいつになったら暇あけられる」と迫まる。幸い8月3日は日曜日であり家庭の日でもあって、社会教育課は、家庭の日には行事をもたない、出張指導も断わることになっているのでこの際点数をかせいでおかねばと、郷里国頭村へでかけることにした。子どもたちが清らかな川で、砂浜で喜々としてはしゃぐ姿を見ていると父親として今日、ここに生きていること

のなんとすばらしいことであろうかと、つくづく感じさせられたのである。
　さて話はとんでもないところから入ってきたのであるが、社会教育主事として4ケ年という才月があっという間に過ぎてしまった。学校現場にいる頃は学校と家庭のレールを単調に往復する日々であっただけに、大変な生活の変化であり、特に青少年教育には意欲をもっていただけにそれこそ無我夢中であった。青年たちの集会というのはたいてい土曜日、日曜日か夜間に行なわれるのがほとんどで2、3ケ月ぶっ続けで土、日がつぶされるのは普通で最初の頃は子どもが土曜日になると「父ちゃん今日はどこへ出張？青年の家に？」とよくいったものであるが、最近はあまり言わなくなった。「家庭の日」と言うのは社教主事のために設けられたのかなと微苦笑することもある。
　連合教育区に配置されている社教主事たちの話しを聞くと一週間に家族とゆっくり夕食を楽しめるのは2、3日という

場合もあるという。いやはや「夜の男」の異名を持っているとわ言え、家庭教育のあり方、子どものしつけ、ＰＴＡ指導かれこれと〝道を説く君〟の悩みが秘められていることを思うと私など、地方社教主事たちに会うと「ご苦労さん、大変でしょうが 張って下さい」と自然に頭がさがる。それにしても何とか変則勤務の時間を縮める努力が考えられないものだろうか。社会教育は県民１人１人が、自主的、主体的に実際生活に即する文化的教養を高めるための組織的教育活動であり、日本国憲法第26条によって与えられた権利であり、教育基本法の精神を県民の不断の努力によって生かさなければならないということは当然である。政府及び地方教育委員会はそのような環境の醸成に努めることが任務とされ、社会教育主事は、社会教育を行なう者に専門的技術的な助言と指導を与えることがその職務であるとされていることは言うまでもない、社教主事の勤務時間及びその割振りについても現則で定められているのであるが、青年会、婦人会、公民館、ＰＴＡ、教育隣組、学級、講座…等から相談を受けたり、集会への案内があると時と場所をかまわず喜びいさんで（？）出かけていく。社会教育活動は理論より人間関係が如何に重要であるかを主事たちは知り過ぎる程知っているからである。

かと言って情に流されることがないように、自立性を高めるようにということもよく知っている。ともあれ「社会を明るくする運動」、「青少年の健全育成」の一翼を担って旺盛な意欲を燃やし、実践活動に取組んでいる社教主事諸賢に拍手をおくりたい。そして学校現場の校長、教頭、諸先生方及び社会教育関係者の大いなるご協力をたまわりたいと思うのである。

社教主事４年生から５年生になろうとしている私にとって過去20年間青年運動に取組んできた経験と、全琉何処へ行っても共に苦労した仲間がいることが非常に幸いしている。青少年教育は①青少年団体の育成、②青少年施設の拡充整備、③学習活動の奨励援助が３本の柱であると常に考えているものであるが、憲法第15条２項の公僕精神を忘れないよう心がけているつもりである。青年たちから会活動の悩み、人生相談、恋愛、友情、結婚、学習活動等いろいろな問題について真剣なまなざしで語りかけられる時、カウンセリングの理論や技術等意識するとまもなく青少年教育の重要性と、私自身にとって人生に対する厳しさをつくづく感じさせられるのである。

1969年度　　普通交付税の算定資料

教育区	市町村総行政費				教育費	
	A 基準財政需要額	B 基準財政収入額	C 交付決定額	B/A 依存率	D 基準財政需要額	D/A 比率
全琉計	18,363,869	5,549,643	12,318,551	67.1	5,461,604	29.7
国　頭	238,135	14,870	217,310	91.3	93,861	39.4
大宜味	156,787	8,125	144,741	92.3	53,077	33.9
東	105,884	3,325	98,734	93.3	37,111	35.0
羽　地	225,089	26,081	193,379	85.9	60,179	26.7
屋我地	101,960	3,765	95,645	93.8	25,072	24.6
今帰仁	265,130	33,271	225,229	85.0	88,228	33.3
上本部	141,049	6,456	131,066	92.9	38,485	27.3
本　部	308,641	47,380	253,543	82.1	115,276	37.3
屋　部	144,759	56,453	84,686	58.5	35,182	24.3
名　護	375,347	172,472	192,909	51.4	105,029	28.0
久　志	162,351	9,924	147,693	91.0	62,642	38.6
宜野座	153,089	6,239	143,022	93.4	34,665	22.6
金　武	201,146	30,259	165,857	82.5	54,889	27.3
伊　江	192,926	17,769	170,332	88.3	50,957	26.4
伊平屋	116,094	5,185	108,006	93.0	38,300	33.0
伊是名	127,336	7,667	116,485	91.5	37,347	29.3
計						
恩　納	177,217	10,727	162,058	91.4	71,077	40.1
石　川	280,549	48,135	225,396	80.3	84,649	30.2
美　里	371,431	102,990	259,152	69.8	114,828	30.9
与那城	309,194	24,058	277,404	89.7	87,347	28.2
勝　連	259,585	13,537	239,556	92.3	100,726	38.8
具志川	572,825	148,295	410,205	71.6	188,761	33.0
コ　ザ	813,507	308,542	461,503	56.7	257,503	31.7
読　谷	343,594	44,233	290,768	84.6	115,377	33.6
嘉手納	239,639	68,987	165,241	69.0	76,041	31.7
北　谷	191,670	35,321	151,556	79.1	61,230	31.9
北中城	174,851	46,074	125,685	71.9	43,993	25.2
中　城	211,799	24,748	181,796	85.8	64,995	30.7
宜野湾	537,367	227,075	296,854	55.2	165,977	30.9
西　原	200,562	45,457	150,089	74.8	57,428	28.6
計						

浦　添	492,882	372,749	110,231	22.4	157,584	32.0
那　覇	4259,079	2,820,362	1,317,574	30.9	1,095,468	25.7
(久) 具志川	140,893	14,636	122,734	87.1	39,162	27.8
仲　里	197,091	15,891	176,271	89.4	69,418	35.2
北 大 東	59,677	3,350	54,835	91.9	15,621	26.2
南 大 東	93,115	15,606	74,908	80.4	25,428	27.3
計						
豊 見 城	232,521	61,701	165,005	71.0	66,738	28.7
糸　満	603,186	85,378	501,138	83.1	190,852	31.6
東 風 平	188,082	24,848	158,530	84.3	54,211	28.8
具 志 頭	162,111	10,269	147,788	91.2	46,920	28.9
玉　城	212,570	18,962	189,573	89.2	61,103	28.7
知　念	138,048	7,715	126,881	91.9	46,056	33.4
佐　敷	169,599	18,315	147,043	86.7	48,283	28.5
与 那 原	175,274	44,176	126,715	72.3	50,149	28.6
大　里	175,055	15,549	155,128	88.6	46,193	26.4
南 風 原	198,002	31,015	162,035	81.8	55,735	28.1
渡 嘉 敷	66,172	1,019	63,498	96.0	21,441	32.4
座 間 美	83,940	1,047	80,794	96.3	30,647	36.5
粟　国	77,359	1,820	73,604	95.1	21,794	28.2
渡 名 喜	59,889	1,336	57,055	95.3	16,928	28.3
計						
平　良	603,000	110,446	477,470	79.2	195,441	32.4
城　辺	315,358	38,407	269,065	85.3	99,856	31.7
下　地	145,200	23,987	117,582	81.0	42,143	29.0
上　野	129,344	8,607	117,502	90.8	33,854	26.2
伊 良 部	251,442	17,071	228,083	90.7	69,321	27.6
多 良 間	119,706	2,449	114,263	95.5	26,950	22.5
計						
石　垣	922,573	162,091	737,410	79.9	266,877	28.9
竹　富	242,238	14,001	222,179	91.7	108,381	44.7
与 那 国	150,952	9,420	137,757	91.3	38,818	25.7

(注) 総務局の資料より

教育区の財政力指数及び段階区分 (1969年度)

教育区	A 基準財政収入額 (1969年度)	B 基準財政需要額 (1969年度)	$\frac{A}{B} \times 100$ 財政力指数	区 分
全琉計	5,549,643	18,363,869	30.2	
国 頭	14,870	238,135	6.2	2
大 宜 味	8,125	156,787	5.2	2
東	3,325	105,884	3.1	1
羽 地	26,081	225,089	11.6	3
屋 我 地	3,765	101,960	3.7	1
今 帰 仁	33,271	265,130	12.5	3
上 本 部	6,456	141,049	4.6	1
本 部	47,380	308,641	15.4	3
屋 部	56,453	144,759	39.0	4
名 護	172,472	375,347	46.0	4
久 志	9,924	162,351	6.1	2
宜 野 座	6,239	153,089	4.1	1
金 武	30,259	201,146	15.0	3
伊 江	17,769	192,926	9.2	2
伊 平 屋	5,185	116,094	4.5	1
伊 是 名	7,667	127,336	6.0	2
計				
恩 納	10,727	177,217	6.1	2
石 川	48,135	280,549	17.2	3
美 里	102,990	371,431	27.7	4
与 那 城	24,058	309,194	7.8	2
勝 連	13,537	259,585	5.2	2
具 志 川	148,295	572,825	25.9	4
コ ザ	308,542	813,507	37.9	4
読 谷	44,233	343,594	12.9	3
嘉 手 納	68,987	239,639	28.8	4
北 谷	35,321	191,670	18.4	3
北 中 城	46,074	174,851	26.4	4
中 城	24,748	211,799	11.7	3
宜 野 湾	227,075	537,367	42.3	4
西 原	45,457	200,562	22.7	4
計				

浦　添	372,749	492,882	75.6	5
那　覇	2,820,362	4,259,079	66.2	5
(久)具志川	14,636	140,893	10.4	3
仲　里	15,891	197,091	8.1	2
北 大 東	3,350	59,677	5.6	2
南 大 東	15,606	93,115	16.8	3
計				
豊 見 城	61,701	232,521	26.5	4
糸　満	85,378	603,186	14.2	3
東 風 平	24,848	188,082	13.2	3
具 志 頭	10,269	162,111	6.3	2
玉　城	18,962	212,570	8.9	2
知　念	7,715	138,048	5.6	2
佐　敷	18,315	169,599	10.8	3
与 那 原	44,176	175,274	25.2	4
大　里	15,549	175,055	8.9	2
南 風 原	31,015'	198,002	15.7	3
渡 嘉 敷	1,019	66,172	1.5	1
座 間 味	1,047	83,940	1.2	1
粟　国	1,820	77,359	2.4	1
渡 名 喜	1,336	59,889	2.2	1
計				
平　良	110,446	603,000	18.3	3
城　辺	38,407	315,358	12.2	3
下　地	23,987	145,200	16.5	3
上　野	8,607	129,344	6.7	2
伊 良 部	17,071	251,442	6.8	2
多 良 間	2,449	119,706	2.0	1
計				
石　垣	162,091	922,573	17.6	3
竹　富	14,001	242,238	5.8	2
与 那 国	9,420	150,952	6.2	2
計				

区分欄の数字の1は財政力指数5未満　　各段階ごとの補正額は1が2.00
　　　　　　2は5以上10未満　　　　　　　　　　　2は1.50
　　　　　　3は10以上20未満　　　　　　　　　　3は1.00
　　　　　　4は20以上50未満　　　　　　　　　　4は0.75
　　　　　　5は50以上の教育区を示す　　　　　　5は0.50となっている

学校放送番組時刻表（OHKテレビ）1969年4月以降

時刻 \ 曜日	種目	月	火	水	木	金	土
午前 9:50～10:10	小学校中学生	みんなかよし（道徳）	わたしたちのくらし（社会科4年）	理科教室 3年生	理科教室 4年生	良犬の村（社会科3年）	みんなの音楽（小学校中学校）
午前 10:10～10:30	中学校	わたしたちの社会（社会科3年）	理科教室 1年生	理科教室 2年生	理科教室 3年生	日本の地理 世界の地理（社会科1年）	日本の歴史（社会科2年）
午前 10:30～10:45	幼稚園保育所	ちびっこモグ	なにしてあそぼう	にんぎょうげき	なかよしリズム	よくみよう	いってみたいな
午前 10:45～11:00	小学校低学年	理科教室 1年生	理科教室 2年生	うたいましょうききましょう（小学校低学年）	はたらくおじさん（社会科2年）	大きくなる子（道徳）	おとぎのへや（小学校低学年）
午前 11:00～11:20	中学校	英語教室 2年生	英語教室 3年生	理科教室（再）1年生	理科教室（再）2年生	理科教室（再）3年生	英語教室 1年生
午前 11:20～11:40	高等学校	家庭科教室	理科教室 高等学校（生物・地学）	理科教室 高等学校（物理・化学）	高校生の英語	世界の地理	芸術鑑賞
午前 11:40～12:00	小学校高学年	テレビの旅（社会科5年）	くらしの歴史（社会科6年）	理科教室 5年生	明るいいかま（道徳）	理科教室 6年生	音楽教室

(1) 先島（宮古・八重山）はテキストより1週おくれて放送
(2) 教師の時間は週1回（日）午前8:00～8:25に「小学校の学習指導」を放送（8:25～8:30沖縄の教師による「私の教育ノート」を放送

1969年10月13日	印　刷
1969年10月15日	発　行

文　教　時　報　　（116）

非売品

発行所　琉球政府文教局総務部調査計画課
印刷所　大同印刷工業株式会社　ＴＥＬ２－7890　4－1451

文教時報 一二六号（第一九巻第一号）一九六六年十月 琉球政府文教局

1970年度

教育関係予算の解説

号外 17

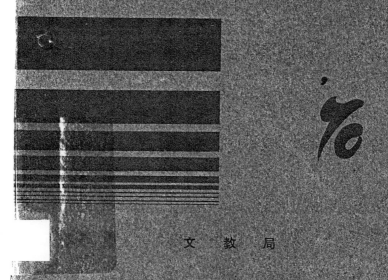

'70

文教局

1970年度

教育関係予算の解説

文 教 局

文教時報号外（第17号）

はじめに

　この小冊子は、1970会計年度の教育関係予算について解説したものであります。
　文教予算の編成にあたつては中央教育委員会によつて樹立された9大方針があり、これらを中心に毎年充実発展させるべく努力しているのでありますが沖縄における教育諸条件の整備及び本土並み水準到達のためにはなお長期にわたつての日米援助と教育予算の拡充に努力する必要があります。
　沖縄教育の向上は、ひとり行政当局だけでなしうるものでなく、広く教育関係者はもとより全住民が文教施策および諸制度の趣旨を理解され、ご協力くだされることが最も必要なことだと考えます。
　この小冊子のご利用により文教施策について、より深い認識とご協力を得たいと念願しております。
　1969年10月

　　　　　　　　　　　　　　文　教　局　長

もくじ

第1章 1970年度教育関係予算の全容 1
  1. 教育予算の総額 1
  2. 文教予算編成の方針とその経過 5

第2章 文教施設（校舎等）及び設備・備品の充実 9
  1. 1970年度の校舎建築 10
  2. 文教施設用地の確保 14
  3. 教職員の福祉の向上 14

第3章 教職員の資質並びに福祉の向上 18
  1. 義務教育諸学校教職員定数の確保と学級規模の適正化 18
  2. 教職員給与の改善 20
  3. 教職員の福祉の向上 21
  4. 教職員の資質の向上 23
  5. 各種教育研究団体の助成 29

第4章 地方教育区の行財政の充実と指導の強化 30
  1. 地方教育費の財源強化 30
  2. 教育行政補助金 35
  3. 文教施策普及および指導の強化 36

第5章 教育の機会均等 38
  1. 義務教育諸学校教科書無償給与 38
  2. 幼稚園の育成強化 38
  3. へき地教育の振興 39
  4. 特殊教育の振興 41
  5. 就学奨励の拡充 43
  6. 定通制教育の振興 43

第6章 後期中等教育の拡充整備 44

	1. 後期中等教育の拡充整備 ……………	44
	2. 高等学校職員の定数 ………………	44
	3. 産業教育の振興 ……………………	45

第 7 章　教育内容の改善充実と生徒指導の強化 ………… 46
  1. 教育指導者の養成と指導力の強化 ………… 46
  2. 理科教育の振興 …………………… 48
  3. 道徳教育と生徒指導の強化 ……… 51
  4. 教育調査研究の拡充 ……………… 51
  5. 視聴覚教育の拡充 ………………… 52
  6. 学校図書館教育の振興 …………… 56

第 8 章　保健体育の振興 ……………………………… 58
  1. 学校体育指導の強化 ……………… 58
  2. 学校保健の強化 …………………… 58
  3. 学校安全の強化 …………………… 59
  4. 学校給食の拡充 …………………… 59
  5. 学校体育諸団体の育成 …………… 60
  6. 社会体育の振興 …………………… 61

第 9 章　社会教育の振興と青少年の健全育成 ………… 63
  1. 青少年育成 ………………………… 63
  2. 成人教育 …………………………… 65
  3. 社会教育施設の充実と運営の強化 ………… 67

第10章　育英事業の拡充 ……………………………… 69

第11章　文化財保護事業の振興 …………………… 72

第12章　沖縄県史編集 ………………………………… 74

第13章　琉球大学の充実 ……………………………… 75

第14章　私立学校教育の拡充 ･････････････････････ 78
　付 ⑴　1970年度教育関係歳出予算の款項別一覧表 ‥ 80
　　 ⑵　1970年度文教局予算中の地方教育区への各
　　　　種補助金その他 ････････････････････････ 81
　　 ⑶　地方の教育予算 ･･････････････････････ 90
　　 ⑷　単位費用の積算基礎 ････････････････････ 96
　　 ⑸　教育関係日米援助 ････････････････････ 115

第1章　1970年度教育関係予算の全容

1970年度琉球政府予算は、本年度も暫定予算（2カ月）で発足したが、本予算は8月15日の立法院本会議で可決され、立法第96号として8月29日公布された（署名は8月26日）。

1. 教育予算の総額

1970年度琉球政府一般会計歳入歳出予算総額は170,785,000ドルで、このうち教育関係予算は51,914,741ドルで政府総予算に占める比率は30.4％となっている。

今年度の教育予算額を前年度と比較すると、前年度の当初予算額45,288,242ドルに対して6,626,499ドルの増であり伸長率は14.6％となっている。この増加率は政府総予算の増加率17.3％と比較すると約3％も伸長率が低い。また前年度の補正後の最終予算額46,640,358ドルに対しては5,274,383ドルの増、比率で11.1％の増（政府総予算額の前年度最終予算に対する増加率は15.5％）となっている。

教育予算を事項別に分け、その構成比ならびに政府総予算に対する比率を示すと次の通りとなる。

事　　項	予算額	構成比	政府総予算に対する比率
	ドル	％	％
総　　額	51,914,741	100.0	30.39
文　教　局	48,245,842	92.9	28.25
文化財保護委員会	86,325	0.2	0.05
琉　球　大　学	3,582,574	6.9	2.09

第1章 1970年度教育関係予算の全容

琉球大学費及び文化財保護委員会関係予算を除いた文教局才出予算額48,245,842ドルを支出項目別に前年度と比較して示すと次のとおりである。

支出項目別内訳

(単位 ドル)

事 項	1970年度予算額	1969年度予算額		比較増△減	
		当 初	最 終	当 初	最 終
総 額	48,245,842	41,687,704	43,622,137	6,558,138	4,623,705
A 消費的支出	39,298,757	32,704,760	34,919,212	6,593,997	4,379,545
1. 教職員の給与	35,003,423	27,992,798	30,177,853	7,010,625	4,825,570
2. その他	4,295,334	4,711,962	4,741,359	△416,628	△446,025
B 資本的支出	8,947,085	8,982,944	8,702,925	△ 35,859	244,160
1. 学校建設費	6,670,762	6,332,697	6,387,747	338,065	283,015
2. その他	2,276,323	2,650,247	2,315,178	△373,924	△ 38,855

なお、1969年度の最終予算額は財源落ち込み等の問題があったにもかかわらず当初予算額より1,920,382ドルの増額となった。歳出予算の補正額の内訳をみると追加額2,462,263ドル、修正減少額541,881ドルである。追加額の主なものはベースアップや期末手当の増額等で政府立高等学校費が276,229ドル、学校教育補助が1,962,246ドルの増加、台風災害復旧のための学校建設費が104,810ドル増額、福利課の新設及び公立学校職員共済組合の発足に伴ない準備費として10,000ドル等である。
一方修正減額の主なものは政府債務負担行為の教育施設用地費116,075ドル、社会体育振興費59,512ドル、学校建設費77,000ドルのほか、産業教育振興費145,847ドル、施設修繕費25,000ドル文化財保護費の18,786ドル等である。

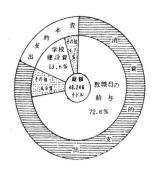

さきに示した支出項目別内訳の構成比を図示すると次のとおりである。図にみるように、文化財、琉球大学関係を除く教育予算額48,245,842ドルの72.6％は学校教職員の給与でこれに学校建設費の13.8％を加えた86.4％がいわゆる義務経費に支出されている。次に文化財、琉球大学経費を除く教育予算額を教育分野別に分類して、その構成比を示すと次表のとおりである。

教育分野別の予算額と構成比

分　野　別	予　算　額	構成比（％）
総　　　　額	48,245,842ドル	100.0
学　校　教　育　費	44,474,223	92.2
幼　稚　園	373,564	0.8
小　学　校	19,422,144	40.2
中　学　校	13,540,769	28.1
特　殊　学　校	1,072,397	2.2
高　等　学　校	8,856,819	18.4
各　種　学　校	1,208,530	2.5
社　会　教　育　費	624,814	1.3
教　育　行　政　費	2,776,976	5.7
育　英　事　業　費	369,829	0.8

第1章 1970年度教育関係予算の全容

　本年度の教育予算も前年度同様に、義務教育諸学校教職員給与費をはじめとする日米両政府の教育援助が大巾に組み入れられているが、これらの状況を前年度と比較してみると下表のとおりである。

教育関係予算中の日米両政府の援助状況

区分	財源		1970年度 金額	1970年度 構成比	1969年度 金額	1969年度 構成比	比較 増△減 金額
全教育予算	計		51,914,741	100.0%	46,640,358	100.0%	5,274,383
	琉政		26,336,631	50.7	25,814,512	55.4	522,119
	援助	日政	17,153,110	33.1	13,302,846	28.5	3,850,264
		米政	8,425,000	16.2	7,523,000	16.1	902,000
文教局(含文化財)予算	小計		48,332,167	100.0	43,690,429	100.0	4,641,738
	琉政		23,325,730	48.3	23,208,222	53.1	117,508
	援助	日政	16,581,437	34.3	12,989,207	29.7	3,592,230
		米政	8,425,000	17.4	7,493,000	17.2	932,000
琉球大学予算	小計		3,582,574	100.0	2,949,929	100.0	632,645
	琉政		3,010,901	84.0	2,606,290	88.4	404,611
	援助	日政	571,673	16.0	313,639	10.6	258,034
		米政	0	0.0	30,000	1.0	△ 30,000
(参考)							
琉球政府予算	総額		170,785,000	100.0	147,910,882	100.0	22,874,118
	琉政		108,413,198	63.5	101,919,628	68.9	6,493,570
	援助	日政	47,221,802	27.6	32,248,883	21.8	14,972,919
		米政	15,150,000	8.9	13,742,371	9.3	1,407,629

　日米両政府の教育援助の事業内容については、それぞれの章において詳説されることになるが、琉球政府予算に繰り入れられない事項を含めた日米両政府の教育援助額の一覧表については参考資料〔5〕にまとめて掲示してある。

これまでに述べた教育関係予算は、他の部局に繰り入れられているものは除かれているが、このほかに政府全体として一括計上されているものに、庁用消耗費、備品費、印刷製本費、被服費等のいわゆる用度費として76,039ドルが計上されている。

さらに、このほかに市町村交付税をとおして、教育区の予算に実質的に繰り入れられていく教育財源があるが、今年度の政府一般会計より市町村交付税特別会計への繰入額は18,723,787ドルで、このうち市町村の「教育費負担金」を通して間接的に政府より教育区へ支出されるとみられる額を基準財政需要額の割り合いから単純推計すると約5,429,898ドルとなっている。

このような局外計上の教育費分を含めると、次にみられるように教育関係予算は実質的には約5,742万ドルとなり、政府一般会計予算額の約33.6％を占めることになる。

文教局（含む文化財）	48,332,167ドル
琉球大学	3,582,574
他局計上 ・用度費	76,039
・市町村交付税 教育費負担分	5,429,898
計	57,420,678

2 文教局予算編成の方針とその経過

1970年度文教局予算の編成に当つては、教育諸条件の整備により本土との較差是正を目標に、日米両政府の大幅な教育費関係財政援助を得て、本土並みの財政規模を確保することにより、文教施設（校舎等）、設備備品等の充実を中心とした教育条件の飛躍的向上をはかるよう予算編成の作業が進められた。すなわち1968年11月20日に中央教育委員会で協議決定された「1970年度教育主要施策」を基に、それらの施策が予算上に反映されるよう、各主管部課におい

てけんめいな努力がはらわれてきた。中央教育委員会で決められた主要施策は次のとおりである。

１９７０年度文教主要施策

重点事項	具体的事項
1　文教施設（校舎等）及び設備・備品の充実	ア　学校施設の総合計画に基づく校舎の充足 イ　体育施設の拡充 ウ　へき地教育施設の拡充 エ　政府立学校諸施設の整備 オ　文教施設用地の確保 カ　設備・備品の充実
2　教職員定数基準の改善と資質並びに福祉の向上	ア　教職員の定数基準の改善と確保 イ　教職員の研修の充実強化 ウ　教育研修センターの整備拡充と活用 エ　各種教育研究団体の助成 オ　教職員の待遇改善と共済制度の実施
3　地方教育区の行財政の充実と指導の強化	ア　地方教育行政の指導強化 イ　地方教育財政の強化充実 ウ　文教広報活動の強化
4　教育の機会均等	ア　幼稚園の育成強化 イ　へき地教育の振興 ウ　特殊教育の拡充強化 エ　定通制教育の拡充 オ　就学奨励の拡充強化 カ　教職員の人事の適正配置

5 後期中等教育の拡充整備	ア イ ウ	高校の増設及び拡充整備 産業教育の振興 学校管理運営の充実強化
6 児童生徒の学力向上と生徒指導の強化	ア イ ウ エ オ カ キ ク	教育指導者の養成と指導力の強化 教育内容の改善 学習指導の近代化 視聴覚教育の拡充 学校図書館教育の振興 教育調査研究の拡充 道徳教育と生徒指導の強化 教育相談の充実強化
7 保健体育の振興と安全教育の徹底	ア イ ウ エ オ カ キ	学校体育指導及び学校保健の強化 学校給食の拡充 給食関係職員の資質の向上 県民の体力つくりの強化 スポーツ施設の拡充整備 安全教育の強化 学校環境衛生の強化
8 社会教育の振興と青少年の健全育成	ア イ ウ エ	青少年の健全育成と家庭教育の振興 社会教育施設・設備の整備充実 社会教育講座の拡充 社会教育指導者の養成と確保
9 育英事業の拡充と私学の振興	ア イ ウ エ	奨学生制度の拡充 育英事業の充実並びに運営の強化 私立学校の施設・設備に対する助成 私立学校の教職員の研修に対する助成

この主要施策に基づく教育費の需要額を約7,819万ドルと見込み、予算当局との折衝の結果第一次の内示をみたのであるが、文教局としては主要施策実現のためにどうしても不満足であったので更に強力な復活要求を行なった。たとえば主要施策の4。教育の機会均等の具体的事項「幼稚園の育成強化」のための内示額は237,640ドルであったが、幼稚園教育が義務教育化しつつある現在、未認可幼稚園の公立幼稚園への切り変え、幼稚園教諭の待遇改善等の諸問題をかかえてこれだけの内示額ではとても幼稚園教育の振興ははかれないということで復活要求に努力した結果373,564ドルの参考案額にこぎつけた。また職員の福祉向上と人事刷新という点から退職給与金の大幅増についても数年来努力しつづけてきたところであるが、今年度はようやくわれわれの要求に大きく近づいた。

しかし文教局予算も琉球政府予算の一部をなすものである以上結局全体的な観点から他の行政分野との均衡における教育予算の査定がなされ、1970年度琉球政府一般会計予算の参考案が作成された。この参考案は4月に立法院に送付され立法院で審議の結果、若干の修正を加えられ、今年度の教育予算は前記のとおり51,914,741ドルの額が可決され主席の署名公布によって正式に成立した。

新年度予算の具体的内容については主要施策にもとづき第2章以下で概説されている。

第2章 文教施設(校舎等)及び設備備品の充実

　68年度全県下で2棟の屋内運動場の設置が69年度には10棟に伸び、2基の水泳プールが7基にふえた。70年度には更に伸びて20棟と16基の予定である。この大きな飛躍は学校現場の切なる要望に応えた施策として特筆されるだろう。

　しかし、これらの施設の保有状況を類似県（島根・徳島・高知・佐賀・宮崎）と比較すると、

	屋内運動場の保有(%)			水泳プールの保有(%)			備　　考
	小校	中校	高校	小校	中校	高校	時　点
沖　縄	5.3	9.8	13.6	2.5	5.3	2.9	沖縄－69年6月 類似県－ 　屋体 68年5月 　プール 66年5月
類似県	60.9	75.4	87.8	16.9	9.4	18.3	

著しい較差である。これは一例にすぎない。校舎にはなお40%の不足がある。老朽化して早急に改築しなければならない教室が466教室もある。69年4月現在で間仕切学級が339もあった。設備備品にしても充足にはまだ遠い。

　これらの較差をできるだけ縮めて、類似県なみに整備充実するのが当面の緊急課題であるが、その財源の多くを他に依存している関係から、前途は決して担々たる道ではない。

　いったんつくった建物は半永久的な施設である。莫大な費用も要る。将来の見通しにたった計画が受入側になければならない。

　復帰を目前に控えて、現場における受入については充分な態勢を整えるべく関係者の協力による一層の推進がなされねばならない時期である。

第2章 文教施設（校舎等）及び設備備品の充実

1. 1970年度校舎等建築

(1) 学校建設費の全容

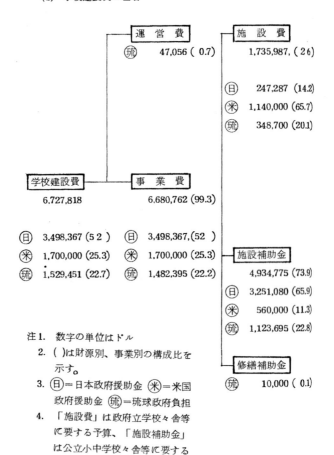

注1. 数字の単位はドル
2. ( )は財源別、事業別の構成比を示す。
3. ㊐＝日本政府援助金 ㊟＝米国政府援助金 ㊛＝琉球政府負担
4. 「施設費」は政府立学校々舎等に要する予算、「施設補助金」は公立小中学校々舎等に要する予算

事業量

	校舎					給食	屋体	プール	寄宿舎	住宅	その他	事業面積
	普通室	管理室	特別室	図書館	便所棟				棟	棟		(㎡)
高校・各種 1,362,895 (78.5)	8	4	4 棟20	3	16				10	6		13,761
特殊学校 240,245 (13.8)	23		7		1					1		2,770
政府立中学校 17,200 (1.0)	2											200
諸施設 38,647 (2.2)											件25	
政府債務負担 77,000 (4.5)							△					
事業量小計	33	4	11 棟20	3	17				11	6	25	16,731
小学校 2,243,814 (45.5)			80	100		40		10	8	7		24,260
中学校 2,500,961 (50.7)			65	100 棟6	8	30		10	8	7		24,880
小中共用 190,000 (3.8)							棟19				3	1,000
											3	
事業量小計			145	200	8	70	19	20	16	14	6	68,140
事業量 計	室 33	室 149	室211 棟26	館11 棟6	棟 87	棟 19	棟 20	基 16	棟 11	棟 20	件 31	84,871

第2章 文教施設（校舎等）及び設備備品の充実

(2) 学校建設費　解説

ア　事業費（第1表・第2表参照）

○ 学校建設に要する予算は672万7,818ドルで、前年度予算額625万3,574ドルに比べて47万4,244ドルの増（7.6％）である。しかし、69年度予算額には68年度の政府債務負担行為済額67万749ドルが含まれているので実質増は114万4,993ドル（20.5％）である。

○ 政府立学校に要する予算（施設費）及び公立学校に要する予算（施設補助金）はともに増加した。（施設費が31万4,888ドル増－22.2％、施設補助金が84万773ドル増－20.5％）

○ 財源別にみると、日本政府援助金が104万8,791ドルふえて（42.8％）、はじめての総予算額の過半（52％）を占めた。米国政府援助金は27万5千ドルの減（13.9％）となり、総予算額の $\frac{1}{4}$ を占めている。

（第1表）

	70年度予算額(A)	69年度予算額(B)	(A-B) 増△減額	伸長率	69年度政府債務を減じた予算(C)	(A-C) 増△減額	伸長率
学校建設費	6,727,818	6,253,574	474,244	7.6	5,582,825	1,144,993	20.5
内訳 施設費	1,735,987	1,823,603	△ 87,616	△ 4.8	1,421,099	314,888	22.2
施設補助金	4,934,775	4,362,247	572,528	13.1	4,094,002	840,773	20.5
移転補助金	10,000	24,975	△ 14,975	△ 60.0	24,975	△ 14,975	△ 60.0
運賃費	47,056	42,749	4,307	10.1	42,749	4,307	10.1

（第2表）

	70年度予算額(A)	構成比	69年度予算額(B)	構成比	増△減額	伸長率	備考
学校建設費	6,727,818	100	(5,582,825) 6,253,574	100	(1,144,993) 474,244	(20.5) 7.6	( )は政府債務負担行為済額を減じた額
内訳 日政援助	3,498,367	52.0	(2,449,576) 2,449,576	39.2	(1,048,791) 1,048,791	42.8	
米政援助	1,700,000	25.3	(1,975,000) 1,975,000	31.6	(△275,000) △275,000	△13.9	
琉政負担	1,529,451	22.7	(1,158,249) 1,828,998	29.2	(371,202) △299,547	(32.0) △16.4	

第2章 文教施設（校舎等）及び設備備品の充実　13

イ　**事業量**（第3表参照）
- o　事業量は前年度とほぼ同じだが、校舎建築の執行面では一件当りの工事規模を拡大する方針。したがって、全体の工事件数が縮少されて工事執行が促進されるものと期待される。
- o　政府立では、産振校舎と教員住宅及び寄宿舎の建築に重点が置かれている。
- o　屋内運動場が20棟建築される。そのうち6棟は各連合区内の離島の学校に建築する。
- o　水泳プールは16基の予定。
- o　新設校（八重山、新川小）1校新設予定。
- o　69年4月に開校した宮里小、普天間第二小校の2年次計画分が予定されている。
- o　全面移転校の佐敷中（3年次計画）佐良浜中（2年次計画）が予定されている。
- o　米国政府援助金による便所が87棟（政府立17棟、公立70棟）建築する予定。

（第3表）

事業量 \ 年度種別		70年度			69年度（実績）		
		計	政府立	公立	計	政府立	公立
面　積(㎡)		84,871	16,731	68,140	64,480	18,781	45,699
校舎	教室（管理室を含む）(室)	393	48	345	344	85	259
	図書館(館)	11	3	8	26	10	16
	便所等(棟)	113	37	76	80	4	76
校舎以外	給食室関係(棟)	19	0	19	18	1	17
	屋内運動場(棟)	20	0	20	10	2	8
	水泳プール(基)	16	0	16	7	0	7
	教員住宅等(棟)	31	17	14	42	1	41

14　第2章　文教施設（校舎等）及び設備備品の充実

ウ　執行の方針
- 〇　1974学年度における予定学級数を考慮に入れた学校施設の総合計画にもとづく建築を行なう。
- 〇　予算の効率化・建築の合理化、予算執行の迅速化を図るため、校舎については従来の微量配分方式から重点的配分方式に移行する。
- 〇　新設・移転に伴なう校舎の建築は、その既定の年次計画にしたがつて建築する。

エ　質の改善
1. 教室の窓枠はアルミサッシュを使用する。
2. 教室の床はタイル張りとする。

2　文教施設用地の確保

　　政府立学校の現有地の買上げ及び拡張は急を要する問題でありその予算獲得に努力しているが、現年度予算は69年度の8割弱の21万6千ドルである。しかしその中には69年度政府債務負担行為額が11万6千ドルあるので実質的には10万ドルである。これを高校生急増対策のために新設した学校用地の年度別計画による購入費に当てる予定である。

3.　設備・備品の充実

(1)　教　　材（高校においては一般教科書備品）
　ア　従来、「一般教科備品」と称してきたが、1968年12月3日の中教委規則改正により「教材」に改め（1968年12月3日の公報参照）、従前同様理科、図書、産業教育の諸設備は除外することとなつた。
　イ　但し、高等学校の「教科備品基準」は改訂はされず、従前のまゝである。
　ウ　公立義務教育諸学校については、品目の指定による補助ではなく、これまでの理科備品の場合と同様な援助方式がとられている。

第2章 文教施設(校舎等)及び設備備品の充実

エ 従つて、学校側は設備・備品の充実整備計画を立て、教材基準の中から自主的に購入し、活用することができることになる。

オ なお、義務教育諸学校については、テレビ受像機、オーバーヘッドプロジェクターの如く品目を限定して補助してきた「視聴覚備品」は「教材」に包含されることとなり、今後は、それらの購入のための品目限定補助はなされないことになる。

カ 校種別の計上予算額は次のとおりである。

区分		金額	日政援助率	備考
教材	公立小学校	213,572	75%	
	公立中学校	163,561	75%	
	公立特殊学級	10,022	75%	
	政府立特殊学級	6,007	75%	
一般教科備品	政府立高校及び各種学校	29,580		琉制負担 テレビ⑱、VTR
視聴覚備品	政府立高校	4,874	33%	①8mm映写機 ②8mm撮映機 ②テープレコーダー⑤

(2) 校用備品

ア 公立小中学校の児童生徒用机・いすは一応1968年度に完了したものとし、特別な事情(学校の災害及び新設等)がない限り補助を保留する。

イ 机・いすを補助するのにかえて、今年度も理科、家庭科、音楽、図工、美術などの特別教室(図書館を含む)の内部設備を整備する予定である。

ウ 1970年度予算で整備予定の設備の主な内容は次のとおりである。

16　第2章　文教施設（校舎等）及び設備備品の充実

公立小中学校　231,318ドル
  ○　理科教室用実験台、いす、教卓、備品棚
　　　　　　　　1教室（45人）当り1,110ドル相当
  ○　調理教室用調理台、いす
　　　　　　　　1教室（45人）当り1,647ドル相当
  ○　被服教室用裁縫台、いす
　　　　　　　　1教室（45人）当り　500ドル相当
  ○　図工、美術教室用机、いす、教卓、作品棚
　　　　　　　　1教室（45人）当り1,052ドル相当
  ○　音楽教室用机、いす
　　　　　　　　1教室（45人）当り　585ドル相当

政府立特殊学校　8,682ドル
  ○　特別教室内部設備　　○　管理関係備品

政府立高等学校及び各種学校　256,270ドル
  ○　生徒用机、いす、理科実験台、備品棚、管理関係棚、図書館備品、その他農業、工業、商業、水産、家庭、芸術の各教科の設備、定時制給食関係備品、通信制備品

(3)　学校図書館図書及び設備
　ア　図書購入に要する経費は総額で134,606ドルが計上されていて、購入単価を小学校1.50ドル、中学校1.50ドル、高校2.50ドル、特殊学級2.00ドルとすると合計88,738冊が充足整備されることになる。
　イ　なお日本政府援助額は校種別の下記の金額（図書購入に要する経費）の小学校¾、中学校¾、高校¾、特殊学級¾をしめている
　ウ　図書及び設備は次のとおり整備される予定である。

第2章 文教施設（校舎等）及び設備備品の充実

区 分	図　書			設　備	
	金　額	冊　数	充足率	金　額	充足率
小 学 校	68,409 ドル	45,606 冊	7.3 %	21,113 ドル	3.7 %
中 学 校	55,103	36,735	9.8	18,623	5.4
高 等 学 校	7,500	3,000	0.9	14,300	8.3
特 殊 学 校	3,594	1,797	8.7	571	3.4
合　　計	134,606	87,138	5.6	54,607	4.8

第3章 教職員の資質並びに福祉の向上

1. 義務教育諸学校、教職員定数の確保と学級規模の適正化

1968学年は学級編制の基準改正3ケ年計画の完了学年であり、引続き1969学年から本土同様基準改正5ケ年計画による法改正を行うべきであったが、本土における定数法の立法可決の都合によって、今回改正がなされなかったために現在の規準で編制することになった。1969年5月現在の確定定数によると、1968年5月と比較して児童数138,766人(2,607人減)中学校75,160人(1,772人減)計213,926人(4,379人減)となり、前学年度に比較して、在籍は減少し、そのため教職員の定数は、減員となっている。1968学年度及び1968学年度の児童生徒数、学級数及び教職員数(予算定数)は第1表のとおりである。

第1表 児童生徒数、学級数及び教職員数

区分	学校別 学年別	小学校			中学校		
		1968	1969	比較	1968	1969	比較
児童生徒数	児童数	141,373	138,766	△2,607	76,932	75,160	△1,772
学級数	普通学級	3,719	3,682	△ 37	1,906	1,865	△ 41
	特殊学級	146	146	0	26	37	11
	学級数計	3,865	3,828	△ 37	1,932	1,902	△ 30
※教職員数	本務教員	4,631	4,665	34	3,183	3,137	△ 46
	その他	139	119	△ 20	147	167	20
	補充教員	138	138	0	129	129	0
	事務職員	112	110	△ 2	96	92	△ 4
	計	5,020	5,032	12	3,555	3,525	△ 30

※ 予算定数(1969年7月以降)

第3章 教職員の資質並びに福祉の向上　19

1969学年度及び1970学年度の教職員数（予算定数）は第2表のとおりである。

第2表 教職員数の前年度比較（予算定数）

学校別 区分　学年別	小学校			中学校		
	1969	1970	比較	1969	1970	比較
本務教員	4,665	4,604	△ 61	3,137	3,052	△ 85
その他	119	119	0	167	167	0
補充教員	138	138	0	129	129	0
事務職員	100	112	2	92	73	△ 19
計	5,032	4,973	△ 59	3,525	3,421	△ 104

1969年5月現在の学級規模別学校数は第3表のとおりである。

第3表 学級規模別学校数　　　　　　1969年5月現在

学校別 規模別 連合区別	小学校						中学校					
	6学級以下	1〜5学級	6〜10学級	11〜20学級	21〜30学級	31学級以上	6学級以下	1〜5学級	6〜10学級	11〜20学級	21〜30学級	30学級以上
北部	48	15	33	9	5	1	17	26	9	7	・	1
中部	54	2	10	19	16	9	24	5	5	5	8	6
那覇	33	2	2	7	3	19	17	2	3	3	2	9
南部	28	2	7	11	5	5	20	7	2	6	5	1
宮古	17	4	3	10	3	1	20	2	9	10	・	1
八重山	19	15	15	2	・	2	6	16	3	1	2	・
計	199	40	70	58	34	37	98	58	31	32	17	18

第1表で明らかのように、児童生徒の在籍の減少に伴ない、本務教員が小中学校で12人の減、事務職員が6人の減となっている。教育条件の整備のうえからも本土同様定数法の改正により整備したい。第3表では小学校の1〜5学級6〜10学級の小規模校が去年度よりそれぞれ4校増加し、11〜20学級の中規模校が4校も減少していることから、今後学校校舎対策を樹立することと、近年都市への人口集中に伴う過密対策としての学校分離率が今後の課題となることが予想される。

20　第3章　教職員の資質並びに福祉の向上

2　職員給与の改善

(1)　1970年度の教職員の給与費

区分	公立				政府立	
	小学校	中学校	高校	各種学校	特殊学校	中学校
給料	10,135,455	6,345,326	4,459,726	337,612	420,994	69,945
期末手当	4,295,218	2,575,394	1,693,872	131,959	159,668	26,657
管理職手当	88,846	72,869	21,390	3,632	3,056	584
へき地手当	115,998	93,097	6,552			
複式手当	1,883	1,224				
定時制通信教育手当			30,299			
産業教育手当			40,385	7,811		
特殊勤務手当			11,025	2,126		
超過勤務手当	4,270	4,535			3,527	1,217
宿日直手当	999,925	96,828			11,674	139

(2)　1970年度改善された点

ア　給料

前年度との平均給の比較

(1969年7月1日現在)

校種	職名	校長	教頭	教員	事務職員	その他職員	全体
公立	小学校	271.46 (257.34)	225.72 (211.83)	163.58 (146.50)	109.16 (91.20)		169.13 (152.17)
	中学校	274.99 (255.38)	224.36 (207.21)	144.08 (125.87)	113.30 (103.19)		149.83 (131.72)
政府立	高校	295.31 (276.38)	244.21 (221.03)	148.95 (134.20)	115.42 (108.00)	88.18 (80.34)	143.91 (130.85)
	各種学校	287.36 (270.90)	207.94 (188.08)	131.13 (82.66)	98.67 (96.97)	74.25 (66.71)	122.01 (111.38)
	特殊学校	256.42 (235.50)	228.35 (214.07)	141.24 (125.29)	113.83 (113.18)	94.45 (83.34)	133.96 (120.24)
	中学校	303.90 (283.10)	263.60 (236.40)	172.37 (161.25)	103.25 (89.15)	68.77 (58.90)	165.70 (153.77)

注　( )内の数字は、1968年7月1日現在平均給

イ 期末手当
　期末手当の支給率は $\frac{435}{100}$ から $\frac{460}{100}$ に改正された。
ウ へき地勤務手当
　政府立学校へき地手当が従来の月額8ドルから13ドルに改善され、支給している。
エ 産業教育手当
　支給率は給料月額の $\frac{7}{100}$、但し、定額手当受給者は $\frac{3}{100}$ 支給している。
オ 宿日直手等
　公立小中学校の宿日直手当が従来の80セントから1ドル50セントに改善され、支給している。

教職員の福祉の向上

(1) 退職手当

　近代社会は、社会的、経済的に一層複雑化してきている。それにともない教職員の福祉向上を図らなければならないことはいうまでもない。

　退職手当、保険料、旅費、公務災害保障費等があるが本年度の予算額は次のとやりである。

区分	公立		政府立			
	小学校	中学校	高校	各種	特殊	中学
職員手当	669,780	371,220				
保険料	1,064,501	681,334	402,899	31,899	38,058	6,056
公務災害補償	2,772	1,750				
旅費	48,728	34,966	18,987	2,322	2,762	400

備考
(1) 公立小中学校の退職手当については、前年度292,251ドルに比べ、本年度は1,041,000ドルで3倍の増額となつている。その内訳は普通退職203,821ドル（109人）、勧奨

退職 837,179ドル（55人）

(2) 政府立学校について上記空欄の予算額は、文教局本局費に文教局職員を含めてそれぞれの科目で計上されているので省略した。

(2) 共済事業

今会計年度から施行される公立学校職員共済組合法は教職員及びその遺族の生活の安定と福祉の向上を目的として、その相互球済を趣旨とする共済組合の制度を規定するものである。事業としては、短期給付、長期給付及び福祉事業がありいずれも組合員の掛金及び政府並びに政府等の負担金を財源としてなされる。

(ア) 短期給付　育児手当金、傷病手当金、出産手当金、休業手当金、弔慰金、家族弔慰金及び災害見舞金の7種類がある。これらの給付に要する費用は第一表のとおりである。

(イ) 長期給付　組合員の退職後又は死亡後における本人又はその遺族に対する保険給付である。

(ウ) 福祉事業　貸付、住宅、宿泊、保健等の事業があるが源資の都合で次年度から予定している。

(エ) 掛金・負担金　上記(ア)〜(ウ)に要する費用は、今会計年度は下表の率で徴収され、この額でもつて諸事業を遂行する。掛金率は組合員の給料額に、政府等負担金は専従職員を除く全職員の給料総額に、追加費用は全組合員（専従職員、休職者、停職者を含む）の給料総額に乗じた額を充てる。

（第一表）　掛金・負担金率及びその額

区分	掛金率	政府等負担金率	追加費用	政府負担金率	掛金及び負担金額
退期給付	0.95/1000	0.95/1000	—	—	51,700ドル
福祉事業	0.05/1000	0.05/1000	—	—	2,700ドル
長期給付	42/1000	42/1000	21.1/1000	14.8/1000	3,262,800ドル

(オ) 公立学校職員共済組合の事務費　全額政府負担として98,233

4 教職員の資質の向上

　教育の内容を充実し、教育目標を達成するうえで、教職員の資質の向上は最も重要なことである。とくに、流動する社会の中にあって、教育内容が拡大し、科学技術がめざましく進歩発展をとげている今日においてはなおさらのことである。

　教育が人間と人間の人格的なふれあいの場においてなされることはもとより、教具、教材の取り扱いの問題、指導技術の問題等、いずれも教師のたゆまない努力と研修によって、たえず改善がはかられなければならない。当局としても「教職員の資質の向上」については、文教行政の重点施策の一つとして継続的にとりあげてきたところである。教育課題の改善と相まって、今後ますます充実強化して教職員の資質の向上をはかり、いっそうの成果を期待したい。

　教職員の資質向上に関する事業内容は別表のとおりである。

別表1　1969学年度　教職員管外研修派遣予定研修会等一覧表

研修会名称（講座・大会）	時期	会期	対象	会場	人員	備考
へき地教育指導者講座	10月7日～9日	3日	校長、教諭	愛媛	2	
学校保健講習会（学校環境衛生）	10月2日～3日	3日	校長保健主事養護教諭	山口		
公立学校事務職員研修会	11月19日～21日	3日	公立小中校事務職員	東京		
全国へき地教育研究大会	10月4日～6日	3日	校長、教諭	愛媛	2	
交通安全教育管理研究協議会	10月15日～16日	2日	校長、教諭	東京		
学校図書館研究協議会	2月4日～5日	2日	校長、教諭	東京		
産業教育指導者養成講座技術家庭（男子向き）	7月14日～19日	6日	教諭	〃		
〃　〃　（女子向き）	8月4日～9日	6日	教諭	〃		
九州数学教育研究会	7月下旬	2日	〃	大分		
全国公立小中学校事務職員研修大会	7月31日～8月3日	4日	公立小中校事務職員	東京		
全国数学研究大会	8月4日～6日	3日	教諭	熊本		
社会科教育全国協議会	7月31日～8月1日	2日	〃	東京		
全国特別教育活動研究大会	8月5日～6日	2日	〃	兵庫		
全国中学校理科教育研究大会	8月5日～7日	3日	中学校教諭	神奈川		

第3章 教職員の資質並びに福祉の向上

研修会名称 （講座・大会）	時期	会期	対象	会場	人員	備考
九州地区英語研究大会	10月13日～14日	2日	中学校教諭	鹿児島		
全国小学校家庭科教育研究会	10月30日～11月1日	3日				
理科教育学会全国大会	10月12日～13日	2日	教諭	広島		
視聴覚教育合同全国大会	11月26日～28日	3日	〃	福岡		
全国小学校社会科研究大会	10月30日～31日	2日	小学校教諭	栃木		
全国英語教育研究団体連盟大会	11月22日～23日	2日	中学校教諭	東京		
特殊教育課程研究発表大会	11月25日～27日	3日	小学校校長 教諭	東京		
全国音楽教育研究大会	8月14日～15日	2日	小中校教諭	〃		
校長教頭等研修講座 （1回）	5月	2週間	校長教頭等	〃	2	
〃 （2回）	6月	〃	〃	〃	3	
〃 （4回）	10月23日～25日	〃	〃	〃	2	
体育実技講習会	5月	4日	教諭	山口	1	
学校保健講習会	5月	2日	校長 保健主事		1	
水泳講習会	5月	4日	〃		1	
中学校道徳教育指導者講座	5月	3日	中校長、教諭	東京	1	
生徒指導研究推進校連絡協議会	6月	2日	中学校教諭	東京	1	
スポーツテスト普及講習会	6月	3日	スポーツテスト教室講習会予定者教諭		1	
幼稚園教育指導者講座	9月24日～26日	2日	園長、教諭	宮崎	1	
進路指導講座	6月	6日	職業指導主事、教諭	広島 (広島大学)	1	
小学校教育課程講習会 （小学校道徳教育指導者講習会を含む）	6月	2日	校長、教諭	熊本	29	

第3章 教職員の資質並びに福祉の向上

研修会名称 (講座・大会)	時　期	会期	対　象	会　場	人員	備　考
特殊教育講座（精薄）	7月31日～8月7日	8日	特殊学級担当教諭	熊　本		教育病理2単位授与
進路指導研究協議会	8月29日～31日	3日	進路主事中校教諭	東　京 (国立教育会館)		
幼稚園教育課程研究発表大会	11月6日～7日	2日	園長、教諭	〃		
中学校教育課程講習会	6月	3日	校長、教諭	〃		各教科領域に派遣
学校給食研究集会 （西日本）	10月23日～24日	3日	学校給食主任、校長	鳥　取	1	
養護教諭講習会	7月3日～5日	2日	養護教諭指導者	宮　崎	1	
全日本書写道教育研究大会	8月6日～8日	3日	教　諭	徳　島	1	
公立学校教頭大会	8月5日～7日	3日	教　頭	東　京	1	職場指導は集団就職先（会期後に行う）
青少年進路指導全国大会および本土就職職場視察指導	8月15日～9月5日	20日	進路指導主事　教諭	東　京	2	
全国学校体育研究大会	10月	3日	小中校教諭	高　知	1	
全日本中学校長会	11月5日～7日	3日	中学校長	佐　賀	2	
全国連合小学校長会	11月9日～11日		小学校長	熊　本	4	
九州地区教頭大会	11月4日～6日	3日	教　頭	大　分	2	
放送教育研究会全国大会	11月21日～22日	2日	教　諭	仙　台	1	
研　究　教　員	4月～3月	半年 1年	小中高校教諭			

第3章 教職員の資質並びに福祉の向上

別表2　教職員の資質向上のための研修会一覧表（管内）

各種研究会名称		時期	会期	範囲	参加者	参加人員	会場	備考
全沖縄小中学校長研究大会		5月11～13	3日	全沖縄	全沖縄小中学校長その他関係者	400人	那覇	年1回
青少年健全育成関係研修会	訪問教師研修会	毎月	1日	〃	訪問教師その他	延200人	各連合区輪番	
	生徒指導主任研修会	学期2回	1日	連合区単位	各学校主任	延350人	連合区ホール	
	カウンセラー研修会	9月～3月	1〃	〃	各学校カウンセラー	〃	〃	
	進路指導研修会	年1回	1〃	〃	各学校進路指導主任	延150人	〃	
	特別教育活動指導者研究協議会	1月	2〃	全沖縄	連合区指導主事、研究委員	延50人	那覇	
	道徳教育指導者研究協議会	学期1回	2〃	〃	〃	150人	〃	
教科指導技術研修会	校内授業研究会	毎月（8月を除く）	各1日	全沖縄	小中高校	延8400人	各学校	
	教育区授業研究会	5月～10月	各2日	教育区別	小中校教諭	延900人	美里小校外	教材研究と授業研究を併せて行な う
	社会科授業研究会	5月～2月	各1日	連合区別	〃	〃	連合区ごとに指導	
学校総合指導		毎月	各1日	各学校単位	対象校職員及び文教局長、部、課長、指導主事等			各課合同で実施
小校教育課程講習会		8月	各1日	全琉9ブロック	小校の教科領域の主任及び校長、教頭	延1500人	各ブロックの中心校	
中校教育課程講習会		12月	〃	〃	中校の教科領域の主任及び校長、教頭	〃	〃	
長期英語教員講習会		自1967.4.1～1968.3.30	1年	全沖縄	中高校英語担当教諭	40人	英語センター	
英語教育講習会		8月	1ヶ月	〃	〃	50人	〃	
教育長研修		毎月1日臨時（1日）	1日	各連合区	教育長	20人	連合区もちまわり	
教育委員研修		随時	1日	各区委員	教育委員会事務局職員	5～7人	各区委員会	
会計及び事務職員研修		10月～6月	1日	各連合区	地方教育区会計及び書記	200人	連合区別	

第3章 教職員の資質並びに福祉の向上　27

各種研修会名称	時期	会期	範囲	参加者	参加人員	会場	備考
特殊教育研修	毎月	1日	全沖縄	小中校特殊教育担任教諭	250人	連合区別	
地方教育現場との話し合い	10月～3月	各1日	当該地区	学校教員及び関係者	10～60人	各学校	
小中学校の事務職員の研修	10月	3日	全沖縄	小中学校事務職員	300人	中部連合区	
水上安全研修会	6月～7月	1日	各連合区	小中高校職員	400人	各連合区単位	
給食研修会	12月	1日	全沖縄	小中高校教諭、栄養士、調理士、給食関係職員	800人	北部、中部、南部、那覇	高校は定時制
体育実技研修会	11月	1日	各連合区	小学校女教師	300人	各連合区単位	
養護教諭研修会	12月	1日	全沖縄	養護教諭	170人	那覇	
学校保健研修会	12月～1月	1日	各連合区	小中高、保健主事、保健担当教師	400人	各連合区単位	
全沖縄高等学校長研修会	5月	3日	全沖縄	高等学校校長、政府立各種学校校長、盲ろう学校長	50人	那覇	
全沖縄高等学校教頭研修会	6月	3日	全沖縄	高等学校教頭、政府立各種学校教頭、盲ろう学校教頭	50人	青年の家	
全沖縄高等学校定通制主事研修会	10月	3日	全沖縄	高等学校定時制通信制主事、政府立各種学校夜間部主事	22人	青年の家	
全沖縄高校事務職員研修会	12月	3日	全沖縄	高等学校事務職員、政府立各種学校事務職員	100人	那覇	
中等学校技術家庭科(女子)技術講習	7月21日～29日	6日	全沖縄	技家(女子)職員	36人	琉大	
中学校技術家庭科(男子)技術講習	7月28日～8月7日	9日	全沖縄	技家(男子)職員	30人	琉大	
高等学校家庭科講習会	7月21日～26日	6日間	全沖縄	家庭科教員	40人	読谷高校	
視聴覚教材活用講習会	4月～6月	各3日	連合区別	小、中学校長、視聴覚主任	642人	連合区教委ホール	

第3章 教職員の資質並びに福祉の向上

各種研修会名称	時 期	会 期	範 囲	参 加 者	参加人員	会 場	備 考
視聴覚教育研究会	4月～6月	各1日	連合区別	高校の校長及び視聴覚主任	70人	各高校	
教育指導委員による講習	9月～12月	4ヶ月	全沖縄	小中高校教諭	延	各連合区	
夏季認定講習	8月	前後期別2週間	〃	〃	延		

5 各種教育研究団体の助成

広範囲にわたる教育研究団体の育成および教育振興をめざして補助する経費である。この補助金は毎年関係者から高く評価されており、これまでの貢献はすこぶる大きい。本年度は44団体を補助対象とし、補助金予算額28,789ドルの内訳は次のとおりである。

造形教育研究会	1,500	小中校教頭協会	460
高校理科研究会	1,000	小中校事務職員協会	280
気象教育研究会	100	特殊教育協会	275
小中校理科教育研究会	150	農業クラブ	800
算数・数学教育研究会	150	家庭クラブ	600
沖縄高校数学教育研究会	150	高校長協会	350
沖縄国語教育研究会	440	高校教頭協会	200
沖縄学校図書館協議会	200	政府立学校事務職員協会	70
書道教育研究会	270	第20回定通制教育振興会総会	
高校弁論大会	374	および沖縄大会	4,000
社会科研究会	200	定通制主事協会	500
生徒指導研究協会	340	各種教育コンクール	175
カウンセリング研究協議会	200	各種教育研究会	360
童話・お話中央大会	50	職業および科学技術研究会	320
定時制生活体験発表会	100	高体連	3,832
教育音楽コンクール	245	高野連	1,500
学校美化コンクール	200	定通制球技大会	250
高松杯英語弁論大会	235	中体連	1,080
教育研究大会	5,000	女体連	330
精薄教育協会	300	小体研究発表会	100
教育長協会	450	中体研究発表会	100
小中学校長協会	1,120	学校保健大会	170
幼稚園協会	263		

第4章 地方教育区の行財政の充実と指導の強化

1. 地方教育区の財源強化

　地方教育区の財源は「一般財源」と「特定財源」によつて構成されているが、「一般財源」の主なものは市町村交付税教育費である。交付税による地方教育区の教育費基準財政需要額は、1967年308万ドル、1968年402万ドル、1969年550万ドルと年々増額され、更に1970年度は前年度に148万ドル増の総額698万ドルと大巾に充実強化された。又その積算内容においても較差是正に伴なう教育の諸条件及び地方教育区のより円滑な自主的運営への措置がとられている。

(1) 本年度の主な改正点
　ア、経常経費については、給食従事員、事務職員補助員、雇用人、会計係、書記、書記補、主任級、教育委員、学校医、薬剤師等の給与又は報酬の単価を是正し、又需用費備品費等の単価引き上げ及び増設を行ないその改善をはかつた。
　イ、投資的経費については、校舎以外の学校施設に対する教育区負担対応費の軽減を図るために、屋内運動場、給食準備室、幼稚園園舎の建築についての投資的経費項目を新設し、その算入方式についても実状に則し事業費算入方式を採用した。

(2) 本年度の新設事項
　ア、就学奨励法に基づき、小中校の準要保護児童生徒に対し学用品費、通学用品費、通学費、修学旅行費（含要保護）を算入したこと。
　イ、その他の教育費の中で保健体育費の項目を新設し、児童生徒園児の健康管理を強化するとともに、体育指導員手当を保障したこと。
　ウ、その他の教育費の中で、教育行政共通費の項目を新設し、地

方教育行政の自主性及び運営の円滑化をはかつたこと。
エ、小中学校、その他の教育費の全領域にわたり、追加財政需要額を算入したこと。
オ 教育委員の期末手当（支給率$\frac{300}{100}$）を算入したこと。
カ、学校事務職員補助費の超勤手当を算入したこと。
キ、公立学校職員共済組合法の適用により、長期、短期給付に対する設置者負担金を算入したこと。
ク、教育区の地域的、社会的諸条件によって生ずる経費差を基財額に反映させ、その算定をより公正妥当なものにするために、小中学校に態容補正及び人口急増補正を適用し、その他の教育に従来の人口段階補正、態容補正に加えて幼稚園密度補正を適用したこと。
ケ、投資的経費の項目を新設し設置者負担経費の軽減をはかつたこと。

3) 特別交付税（参考事項）

特別交付税は普通交付税の標準的交付基準では測定できない特別な需要について各市町村毎に算定され一定の方式により交付されるのであるが、1969年度教育費分の算定項目は次のとおりである。

o 単級、複式、特殊学級の割増し分
o 校地購入、整地、借料等があること。
o 学校の分離、移転、統合があること。
o 児童生徒の通学対策に関すること。
o 教育委員の選挙費
o 標準以上の幼稚園園児数に対する割増し分
o 小中学校の施設費
o その他

(4) 交付税明細

ア 1970年度市町村交付税総括

区　　　分	1970年度	1969年度	増減率
A 基準財政需要額	24,054,000	18,349,000	31.1
市町村分 ($A \times \frac{71}{100}$)	17,078,000	17,844,300	33.0
教育区分 ($A \times \frac{29}{100}$)	6,976,000	5,504,700	26.7
B 基準財政収入額	7,202,000	6,030,192	19.4
C 財源不足額 (A－B)	16,852,000	12,318,808	36.8
D 調整額	592	254	
E 普通交付税額 ($G \times \frac{90}{100}$)	16,851,408	12,318,554	36.8
F 特別交付税額 ($G \times \frac{10}{100}$)	1,872,379	2,173,863	△ 13.9
G 交付税総額 (E+F=M)	18,723,787	14,492,417	29.2
H 政府六税額	46,355,900	48,291,800	△ 4.0
I 繰入率	30.2	23.8	
J 繰入額 (H×I)	13,999,210	11,493,448	21.8
K 精算額	275,423	221,191	
L 日政援助額	5,000,000	2,777,778	80.0
M 予算計上額 (J+K+L)	18,723,787	14,492,417	29.2

イ 交付税教育費の総額に占める

(単位 千ドル)

項　目	1970基財額	1969基財額	増　減	構成比
総　　　額	24,054	18,349	5,705	100.％
消　防　費	1,169	580	589	4.9
土　木　費	3,960	3,289	671	16.5
厚生労働費	1,687	980	707	7.
産業経済費	2,281	1,457	824	9.5
行　政　費	7,981	6,538	1,443	33.1
教　育　費	6,976	5,505	1,471	29.

ウ 交付税教育費単位費用

単位ドル

区分	経費項目	測定単位	1970年度	1969年度	増加率
小学校	児童	144,900	8.20	6.14	33.6
	学級	3,960	358.83	328.17	9.3
	学校	243	2,837.00	2,051.00	38.3
中学校	生徒	78,300	7.95	5.72	39.0
	学級	2,050	401.30	375.33	6.9
	学校	153	3,142.00	2,391.00	31.4
他	人口	1,123,000	1.56	1.17	33.0
基準財政需要額			6,976,313	5,504.700	26.7

△測定単位の数値は各種補正を想定した数値である。

エ 1970年度標準施設

区分	学校数	学級数	児童数	教職員数	雇用人	公民館
小学校	1	18	810	24	6	—
中学校	1	15	675	25	3.5	—
教委会	1	—	—	5	5	—
幼稚園	2	8	320	8	—	—
社教育	1	—	—	—	1	20

△その他の教育の人口規模は30,000人

オ 補正係数
　① 態容補正係数

区分	小学校			中学校			その他の教育
	児童	学級	学校	生徒	学級	学校	
1種地	1.10	1.11	1.12	1.06	1.06	1.11	1.14
2 〃	1.04	1.04	1.05	1.03	1.02	1.04	1.05
3 〃	1.02	1.02	1.02	1.01	1.01	1.02	1.02
4 〃	1.00	1.00	1.00	1.00	1.00	1.00	1.00

② 人口急増補正係数

区 分	児童生徒	学級	算 出
小学校	0.64	4.53	$(\frac{1969.5.1 \text{ 在籍数}}{1968.5.1 \text{ 在籍数}} - 1,000) \times 係数 + 1$
中学校	1.48	5.11	

③ 段階補正係数

人口	区 分	係 数
三万人以上	人口30,000人	1.00
	30,000人をこえ60,000人までの数	0.74
	60,000人をこえ120,000人までの数	0.72
	120,000人をこえる数	0.70
三万人未満	その団体の数	1.00
	30,000人に満たないが7,500人まで	0.13
	〃 7,500～15,000人	0.16
	〃 15,000～22,000人	0.25
	〃 22,000～以 上	0.01

④ 密度補正係数

密度	区 分	係 数
密度が94以上のその団体のもの	94	1.00
	94をこえる125までの数	0.97
	125をこえ200までの数	1.00
	200をこえるもの	0.98
94に満たない団体のその密度のもの	その団体の密度	1.00
	94に満たない数が19までの数	0.10
	〃 19～44までの数	0.10
	〃 44～54までの数	0.12
	〃 54～64までの数	0.11
	〃 64をこえる数	0.11

2. 教育行政補助金

　政府は地方教育補助として連合区教育委員会に対し、教育行政補助金を交付している。教育行政補助金は連合区教育委員会の給与（連合区事務局の定数職員）及びその他必要と認める経費に対する補助である。本年度の教育行政補助金は531,610ドルで、その内訳は給与費507,006ドル、管内旅費3,093ドル、管外旅費1,217ドル、環境衛生検査器具整備費2,094ドル、風疹障害児巡回指導用備品1,200ドル、庁舎建築補助17,000ドルである。なお、管内旅費は、教育長及び管理主事の研修592ドル、風疹指導員講習1,069ドル、風疹指導員管内指導1,432ドルで、管外旅費は風疹指導員の本土視察旅費である。
　連合教育区事務局職員の定数は、次の通りである。

職名	北部	中部	那覇	南部	宮古	八重山	合計
教育長	1	1	1	1	1	1	6
次長	2	2	3	1	1	1	10
管理主事	1	1	1	2	1	1	7
指導主事	4	5	4	4	2	2	21
社会指導主事	13	11	9	7	5	4	49
巡回教師	2	2	2	2	2	2	12
事務職員	6	6	2	4	4	4	26
合計	29	28	22	21	16	15	131

3. 文教施策書及び指導の強化

(1) 地方教育区行政職員等の資質の向上

　　今日の教育の進歩は、教育需要の拡大を招き教育行政の内容もますます複雑多様化する傾向にある。したがって、地方教育区におげる事務量もますます増大しつつあり、新しい制度の理解と事務の能率化、合理化等の研修は必要欠くべからざるものとなっている。特に地方教育費の約80％は政府支出金でまかなわれており、政府補助金の適正な執行の確保も地方教育区の事務担当職員等の研さんにまつところが極めて大きい。したがって、教員の研修とともに、行政事務担当職員の研修も今後さらに充実しなければならない。そのための研修費は下記のとおりである。

　　　教育長研修　168ドル　　　教育委員研修　440ドル
　　　会計及び事務職員研修　245ドル
　　　教育法令研修　154ドル　　予算決算事務研修　154ドル

(2) 教育現場との連絡提携

　　沖縄教育の現状を理解し、文教施設がどのように実施され将来どのような施策が計画されているかについて説明し文教施策の現場への浸透をはかり、また、直接学校現場の教職員と懇談し文教施策に反映させるため、1965年度以降、教育現場との話し合い（教育懇談会）を実施している。

　　本年度の予算額は725ドルである。

　　更に広報誌によって文教施策を教育関係者に周知徹底し教育水準の向上を図るとともに地方教育行財政の指導及びその資料をも提供していきたい。

　　本年度発行予定の広報誌等の種類と発行部数、発行回数及び予算額は次のとおりであるが、これら広報誌等が地方教育行財政担当者はもとより教育現場とより一層密接な結びつきをもって利用されるよう要望したい。

第4章 地方教育区の行財政の充実と指導の強化　37

事　項	69年度予算	70年度予算	内　　　　容		
広報普及費	ドル 3,827 (3,511)	ドル 3,986 (3,447)	文 教 時 報	1,200部	6回
			〃　号　外	1,400部	4〃
			教 育 年 報	800部	1〃
			リーフレット	1,600部	1〃
			沖縄教育の 概　　観	1,000部	1〃
			学校一覧表	1,500部	1〃

㈲ (　)内の数字は印刷整本費で総務局用度課予算に組み入れられ
ている（内数）。

第5章　教育の機会均等

1. 義務教育諸学校教科書無償給与

義務教育無償の趣旨に沿うて1963年度から教科書無償給与が本土政府の援助により実施され、1970年度は前年度と同様義務教育諸学校の全児童生徒の教科書購入費が計上されている。教科書無償給与の方法は、政府が経費の全額を負担して必要な教科書を一括購入し、各学校長を通じて児童生徒に給付することになっている。

(1) 対象

政府立、公立、私立の義務教育学校の全児童生徒が給与の対象になる。

※ 在籍者全員が対象で長欠児に対しては自宅学習のために給与することはさしつかえない。

※ 在籍者は国籍のいかんを問わず給与の対象としてさしつかえない。

※ 教師用教科書は給与の対象にならない。

(2) 給与

学校長は児童生徒に給与の際学年学級別に給与名簿を作成し、給与した教科書名を記入して、教育委員会に1部、学校に1部保管しておく。（この場合5月1日付け学校基本調査の在籍と比較して説明ができるよう記録しておく）

(3) 予算

年　度	1967	1968	1969	1970
予算額	558,936	551,415	528,906	559,521

2. 幼稚園の育成強化

幼稚園教育は、人間形成の基盤を培うもので学校教育の一環として

第5章 教育の機会均等

極めて重要な位置を占めている。
　1969年7月現在の全琉公立幼稚園は94園、私立10園、合計104園である。
　1970年度は20園50学級を増設する予定であるが、これらの幼稚園は1970年4月1日から開園される。
　幼稚園への政府補助は公立幼稚園の教員給料の50%、園舎建築費の50%を補助している。また備品補助金については、公立私立に予算の範囲内で補助する。
　モデル幼稚園は日政援助により2園建築される予定である。
　1970年度予算
予算総額　373,564＄
　給料補助金　231,476＄
　施設補助金　122,800＄（30室、モデル園舎、2園）
　備品補助金　19,144＄（モデル園4,444＄ 一般14,700＄）
　旅費補助金　144＄（本土研修）

3. へき地教育の振興

　へき地教育関係法の精神に基づいてへき地にある公立小中学校の教育的諸条件の改善を図ることに努力してきた。
　1970年度のへき地教育関係の予算額は次のとおりである。

	小学校	中学校	計
へき地手当補助金	115,998ドル	95,097ドル	211,095ドル
へき地住宅料補助金	15,300ドル	15,300ドル	30,600ドル
へき地文化備品補助金	14,490ドル	15,600ドル	30,090ドル
へき地教員養成費	4,800ドル	4,800ドル	9,600ドル
学校統合補助金	600ドル	19,147ドル	19,747ドル
計	151,188ドル	149,944ドル	301,132ドル

(1) へき地手当補助金

へき地教育振興法（1958年立法第63号）第6条の規定により
へき地教育振興法施行規則（1959年中教委規則第4号）第2条
（1967年級地改正）でへき地学校に指定された公立小中学校の教
職員に対して、へき地の級地区分に応じ8％から25％のへき地手当
を支給している。1970年度の級地別の学校数とへき地手当補助金
は次のとおりである。

級地	学校数	小学校	中学校
1	27	21,981ドル	18,104ドル
2	31	36,453ドル	26,002ドル
3	22	17,382ドル	18,013ドル
4	28	27,295ドル	20,905ドル
5	13	12,887ドル	12,073ドル
計	121	115,988ドル	95,097ドル

※ 学校数は併地校を小学校1　中学校1としての数である。

(2) へき地住宅料補助金

へき地教育振興法施行規則（1959年中教委規則第4号）第8条
により、へき地学校に勤務する教職員が住宅不足のため借家（借間・
下宿等を含む）をしている場合に住宅料を支給している。
1970年度はへき地住宅料補助金の予算の増額が認められ、従来
教職員1人の場合月額3ドル（教職員2人以上が同一世帯に属する場合
は1人当月額2ドル）支給していたのを、今会計年度から1人の場合
月額5ドル以内（2人以上が同一世帯に属する場合は1人当月額3ド
ル50仙以内）で借家料の実費を支給することになつた。

(3) へき地文化備品補助金

へき地教育振興法施行規定（1959年中教委規則第4号）第3条
により、へき地学校の教材・教具等を整備し学習指導の強化を図るた
め、1960年度から補助を行つている。補助の比率は原則としてそ
の経費の$\frac{4}{5}$で、残りの$\frac{1}{5}$は区教育委員会負担となっている。

へき地文化備品補助は普通補助と特別補助に区分し、普通補助はへき地教育振興補助金交付に関する規則（1966年中教委規則第35号）第5条の算定方法により各教育区に交付し、特別補助として1969年度は14校に発電機を補助した。

(4) へき地教員養成

へき地教員養成については、教員志望奨学生規程（1953年11月16日告示第139号）に定めるところによりへき地学校に勤務すべき教員の養成のため琉球大学在学中より募集し、1966年4月以降は月額20ドルに増額して奨学金を支給し、へき地教員養成に努めている。

(5) 学校統合補助金

学校統合による遠距離通学児童生徒のため、寄宿舎を設置し、通学条件の改善を図っているが寄宿舎に入舎した場合、寄宿舎居住費として1人当月額8ドル（従来は月額6ドル）用人給与として1人当月額45ドル（従来は月額40ドル）・下宿者には下宿料として1人当月額10ドル（従来は月額8ドル）、バス通学者にはその実費を補助している。

4. 特殊教育の振興

教育の機会均等の趣旨から、心身に何らかの障害をもつ子どもたちも健康な子どもたちと同じ社会の一員として、障害の種類や程度に応じた専門の教育がほどこされなければならない。沖縄における特殊教育も年々充実の一途をたどりつつあることは誠に喜ばしいことである。これを1966年度以降、予算の上からみると下表のとおりである。

区分＼年度	1966	1967	1968	1969	1970
政府立特殊学校費	191,040	321,736	441,922	614,191	738,729
特殊教育補助金	6,650	19,900	19,900	19,900	10,022

○ 特殊学級（精薄）の推移

学校別＼年度	1958	1959	1960	1961	1962	1963
小学校	1	1	1	7	16	16
中学校	－	－	－	－	1	1
計	1	1	1	9	17	17

学校別＼年度	1964	1965	1966	1967	1968	1969
小学校	28	85	111	131	146	146
中学校	1	2	9	18	26	37
計	29	87	120	149	172	183

○ 風疹障害児対策

　　1964年の秋から1965年の春にかけて大流行した風疹（三日はしか）のため、当時姙娠中の母親から出生した障害児が全琉でおよそ400人もいる。その障害児の殆んどが高度難聴児である。難聴児の早期教育というたてまえから、各連合区教育委員会には巡回医師が配置され、1969年の4月から風疹聴覚障害児の聴能訓練に当っている。1969年8月31日現在でその聴能訓練を受けている風疹障害児数及び巡回教師数は次表のとおりであり、予算は文教本局費に事業用備品等、合計金額3,633ドルが計上されている。

区分＼連合区	北部	中部	那覇	南部	宮古	八重山	計
風疹障害児	33	79	143	33	83	25	396
巡回教師数	2	2(1)	2(2)	2	2(1)	2	12(4)

㊟　（　）内は巡回教師について研修をしながら障害児の指導に当っている研修教員の人数である。

第5章 教育の機会均等　43

5. 就学奨励の拡充

　経済的理由によって就学困難な児童及び生徒に対して、学用品等を給与する教育区に対し、政府が必要な援助を与える法律が、1969年6月に立法され1970年4月から施行される。

　この法律が施行されるとこれまで学用品だけを贈与していたが、通学用品、通学費、修学旅行費等にも補助できるようになる。

　1970年度予算では1969年7月〜1970年3月までは学用品贈与の101,531＄（小学校1人当り6ドル28セント、中学校1人当り14ドル19セントの$\frac{3}{4}$額）が計上されている。

　1970年4月〜1970年6月までの3ケ月分は就学奨励補助金として、学用品16,712ドル、通学用品7,347ドル、通学費2,862ドルが計上されている。

　修学旅行費については1971年度予算に計上する予定である。

6. 定通制教育の振興

　第20回全国定・通制教育振興大会を、1969年8月4日〜6日までの3日間沖縄で開催し、定・通制教育の振興のために、全国的視野から、真剣に研究協議した。またこの大会で、沖縄の定・通制教育に対して本土政府の大巾な財政援助を要請して極めて有意義な大会であつた。教育の機会均等の趣旨から1952年定時制教育の発足以来その増設及び通信制課程の新設をみて、現在政府立21校、私立1校の22校、生徒数7,000余名となつている。今後は量的拡充から質的充実へ転換する時期である。1970年度予算では、定時制給食用備品費7,200ドル、通信制備品500ドル、給食準備室15,000ドル（2棟分）照明施設に2,000ドル計上されている。その他には定通制振興法による定・通制手当等がある。

第6章　後期中等教育の拡充整備

1. 後期中等教育の拡充

　高等学校生徒の急増期を迎えてからすでに久しいが、現在までに（1969年4月現在）高等学校9校、政府立各種学校6校を新設している。これにより政府立高等学校が34校、政府立各種学校が6校になる。

　政府立高等学校の適正配置及び教職員定数の標準等に関する立法（1968年立法第129号）により、学級定員を普通科、商業科、家政科を1学級47名、農業科、工業科、水産科を40名、定時制を40名にする。なお1971学年度から学級規模を本土並にする計画である。

　1970学年度は前年度に比較して21学級増、政府立各種学校で9学級増をはかる計画である。これによって、政府立高等学校への進学率は64％に、さらに私立高校を含めると72％になる予定である。

　これらの学校の運営に要する経費については、政府立高等学校費として、7,079,124ドル、政府立各種学校費として、556,508ドルが計上されている。

2. 高等学校職員の定数

　政府立高等学校の適正配置及び教職員定数の標準等に関する立法（以下「標準法」という。）が施行され、本年度はその2年目を迎えた。

　従来、高等学校の教職員定数の算定基礎は高等学校設置基準によっていた。その当時は教職員定数を確保するには、かなり困難を感じていたが、標準法の施行後は教職員定数の確保は順調に進み、第1年次、第2年次とも100名確保されている。

　1970年度は教諭、養護教諭、実習助手、事務職員については標準法によって算出された数の100名に当たる237人、そして、標

準法に規定されない職員(図書館職員、炊婦、給仕、船員等)が36人、合計273人の増員が見込まれている。

3. 産業教育の振興

最近の科学技術のめざましい進歩と産業構造および就業構造の著しい変ぼうに伴つて、産業に従事する中堅産業人の量的拡充と質的問題は今後の産業教育にとつて重要な課題である。このことについて中央教育委員会は産業教育総合計画樹立のために、産業教育振興法に基づいて産業教育審議会に「産業教育振興方策について」を諮問し今年中には答申を得て振興計画を策定する予定である。

本年度の産業教育振興費は全体的にみて前年夏より減少しているがそれは米国援助による備品費の減額のためである。高校における産業教育の備品は1969年度で一応30.10パーセントの投入率を示したが本年度は74,600ドルを投入して31.23パーセントになる予定である。その他に産業技術学校備品費80,000ドル、中学校技術家庭科備品費70,000ドル、衛生看護科、実習船備品等が計上されている。また各学科におけ実験、実習を充実するための実習指導旅費や実習用消耗品費、実習船運営費等が重点的に計上されている。

なお現職教育については講習会を開催し、産業技術研究教員10名、農業教育近代化研修教員2名を本土に派遣して研修させる予定である。

第7章 教育内容の改善充実と生徒指導の強化

 戦後の沖縄の教育は、「よい校舎、よい施設、よい待遇」という三つの柱の充実を目標としてすすんできた。日米援助の拡大と相まってこれらの物的条件は大幅に整備されつつある。今後の課題は、これらの諸条件を効率的に運営し、① 指導力の強化、② 学力水準の向上③ 生徒指導の強化をはかることにしぼって諸種の施策を進めていくことである。

1. 教育指導者の養成と指導力の強化

 現状では学校経営者および中堅教員の資質を高め、指導力の向上をはかることが急務であると考えられるので、これらの人々の研修会、研修講座が計画されている。
 (1) 学校経営者のための研修
  学校経営上の問題について、管理と指導の面から研究するために、毎年、小中校と高校に分けて校長の研究大会を開催しているが、今会計年度も引続き3日間の研究大会を持ち、学校経営者としての資質を高めていきたい。
   連合区別の校長研修会
  例年2月に各連合区ごとに実施しているが、今会計年度も2月に6連合区で開催し、新学年度の学校教育の指導指針を明らかにして、その実践力の向上を図る。
 (2) 本土派遣研究教員制度による研修
  研究教員制度によって、教員35人（前後期に分けて計算すれば70人）、校長16人、指導主事10人、大学留学教員10人を派遣し、さらに文部省主催または後援の各種研究大会や講座に約130人の教員を派遣する予定である。
 (3) 指導主事の研修

文教局と各連合区の指導主事が集り、年3回（毎学期1回）2日間の宿泊研修を行ない、学校経営および指導の方針について検討し、指導力の向上をはかる。

（教育研修センター）

教育研修センターは、事業の重点目標として指導者の養成をとりあげ、各地域や各学校における指導的役割を果たすような教員の養成やその指導力の強化のためにつぎのような研修事業を計画実施することにしている。
(1) 経営に関する研修（685ドル）
　管理者、幹部教員に対して、学校経営の改善、近代化のために必要な研修を行ない、その職能および識見の向上をはかるためにつぎのような研修を行なうことになつている。なお、校長、教頭の研修は教育指導員の指導計画に一本化し、全員を対象として行なうことになつている。
　　○　小・中学校長研修会（各連合区毎に7会場で教育指導員によつて行なう）
　　○　小・中学校教頭研修会（各連合区毎に8会場で教育指導員によつて行なう）
　　○　小・中学校中堅教師研修会（北・中・南部・那覇の各連合区の各学校教務主任40名を対象にセンターで行なう）
　　○　小学校女教師研修会（勤務年数15年以上の学年主任または教科主任30名を対象にセンターで行なう）
(2) 教科・領域に関する研修（1,199ドル）
　教科・領域にあつては、主として地区および学校の研究主任クラスを対象にし、その指導力を一般教員に及ぼすよう、いわゆる頂点の引き上げによる底辺の広がりをはかるように研修を行なう。
　研修の方法は、短期研修と定期研修と長期研修にわけてつぎのように行なう予定である。
　　ア　短　期　研　修
　　　○　小・中学校国語学習指導研修会

第7章 教育内容の改善充実と生活指導の強化

- 高等学校国語学習指導研修会
- 小学校算数学習指導研修会
- 中学校数学学習指導研修会
- 数学講習会（中学校数学免許外担当者を対象）
- 中学校社会科学習指導研修会
- 小学校道徳教育研修会
- 小学校特別教育活動研修会

イ 定 期 研 修（長期にわたり教壇実践をしながら、定期的に集まって研修をすすめていくやり方）
- 小学校国語学習指導研修会（定期）
- 中学校国語学習指導研修会（定期）
- 小学校道徳教育研修会（定期）

ウ 長 期 研 修（6ケ月～1年間センターに入所して行なう）
- 小学校音楽学習指導長期研修
- 小学校特別活動長期研修
- 小学校算数学習指導長期研修
- 小学校国語学習指導長期研修
- 小学校道徳教育長期研修
- 中学校数学学習指導長期研修

(3) 教育相談に関する研修（354ドル）
- 小学校特殊学級経営研修会
- 教育相談研修会
- 幼稚園指導者研修会（教育指導員による）
- 幼稚園教諭研修会（教育指導員による）
- 中学校進路指導研修会（定期）
- 高等学校生徒指導研修会（定期）
- 幼稚園指導者研修会（定期）
- 教育相談長期研修
- 生徒指導長期研修

2. 理科教育の振興

　理科教育の振興のためには、理科の教育に従事する教員または指導者の資質を向上するとともに理科教育に関する施設設備を充実するこ

とが急務である。

理科教育振興法（1960年7月15日立法第62号）が立法されて9年になり、この間に公立小中校政府立高校の理科備品も次第に充実してきた。ところが66年11月に理科教育のための設備の基準が改訂になり（実施は68年度から）基準総額が従来の約2倍になったため、達成率は半減し、69年末現在で約35％である。

1968年11月20日、教育振興総合計画の一環として、理科教育振興総合計画を策定して、その実現に努めている。

本年度の備品費も前年度同様、日政、琉政負担により、備品の基準総額の約5％に相当する149,200ドルが計上されている。その内訳は次のとおり。

公立小中学校備品補助金115,569ドル、政府立学校用備品費34,633ドル

(1) 理科教育地区モデル校

(ア) 理科教育の振興をはかる目的をもつて、連合区内に理科教育地区モデル校を指定し、理科教育に必要な施設、設備を充実させ、理科の各種研修の中核として学習指導の充実改善をはかり当該地区における理科教育のモデルとなるよう育成する。

(イ) 指定校数

	北部	中部	那覇	南部	宮古	八重山	計
小学校	2	3	2	1	1	1	10校
中学校	2	2	2	2	1	1	10
計	4	5	4	3	2	2	20

(ウ) 指定期間　3ヶ年

(エ) 本年度の研究テーマ

小学校「効果的に理科の実験・観察を進めるにはどのようにすればよいか」

中学校「認識課程を重視した理科学習指導」

(2) 実験・研究学校

(ア) 実験学校　　小学校2校
　　研究学校　　中学校2校
　　　　　　　　高　校1校

第7章 教育内容の改善充実と生活指導の強化

〔教育研修センター〕

　科替技術の急速な進展にともない、理科教育にたずさわる教師の現職教育もまた重要かつ急を要する事業である。

　本年度、理科研修科において科学教育振興のために計上された経費は、総額9,360ドルであつて、そのうち実験用備品費3,500ドル、理科研修会に参加するための現職教員の旅費と地域別実験・観察研修会指導のため及び研究調査のための所員の旅費とで合わせて3,843ドル、そしてこれら事業を円滑に進めるための消耗品その他雑費等で2,017ドルである。

　そこで、第2期工事としての施設の増築を促進しつつ、既設施設の高度利用をはかり、理科教育の振興のために上記予算を最も有効適切に活用したい。

　なお、本年度教育研修センター理科研修課で計画している研修事業は大要次のとおりである。

研修事業名	実施概要
o 小学校理科長期研修講座	入所研修6ケ月6名
o 中学校理科長期研修講座	入所研修6ケ月6名
o 小学校理科指導者研修会	入所研修2週間36名
o 中学校理科指導者研修会	入所研修2週間36名
o 小学校女教師理科研修会下学年	入所研修5日36名
o 小学校女教師理科研修会上学年	入所研修5日36名
o 小学校理科実験研修会下学年	12会場2日宛約500名
o 小学校理科実験研修会上学年	12会場2日宛約500名
o 中学校理科実験研修会	6会場2日宛約200名
o 高等学校理科実験研修会	入所研修10日約40名
o 小中学校辺地理科研修会	11校3日宛約150名
o 小学校生物野外研修会	12会場1日宛約360名
o 中学校地学野外研修会	6会場1日宛約150名
o 小学校新任教員研修会	12会場2日宛約60名
o 高等学校理科授業研修会	7会場2日宛約50名
o 理科指導主事研修会	毎月1回延192名

3. 道徳教育と生徒指導の強化

　道徳教育及び生徒指導は学校における教育活動を通して、児童・生徒に道徳的判断力、心情を培い、また児童・生徒ひとりひとりの可能性を最大限に発揮させるためのいとなみをいう。
　そのためには道徳教育及び生徒指導の担当者である全教師の資質のより一層の向上と指導体制の強化が要求される。この点から児童・生徒の道徳教育の指導、健全育成指導、保護育成指導という面から専門的理論の修得と実践への習熟をはかるため、現職教師の研究会（道徳・特別教育活動、生徒指導主任、進路指導、カウンセラー、訪問教師等の研究会）を催し、また道徳、特別教育活動、生徒指導に関する手びき（3部冊）を発行することを予定し、更に本年度も中学校に6校、高校に5校の生徒指導推進校を設置し、また道徳、特別教育活動に関する研究学校を設置することにより、なお一層道徳教育及び生徒指導の強化を現場の全教師と一体となり推進したい。
　なお、1970年度健全育成に関する予算額は1,989ドルであり生徒指導推進校の予算額は4,465ドルである。
　教育研修センターにおいても、道徳教育の強化をはかるために道徳教育長期研修を実施して各地域の資質向上を期することにしている。
　また、生徒指導の強化のためには、長期研修として、進路指導、カウンセラー指導者養成研修を行ない、入所研修として教育相談研修を行なうことになっているが、さらに期待されることは、センター内に教育相談、進路指導室を設けて、常時、これらの相談に応ずるとともに、専門的研究をすすめていくことになっていることである。

4. 教育調査研究の拡充

　教育の成果をあげるためには、多くの視点からの調査研究が必要である。それは、現状を分析診断したり、将来を予測するのに必要な基礎資料が得られるからである。つまり、客観的科学的な資料によってこそ、現状の正しい把握と、方法施策の改善が望まれるのである。このような観点から、教育調査研究の重要性を再認識するとともに、そ

の充実強化をはかつていく必要がある。

　教育調査研究費の総額は13,142ドルでその事業内容はつぎのとおりである。

① 教育課程構成　　　　　　　　　　(4,602ドル)
② 学校基本調査　　　　　　　　　　(205ドル)
③ 教育財政調査　　　　　　　　　　(200ドル)
④ 父兄が負担する教育費の調査　　　(241ドル)
⑤ 高等学校入試選抜に関する調査　　(2,517ドル)
⑥ 学校保健体育調査　　　　　　　　(810ドル)
⑦ 学校設備調査　　　　　　　　　　(1,433ドル)
⑧ 学習指導近代化に関する研究　　　(1,157ドル)
⑨ 理科学習指導の近代化の研究　　　(655ドル)
⑩ 教育相談に関する研究　　　　　　(443ドル)
⑪ 生物、地学、郷土資料調査　　　　(348ドル)
⑫ へき地教育に関する研究　　　　　(230ドル)
⑬ 学力診断及び学習指導法に関する研究　(221ドル)
⑭ 生徒指導に関する研究　　　　　　(80ドル)

5, 視聴覚教育の拡充

　1969年7月現在における校種別共通教材（視聴覚教材のこと）の保有状況は次のとおりである。

品　目	小学校	中学校	品　目	小学校	中学校
紙芝居舞台	186		ポータブル電蓄	449	147
スライド映写機	348	209	録音機	477	395
8ミリ映写機	127	76	テレビ受像機(親)	341	118
8ミリ撮影機	87	46	テレビ受像機(子)	1,155	165
16ミリ映写機	7	59	携帯用拡声機	84	81
オーバーヘッド投映機	133	40	カメラ	82	26
実物幻灯機		24	ラヂオ受信機	1,119	310
映写幕	194	10	放送設備一式	150	69

　なお、テレビ・ラジオ学校放送の番組別利用状況は次のとおりである。1969年7月現在

小学校向け ラジオ		小学校向け テレビ	
国語教室1年生	35.91%	理科教室1年生	87.86%
2	37.18	2	87.20
国語教室3年生	35.57%	理科教室3年生	81.97
4	28.72	4	87.58
5	23.16	5	76.80
6	22.03	6	69.39
音楽教室1年生	33.55	大きくなる子	88.69
2	31.78	みんななかよし	83.07
3	34.07	明るいなかま	81.94
4	22.32	はたらくおじさん	81.91
5	17.80	良太の村	76.73
6	20.32	わたしたちのくらし	74.82
ぼくはいちろうた	10.38	テレビの旅	76.86
げんきなこども	10.26	くらしの歴史	75.10
なかよしグループ	4.48	うたいましょうききましょう	75.59
明るい学校	8.24	みんなの音楽	54.24
お話たまてばこ	11.18	音楽教室	36.75
みんなの図書室	11.11	おとぎのへや	68.30
ラジオ図書館	4.96		
あの村 この村	2.34	小学校の学習指導	29.28
マイクの旅	8.19	わたしの教育ノート	26.71
日本のあゆみ	8.19		
このごろのできごと	3.92		
みんなのくらし	10.66		

第7章 教育内容の改善充実と生活指導の強化

中学校向け　ラジオ

国　　語1年生	15.16%
2	18.90
3	19.95
国語教室3年生	19.95
英語教室1年生	20.82
2	17.60
3	18.53
青空班ノート	33.70
昭夫の日記	31.54
わたしたちは考える	27.98
学級の話題	38.37
名作をたずねて	33.10
世界名曲めぐり	32.09

中学校向け　テレビ

理科教室1年生	17.16%
2	12.36
3	10.46
理科教室3年生	10.46
日本の地理世界の地理	9.61
日　本　の　歴　史	9.57
わたしたちの社会	6.42
英語教室1年生	6.48
2	7.31
3	6.79
私の教育ノート	25.18

高等学校における学校放送の利用状況

各　番　組	A	B
名曲ライブラリー	5	908
世　界　の　歴　史	0	608
青年期の探究	59	854
人間とは何か	30	883
国　語　研　究	30	883
古　典　研　究	0	913

A・・・随意利用

B・・・利用しない学級

第7章 教育内容の改善充実と生活指導の強化

　今年度は、九月以降のラジオ学校放送の番組改訂を行い、小学校1日3番組で週当り18番組、中学校1日1番組で週当り6番組、高校向け1日1番組の計6番組放送している。
　前年度にくらべ、週当り、12番組放送をとり止めた理由としては、
　ア、民間放送路線による学校教育放送の実施が困難になりつつあること。
　イ、民放における学校放送時間帯の確保がむつかしくなつてきている。（他のスポンサーが固定化してきた。）
　1965年以来整備充実してきた視聴覚ライブラリーは、その保有している8ミリ、16ミリ、スライドフイルムの利用もようやく活発になつてきたので、今年度において1,500ドルの予算で更に充実していくことにしている。
　視聴覚教育に関する研修としては、
　　ア、視聴覚教材利用の研修会、連合区単位、校長・視聴覚主任・
　　　放送主任・教科主任対象　4～6月
　　イ、視聴覚教育関係研究校の指導　　年間
　　ウ、へき地校における視聴覚教育の推進のための訪問指導
　　エ、視聴覚教育研究会および放送教育研究会への協力
　　オ、放送教育研究会全国大会、視聴覚教育合同全国大会および放
　　　送教育特別研修会への派遣参加
等を主にしていきたい。
1969年1月、沖縄放送協会の放送センターから放送開始したテレビ学校放送は、小学校低・中・高学年向け週当り各6番組、中学校向け12番組、高校向け6番組の他に、幼稚園および保育所向け6番組を宮古・八重山地域を含めて放送している。1969年11月に開始される北部音羽岳の中継局からの放送によつて、テレビ学校放送の受信利用も一段と高まることが予想される。1970年に久米島中継局が放送開始されるといわれるので、新学年度においては、殆んど全域の学校が極めて良好な受信品位における利用がなされるものとみられる。
　なお、南・北大東小中校および北部東海岸にある一部の学校がテレビ学校放送の受信困難校としてとりのこされるので、現行、学校放送テレビ番組の中から、いくつかをビデオテープサービスとして継続提

供していく計画である。
　学校の視聴覚教育推進の資料としては、次のものがある。
　　　学校放送の利用　　　　　　　　　　　　　　　　配布済
　　　学校教育指導指針（1969学年度）49ページ　　　〃
　　　学校放送テキスト　生徒用および教師用
　　　16ミリ教材フイルム目録　　　　　　　　　　　配布済
　　　8ミリ教材フイルム目録　　　　　　　　　　　　〃
　　　文教時報　№99　　66／2　　　　　　　　　　 〃
　　　放送教育研究会沖縄大会における配布資料
　　　沖縄放送場会から放送の「小学校の学習指導」および「私の教育
　　　ノート」　毎週月曜日午前8時～8時半、告立小・中校　教材基
　　　準　1968年11月配布
　以上の資料はどの学校でも入手でき、これまで配布された資料であるので、視聴覚教育の推進について計画するときの有効な手がかりが得られよう。

6, 学校図書館教育の振興

　学校図書館教育の振興を図るには、学校図書館施設設備及び図書の整備充実、司書教諭の養成及び配置、学校図書館職員の資質を向上させることが急務である。
① 本年度の学校図書館の施設設備及び図書の整備予定は次のとおりである。
　ア　施　　　設
　　中学校　8,0,000ドル（8棟）
　　高　校　60,000ドル（3棟）
　イ　設　　　備
　　小学校　21,113ドル　　高　校　14,300ドル
　　中学校　18,624ドル　　特　殊　　 571ドル
　ウ　図　　　書
　　小学校　68,409ドル（57,007冊）
　　中学校　55,103ドル（45,919冊）

高　　校　　7,500ドル（5,000冊）
　　　特殊学校　　3,594ドル（1,797冊）
(2) 司書教諭の配置
　　小学校10校、中学校8校に司書教諭を配置してある。高校は18校配置の予定である。
(3) モデル校の指定
　　学校図書館法の趣旨にそう学校図書館育成のため、各連合区にモデル学校図書館を指定し、その成果を当該地方区に普及させる目的でモデル校25校（小学校14校、中学校11校）を指定してある。
(4) 学校図書館職員の研修
　ア　本土学校図書館研修会へ派遣（1人）
　イ　学校図書館モデル校における研修
　ウ　学校図書館モデル校の研究発表会

第8章 保健体育の振興

1. 学校体育指導の強化

　学校体育の指導はその特質から実践を通しての理解や指導法の研究が必要である。体育については本土政府援助によって、小学校・中学校・高等学校の体育備品が整備されつつあるので、管理活用の強化をはかりたい。小学校では女教師が７０.５％（６９年５月現在）の比率をしめし、年々増加の傾向にある。従来器械運動を中心にして実技研修会をおこない指導技術の向上をはかってきたが、なお一層の強化をはかるため本年は、ボール運動を中心として技術研修会をおこなう。
　保健安全については児童・生徒の保健安全管理に重点をおいて、各連合区単位で学校の要請によって研修会を実施する。
　１９７０年度の保健体育の研修に関する予算額は４４５ドルである。

2. 学校保健の強化

(1) 健康診断強化

　昨年に引続き本年も本土派遣の各専門医師（小児科、眼科、耳鼻咽喉科、歯科、皮膚科）２０名による学童検診を、南部連合区内の小中学校児童生徒２８,６６２名を対象に実施し、保健管理の強化をはかる。計上予算５,８７３ドル。

(2) 養護教諭の増員と資質の向上

　現在養護教諭は小学校９５名、中学校４１名、高校６名、特殊学校４名で基準に対する配置率小中学校６５.５％、高校１６％となっている。昨年は小中学校１７名、高校６名の増員をいたしましたが、本年も増員する予定である。養護教諭研修費として１０６ドル計上してある。

(3) 第６回沖縄学校保健大会の開催

　児童生徒の健康の保持増進をはかり、学校職員の資質を向上させ地域社会の住民の学校保健に対する理解と関心を高めるために沖縄学校保健大会を中部で開催する。この大会に研究奨励補助金として沖縄学校保健会に１７０ドルを補助するように計上してある。

(4) 健康優良学校並びに健康優良児童の表彰

心身ともに健やかな児童、並びにそれを育てるため健康優良学校の表彰を行ない、教職員、児童、父兄、地域社会の健康に対する関心を高かめ、学校保健の推進をはかる。計上予算160ドル。

(5) 医療費補助

要保護準要保護児童生徒の学習に支障を生ずる学校保健法第17条の規則で定める疾病補助金として2,651ドル計上した。

(6) 学校環境衛生検査器具の整備

学校薬剤師の配置にともない学校環境衛生の維持改善を図るため、各連合区に環境衛生検査器具を整備する。そのための補助金として、2,094ドル計上されている。

3. 学校安全の強化

特殊法人沖縄学校安全会の運営補助として本年度は13,400ドルを計上した。前年度に比べて1,910ドルの増額である。また、学校安全の普及充実について、安全管理及び安全指導に関する、初心者の水上安全研修会（女教師対象）、水上安全管理者講習会、交通安全管理者講習会等を開催するとともに本土研修会への派遣も行なっている。

4. 学校給食の拡充

本年度における学校給食の拡充を図るための事業は次のとおりである。

(1) 完全給食の設備備品の整備費補助　　8,000ドル

完全給食を開設する教育区に対し補助を行う。

400ドルの20校分

(2) 準要保護児童生徒の給食費補助　　42,911ドル

パン加工賃補助　16,059ドル

対象率　　児童生徒の7％

対　象　　小学校　9,612人

　　　　　中学校　5,258人

おかず費補助
　　対象率　　児童生徒の7％
　　対　象　　小学校　　6,510人
　　　　　　　中学校　　2,015人
(3) 学校栄養士給料補助　　　6,521ドル
　　対象率　教育区　10人分
　　補助率　$\frac{1}{2}$
(4) 学校給食関係職員の研修費　　444ドル
　　学校長、給食主任、栄養士、調理者を対象に管理者および指導者研修会ならびに調理技術講習会を行なう。
(5) 給食指定工場選定委員会　　286ドル
　　製パン、製めん、委託乳工場の選定審査を行ない、製品および衛生管理の向上を図る。
(6) 学校給食会補助　　90,964ドル
　　給食用物資の輸送、保管、へき地のパン輸送費補助ならびに運営に要する経費に補助する。

5. 学校体育諸団体の育成

　学校体育の振興をはかるために、沖縄県高体連、沖縄県高野連、沖縄高校定時制・通信制主事会、沖縄中体連、沖縄女子体育連盟、沖縄小学校体育研究会の自主的団体ならびに体育研究団体では、各種スポーツ大会・各種研究会を開催し、また本土における全国大会等にも多数の代表選手を派遣または招へいして青少年の心身の健全育成とスポーツの振興をはかっている。次にこれらの学校体育諸団体の主なる事業と予算は次の通りである。（カツコ内は予算額）
(1) 高体連（3,832ドル）
　　夏季体育大会、各種選手権大会、陸上競技選手権大会、全国高校総合体育大会派遣、秋季体育大会、冬季体育大会、日琉親善競技大会
　　（全国高校総合体育大会には日政援助として2,245ドルの補助がある。）
(2) 高野連（1,500ドル）
　　九州各県対抗高校野球大会派遣、全国高校野球選手権大会派遣、九

第8章 保健体育の振興

州高校野球大会派遣
(3) 定通制(250ドル)
定通制球技大会、定通制陸上競技大会
(4) 中体連(1,080ドル)
夏季体育大会、陸上競技選手権大会、全日本放送陸上競技大会、陸上競技教官派遣、水泳大会、全国中校選抜水泳大会派遣、秋季体育大会、冬季体育大会、各種講習会
(5) 女体連(330ドル)
夏季学校ダンス実技研修会、学校ダンス発表会、国際女子体育会議派遣
(6) 小体連(100ドル)
研究発表会
(7) 中体研(100ドル)
研究発表会

6. 社会体育の振興　　　※( )内は前年度予算

県民の健康の増進のためにスポーツの振興を図るためには、すぐれた指導者を養成し、施設を整備し、スポーツ組織の強化をはかることが最も重要なことである。そこで、文教局では、スポーツ振興総合計画を樹立して、これにもとずき、社会体育関係29,1,440ドル(64,880)を予算計上してある。
(1) 体力つくりスポーツ行事等　　18,889ドル(17,355)
(ア) 県民体力つくり運動を推進するために11月3日に体力つくり沖縄県民会議を結成することになり、その活動を容易ならしめるため400ドル(320)予算計上した。
(イ) 全県的スポーツ大会(沖縄体育大会・沖縄青年体育大会・沖縄教職員体育大会)の運営費として1,836ドル(902)予算計上してある。
(ウ) スポーツの交流　　11,430(10,874)
国民体育大会および全国青年大会への選手派遣のために、11,430ドル(10,874)を予算計上した。なお、他に日政援助が3,311ドル(3,311)ある。

(エ) 指導者養成
　　野外活動指導者研修会と体育指導委員研究協議会の経費302ドル（302）それに指導者の本土研修（スポーツトレーナー、体育指導委員研究大会等）856ドル（775）
(オ) 競技力の向上　　　4,041（4,059）
　　選手の強化合宿のために3,153ドル（1,871）、九州スポーツ大会参加に388ドル（388）、九州社会人野球大会沖縄開催の経費500ドル（1,800）を計上した。
(カ) スポーツ少年団の育成　　489ドル（480）
　　スポーツ少年大会、全国スポーツ少年団、リーダー研修会の経費として489ドル（480）を予算計上してある。

(2) 体育施設の充実　　203,046ドル（0）
(ア) 奥武山体育館を建設するために134,775ドル予算計上してある。（日政援助95,072ドル（建物のみ）を含む。）なお、1970年2月に起工し、政債工事として、286,000ドル（建物のみ）で1971年2月までに竣工することになっている。
(イ) 奥武山プールの建設については、59,512ドルをもって飛込プールと練習プールを1970年の1月末日までに竣工する。これによりオリンピック記念沖縄プールが完成する。
(ウ) 総合競技場敷地購入費として、本局費不動産購入費に23,239ドルを計上してある。

(3) 体育施設管理運営の充実
(ア) 奥武山陸上競技場と羽地青少年野外活動センターの管理運営費として36,273ドル（27,525）を予算計上してある。

(4) 地方体育振興費　　（20,000）
(ア) 地方体育振興の推進力となる体育指導委員等の経費にあてるために、交付税教育費分の中で、保健体育費として各教育区につき、補正人口1人当り0.4セントの標準で財政保障がなされている。
(イ) 体育施設建設補助　　10,000ドル（20,000）

第9章 社会教育の振興と青少年の健全育成

　社会教育予算は、(1)地方の社会教育振興のための各種補助金及び研究奨励費の交付(2)政府が行なう社会教育関係指導者の養成を図るための各種研究会の開催と本土研修、研究指定(3)社会教育施設の整備拡充と運営に大別することができる。

　(1)については成人教育の振興を図るための社会学級運営補助金及び勤労青少年の教育の場である青年学級運営補助金、家庭教育の振興を図るための家庭教育学級運営補助金並びに各連合区が主催する領域別指導者講習会に対する研究奨励費等が計上されている。(2)については、青年、婦人、ＰＴＡ、レクリエーション（婦人、青年、職域）視聴覚教育、社会学級、新生活運動、青年学級等各領域の指導者の資質の向上のために中央で研修会を開催する。さらに各機関団体の幹部及び指導者を本土研修に派遣し、研究指定団体に対する研究奨励費も計上されている。なお社会の要請と青少年の職業技術修得のために、職業高校を開放して講習会を開催することになっている。(3)については、市町村中央公民館を建設する教育区に対し施設補助金を交付する。（1部日政援助）また青年教育施設として重要な使命を有する第二青年の家を、住民の要望によって、今回は特に都市近郊に建設し、日政援助を得て1972年度までに完成する予定である。さらに視聴覚教育上不可欠な施設である視聴覚ライブラリーを文教局と連合区2か所に設置し（1部日政援助）、視聴覚教育の振興に資することになっている。

1. 青少年教育

(1) 青年学級・青年教室

　後期中等教育の一環としての青年学級及び青年教室は、勤労青少年を対象に実際生活に必要な職業又は家事に関する知識及び技能を修得させると同時に一般教養の向上を目的として行なわれる社会教育講座であり、特に青年教室は青年人口の過疎地域や都市地域における勤労

第9章 社会教育の振興と青少年の健全育成

青少年の小集団学習グループの育成を図るため本年度は青年学級29学級、青年教室16教室を設置する。なおこれに対する運営補助金として3,626ドルが計上されている。又研究指定のため125ドルを研究奨励費として1ケ所指定する予定であり、リーダー研修、指導等の諸経費246ドルが計上されている。

(2) 職業技術講習

職業技術講習は、職業高校を開放し主として勤労青少年を対象に行われる講習である。今年度は社会の要求度の大きい自動車整備、電気工、英文タイプ、農業技術等を産業技術学校及び高等学校で10講座行なう予定である。なお予算は次のとおりである。

諸謝金	3,875ドル	修繕費	60ドル
役務費	112ドル	油指燃料費	157ドル
消耗品費	200ドル		

(3) 青少年団体活動

青少年団体活動を活発にするには、指導者の養成が重要である。そのためにリーダー養成のための本土研修（日政・琉政による国内研修）に12人を派遣する予定である。また県内における活動家養成のための研修会、中央1回（2泊3日）、連合区単位6回（1泊2日）の開催予定と、青年団体の運営の強化をはかるために研究指定1か所を行なう予定である。油脂燃料費9ドル、食糧費150ドル、役務費45ドル、研究奨励費641ドル、国内研修1,037ドル、雑費8ドル、諸謝金74ドル。

(4) 青少年健全育成モデル地区

モデル地区は青少年の健全育成をはかるため学校、家庭及び社会が一体となって、いわゆる総合的な地域ぐるみの運動を推進するために設定された事業である。そのために前年度に引き続き720ドルの予算で全琉に4ケ所を設定し、その育成強化をはかっていきたい。また事業の内容としては、1. 組織の強化 2. 家庭教育の振興 3. 環境の浄化 4. 健全レクリエーションの奨励 5. 青少年団体の育成 6. 非行や事故からの防止等があげられる。

第9章 社会教育の振興と青少年の健全育成　65

2. 成人教育

(1) 社会学級

社会学級は一般成人を対象として行われる社会教育講座であり、主として各小中学校に開設されている。本年度は217学級を補助対象としているが、その中7学級を特に高令者を対象とした高令者学級とした。学級の運営補助金として1学級あたり36ドルを計上してある。なお指導者養成として本土研修に2名の派遣と、学級運営の諸問題を究明するために1学級を研究指定する予定である。予算は次のとおり。

　　研究奨励費　　357ドル　　運営補助金　　7,812ドル
　　諸謝金　　　　 48ドル　　雑費　　　　　　33ドル

(2) PTA

学習するPTA、活動するPTAへと新しいPTAのねらいに基づく単位PTAの健全育成を図るために、①各連合区で開催されるPTA指導者研修会への補助、②研究指定1団体、③本土研修へ1名派遣 ④中央指導者研修会の開催等を行なう予定である。予算は研究奨励費285ドル　雑費14ドル　諸謝金17ドルである。

(3) 家庭教育

家庭教育は学校教育、社会教育とともに教育の三本柱として重視されている。青少年の健全育成の基盤をなす家庭教育を振興するために家庭教育学級を40学級設置する計画をすすめている。また全国家庭教育研究集会へ1名派遣するための補助金も計上している。予算は運営補助金1,440ドル（40学級分）研究奨励費77ドル（本土派遣）である。

(4) 視聴覚教育

社会教育諸学級講座の学習効果をたかめるために、視聴覚教育を振興しなければならない。本年度は視聴覚ライブラリーの設置と指導者養成のために次のとおり予算を計上してある。

　　(ア)視聴覚ライブラリーの設置
　　　　政府（文教局）　8,533ドル

連合区　　6,666ドル×2ケ所＝13,333ドル
(イ)指導者養成　　諸謝金　57ドル
　　　　　　技術講習会（中央で1回）
　　　　　　指導者研修会（各連合区毎）

(5) 婦人団体育成
地域婦人団体の健全な発展を促進するためにつぎの事業を実施する。
① 中央婦人幹部研修会 ② 各連合区の行なう婦人指導者研修会への補助 ③ 婦人団体幹部の本土研修派遣 ④ 婦人団体の研究指定　1か所
　　予算は　食糧費　　75ドル　　研究奨励費　　653ドル
　　　　　　雑　費　　32ドル　　諸謝金　　　　22ドル

(6) レクレエーション
健全なレクレエーションの生活化とその普及をめざして次の事業を実施する。
① 職域対象、青年対象、婦人対象のレクレエーション指導者研修会の開催（各1回の計3回）
② 各連合区の実施するレクレエーション指導者研修会への補助
　　予算は　事業用消耗品費　102ドル
　　　　　　研究奨励費　　　120ドル
　　　　　　雑費　　　　　　22ドル　　諸謝金　30ドル

(7) 新生活運動
社会の変動にともない県民ひとりびとりの自主的、自発的な運動をとおして地域社会の連帯感を高め生活者の主体性を確立し、幸福で明るく豊かな家庭、住みよい社会の建設をめざして全県的運動の推進をはかる。
　　努力事項として
　　　　○冠婚葬祭の合理化運動
　　　　○時間励行　　　　　　○家計簿のつけ方
　　　　○貯蓄の奨励　　　　　○生活学校の奨励
をかかげ、組織の強化によって強力な実践体制をとる。

第9章 社会健育の振興と青少年の健全育成

事業内容は
 (1) 指導者研修会の開催
 (2) 連合区別指導者研修会への補助
 (3) 月間運動の実施
があり、予算は次のとおりである。

委員手当	134ドル	事業用消耗品	200ドル
借料損料	36ドル	研究奨励費	150ドル
雑費	22ドル		

3. 社会教育施設、設備の充実と運営の強化

(1) 図書館

前年度中央図書館の2・3階増築工事の完成をみたので、本年度は新館開館にともない図書館施設充実費として15,525ドル計上されているので、児童室、一般開架閲覧室、その他の施設備品を整備する計画である。また職員も2名増員になっているので、運営についても更に体制を強化して図書館業務をすすめるように努める。

(2) 博物館

博物館運営の強化をはかり、資料の整備に努め、県民の文化活動のための施設の利用や資料の活用を促進し、県民の文化の高揚をはかるための運営費で、そのおもなものは次のとおりである。職員俸給20,280ドル、期末手当7,721ドル、旅費716ドル、事業用消耗品費100ドル、事業用備品費1,200ドル、光熱及水料4,800ドル、保険料1,759ドル、役務費3,051ドル、その他で合計42,961ドルである。その他に博物館の石垣工事のための施設費として25,000ドルを計上してある。

(3) 公民館

公民館活動の充実と運営の強化をはかるために、公民館の研究指定、職員の資質の向上をはかるための本土研修派遣費、各連合区別公民館職員研修等のための研究奨励費500ドルと公民館施設の充実をはかっていくための施設補助金45,849ドルが日政援助を含めて、今年

はじめて計上してある。

なお南方同胞援護会による42,000ドルの援助を受けて公民館図書の充実をはかっていく予定である。

(4) 青年の家
ア 名護青年の家

青年の家とは、青年や青少年の指導にあたる人々が、共同宿泊生活をしながら施設、設備を活用していろいろな研修活動（体育・レクリエーションを含む）を行なうことによって友愛・規律・協力・自主・奉仕の精神を養い、地域や職域の中にあって自からの人間性を高め、よりよき社会人となることを期待する社会教育施設である。1968年は5,649人が利用しており、1969年7月末ですでに3,858人が利用している。1969年9月7日附属体育館の落成をみ、職員定員7人（所長1、指導職3、事務職1、作業職1、運転職1）によって運営の充実を図ることになっている。運営費総額は27,927ドルとなっている。

イ 第二青年の家（仮称）

青年人口が都市に集中しているので、これら青年たちが手軽に利用できるよう、那覇近郊に建設すべく日政援助を要請していたのであるが、今年度その実現をみたので、125,000ドル（内日政41,667ドル）を限度として1970年度及び1971年度にまたがって、糸満町字嘉数大田原に建設することになった。今年度の建設費総額は45,893ドルとなっている。

4. 社会教育関係団体への助成

沖青協	3,000ドル	ガールスカウト	100ドル
健青会	200ドル	沖婦連	200ドル
宮婦連	100ドル	八婦連	100ドル
PTA連合会	2,000ドル		
少年会館運営補助	7,000ドル		

第10章 育英事業の拡充

　琉球育英会法による育英事業に必要な経費は、1970年度予算において総額393,960ドルであって、その資金内訳は日本政府援助金208,333ドル(52.88%)、琉球政府補助金161,496ドル(40.99%)、その他24,131ドル(6.13%)である。
　本年度予算では、大学特別貸与奨学生の増員による日本政府援助金の増額13,889ドル、奨学費、施設費、国費自費学生選抜費その他における琉球政府補助金の増額23,556ドルがあり、学生寮等の減額にもかかわらず総額において29,992ドルの増額になっている。
予算に計上された業務の内容はつぎのとおりである。

1. 国費自費学生奨学費

(1) 国費学生
　大学院学生57名(ただし6名は3ケ月)、学部学生767名に対して、文部省から支給される滞在費のほかに琉球育英会総費支給規程により一人当り月額平均前者は3ドル、後者は747ドル、年額合計70,644ドルを給費することになっている。

(2) 自費学生
　自費学生補導費一人当り年額723ドルの513名分をそれぞれの大学に納付するため3,709ドルが組まれている。

2. 特別貸与奨学費

　日本政府の援助によるもので、年額208,333ドルが琉球育英会奨学規程により次のとおり大学、高校の特別貸与奨学生に貸与される。
(1) 大学特別貸与奨学費　　　133,333ドル
　　　自宅通学生　一人当り月額13.88ドル　人員170人
　　　自宅外通学生　一人当り月額22.22ドル　人員394人

(2) 高校特別貸与奨学費

自宅通学生　一人当り月額8.33ドル　人員750人

3. 貸費学生奨学費

本土並びに沖縄内の大学に在学する奨学生20名に対して、一人当り月額8.33ドル計2,000ドルを貸与するもので、次の給費学生奨学費、依託奨学金とともに上記1.2.の奨学制度を補充するものとして予算化している育英事業であって、琉球育英会資金等によるものである。

4. 給費学生奨学費

国費自費学生制度から県費奨学制度へ移行できるまでの暫定的なものとして、自力合格への気風を養うとともに将来沖縄発展に寄与する人材を養成することを目的とし、この年度では一人当り月額50ドルの3名分1,800ドルを計上している。

5. 商社、団体等依託奨学金

商社、団体並びに篤志家が育英事業に賛同して出資する財源により、一人当り10～30ドルを40名に対して給貸与するもので、年額7,400ドルである。

6. 学生寮費

沖英寮（東京）、南灯寮（東京）、沖縄学生会館（千葉）、大阪寮福岡寮、熊本寮、宮崎寮、鹿児島寮の8寮の管理並びに運営補助と営繕のため6,990ドルが予算計上されていて本土内沖縄学生に低廉で、よりよい学習環境を与えるのに必要な経費である。

7. 施 設 費

 沖縄学生文化センターの建物外周ブロック塀工事と1階完成工事に必要な経費で、前者が2,000ドル、後者が3,460ドル計上されている。

8. 国費自費学生選抜費

 能研テストの廃止により、従来の能研テストによる選抜方法を変更し、試験問題の作成に必要な経費で諸謝金、会議費、印刷製本費、通信運搬費等合計6,554ドルである。
 なお、上記業務の運営のため沖縄、東京両事務所の人件費、事務費等に必要な経費として73,442ドルと学生補導費835ドル計上してあり、貸与奨学金の返還金等は奨学資金造成のため積立てるよう計画していてその額は6,793ドルである。

第11章 文化財保護事業の振興

1970年度においては、指定文化財の修理復旧および管理の強化促進、保存のための記録の作成と伝承者の養成並びに公開等を重点的に諸事業を推進する計画である。

1970年度の文化財保護行政関係の予算額は、文化財保護委員会費（運営費）35,748ドル、文化財保護費（事業費）50,577ドル（日政援助13,333ドルを含む）計86,325ドルとなって前年度と比較すると、前年度の当初予算額87,078ドルに対して753ドルの減となり、また前年度の補正後の最終予算額68,292ドルに対しては18,033ドルの増となっている。

事業費の主なるものは次のとおりである。

1. 施 設 費　　　　　　　　　　　　　8,344ドル

特別史跡円覚寺跡の復旧工事は委員会の直営事業として1963年度から継続施行してきたが、今年度は、1969年度予算の補正減額によって施工中止となった円覚寺挾門前の石垣および参道の復旧工事と環境整備を行う予定である。

2. 無形文化財補助　　　　　　　　　　1,760ドル

重要無形文化財（組踊五番）の正しい伝統を保存するために1967年度からその技能保持者の指導のもとに伝承者を養成してきているが、今年度は伝承養成とその公開、および民俗芸能の公開を行うための補助金である。

3. 無形文化財記録作成費　　　　　　　17,979ドル

重要無形文化財（組踊五番）の正しい伝統の技の保存資料として1967年度から映画記録（執心鐘入、女物狂、銘苅子）を作成したが今年度は残り二番（二童敵討、孝行之巻）の映画記録を作成する計画である。

4. 埋蔵文化財の発堀調査費　　16,667ドル

勝連城跡の発堀調査は、その調査地域が広域であるため部分的に発堀調査を行ってきたが、今年度は遺構等全域の発堀調査を日政財政援助(13,333ドル)により、また日政技術援助による専門家の技術指導を受けて1970年2月～3月の2ケ月間に行うとともに浦添城跡の試堀も行う計画である。

5. 指定文化財の管理補助　　1,390ドル

指定文化財の管理は、文化財の本質を変更することなく現状を維持するための保存看守およびこれに必要な措置であって、環境を整備し、破壊やき損等の災害を防ぎ、標識、囲さく等の保存施設、および施肥、給餌等の施設を設けることである。これらの管理は、所有者または管理者が行うことになっておりその必要経費の補助金である。

以上のほか、金城町石畳道の環境保全地域内の石垣修理、円覚寺総門および弁財天堂、天女橋の保護措置、天女橋修理工事報告書、勝連城跡発堀調査報告書の刊行、文化財保護強調週間行事（文化財特別展示会、講演会、映画記録の公開）等を実施する計画である。

第12章　沖縄県史編集

　沖縄史料編集所は1967年10月に、文教局の附属機関として、設置され、「沖縄県史編集8か年計画（全 24巻）」に基づいて沖縄県史の編集を行なっている。

　1970年度には、沖縄史各論編の「政治」と「沖縄戦通史」2冊の刊行を予定している。また、次年度刊行予定の各論編の「経済」・「沖縄戦記録1」の執筆を依頼するために、諸謝金の中に原稿料として、7,000ドルを計上している。沖縄史料編集所の資料を拡充し沖縄県史編集に役だてるために、沖縄県内外において沖縄関係の資料の収集を引つづきおこなうことにしている。「沖縄戦記録1」編集のために沖縄戦体験者による座談会開催のための経費も計上している。

　以上のような事業を推進するために、1970年度には次のように予算がくまれている。

```
(1)運営費（主に人件費）        19,839ドル

(2)事業費                   15,552ドル
   （内　訳）
     非常勤給与              1,270ドル
     資料収集の旅費（管内・管外）
                           1,075ドル
     原稿料・座談参加者・執筆者業への謝金
                           7,824ドル
     資料の撮影費（役務費）    3,488ドル
     委員関係費（手当・旅費）    874ドル
     古書購入・マイクロフイルムキヤビネツト購入（備品費）
                             670ドル
     その他（通信費・雑費等）     35ドル
```

第13章 琉球大学の充実

1. 予算編成の基本方針及び重点施策

　琉球大学においては現在「国立大学への移管」を目標に各分野において検討・整備を推進すべく準備体制にある。
　本土において公立学校が国立大学に移管される場合、施設設備等の内容が国立大学設置基準に達している大学もしくは、学部のみを国立へ移管することが通例である。
　かかる観点から、本学では少くとも現在の組織又は規模以上で国立大学へ移管を図るべきであるという基本的態度を確立した。
　1970年度の予算においても、本土における国立大学の水準まで整備充実を期すため各面の較差を是正することを基本方針とし、これを達成するために前年度に引続き次の重点施策の推進を図ることを主眼として予算編成をおこなった。
(1) 大学の移転に必要な新敷地購入の推進
(2) 保健学部の専門教室等の建設
(3) 設備備品の整備充実
(4) 教員の研究活動の充実強化

2. 1970年度琉球大学の予算

(1) 総 括

　1970年度琉球大学予算総額は3,582,574ドルであって前年度予算額に比較すると632,645ドルで約18％の増加となっている。
　上記の予算を区分すると次のとおりである。
　(ア)目的別区分

人件費	1,978,500ドル
運営費	410,262
施設整備費	1,193,812
計	3,582,574

(イ)運営費の事項別区分
　　大学管理費　　　　１８９,１７０ドル
　　教育研究費　　　　１６６,１８０
　　厚生補導費　　　　　３２,４０４
　　特殊施設費　　　　　１８,５７２
　　普及事業費　　　　　　３,９３６
　　　　計　　　　　　　４１０,２６２
(ウ)施設設備費
　　設備備品費　　　　２６８,７２７ドル
　　施設関係経費　　　９２５,０８５
　　　　計　　　　　１,１９３,８１２
(エ)資金区分
　　琉球政府　　　　３,０１０,９０１ドル
　　日本政府　　　　　５７１,６７３
　　　　計　　　　　３,５８２,５７４

(2)　重点施策の予算措置
　(ア)大学の移転に必要な新敷地購入
①「国立大学への移管」を目標にしている本学では、先ず施設が国立大学の施設最低基準に基づく最低必要面積が要求されるが、現在の敷地では狭隘であり、従って現施設規模が限度であるので、これ以上の施設は不可能である。
このため大学は移転計画を作成し、これに基づき１９６７年度から西原、中城の両村に約４４０,０００坪（有効面積３８５,０００坪）の土地購入を推進しており、現在までに私有地１１３,８８７坪が購入済となっている。１９７０年度において３４２,３０２ドル計上されており１９７１年度において私有地２２１,６４２ドル村有地２６３,９４５ドル、計４８５,５０７ドルを期待し、購入業務を完了する計画である。
尚、土地購入に伴って４１,６３１ドルの建物及農作物等物件償費も予算計上されている。
　(イ)保健学部の専門教室等の建設
　　保健学部は、従来の治療医学に偏した科学技術や教育をもって進められない包括的な保健活動を推進するオーガナイザーを含む各種専門

各種の教育が企画され、総合保健管理の目的で1969年4月新設された。保健学部は1学科（保健学科のみ）で発足したが、従来は看護学科、医学科を設置する構想である。1969年4月59人を採用し、4か年課程で1973年第一期の卒業生を送りだすことになるが、医療、保健及び厚生行政の分野での人材不足をきたしている現在これ等の卒業生の活躍が期待される。

(2) 保健学部の設置に伴って専門教室1,500坪を1969年度から1971年度までの3カ年にわたって継続事業として建設する計画であり、初年度工事はすでに着工され1970年度予算においては第二次計画を実施するための366,132ドルが計上された。さらに、保健学部寄宿舎750坪 129,320ドルも計上されている。特に保健学部の建設についてはその建設経費の80%が日本政府援助によって建設される。

(ウ)設備備品の充実

① 教員の研究用及び学生の実験実習用備品費については、文部省で定められた学生実験実習用設備標準又は、本土国立大学に比べ本学の場合全般的に相当の較差があり、本学の備品は文部省基準に対し僅か35%程度の整備度であり、特に理工系、農学系の較差が大きい。1970年度予算においては、156,600ドルが計上されているが、特に較差是正のため前年度に引続き日本政府援助金60,000ドルが含まれている。

② 図書費については、国立大学の平均蔵書数は153,500冊であって、達成率は44%である。1970年度においては66,250ドルであるが、日本政府援助金25,000ドルが含まれている。

(エ)教員の研究活動の充実強化

教員の研究活動の充実強化は、教育内容の充実はもとより学術及び産業経済の振興発展に寄与すること等を主眼として学術研究助成費が前年度同様72,000ドル、学会出席費に16,193ドル計上されている。研究助成費は189人183テーマで、年々交付を受ける教員が増加している。尚、教員1人当50ドルの基礎研究費として12,000ドルが1970年度新規経費として計上された。研究助成費は教員個々の研究テーマの研究に対する補助金であるのに対し、基礎研究費は学生の教育の充実を図り教育活動を強化する目的の経費である。

第14章 私立学校教育の振興

　沖縄の私立学校（高校以上）は5学校法人によって大学2短大4、高校4が設置されており、その学生生徒数は大学で45.7％、短大77.3％、高校全日13.7％の在籍率を示しており、学校教育における私学の地位と役割は大きく、その重要性は益々増大してきている。一方私学の経営は学生生徒の納付金と借入金に依存している現状で財政状況は困窮している。校舎の基準達成率は大学・短大で37.5％、高校で38.9％であり、高校理科備品達成率が20.8％、産業教育備品達成率は商業科16.2％、工業科3.3％、被服科23.3％である。これら教育条件の整備拡充をはかるには父兄負担や借入金の増大を招くことになり、沖縄の教育上切実な問題となっている。このような状況で公共性をもつ私学経営の安定は教育の機会均等と教育諸条件の向上を図るため、特に政府の私学に対する助成振興の強化を望む声が高まっている。

1. 私立学校補助金

　年次計画で私学の設備整備費の一部を補助することにしているが前年度までの実績は理科教育振興に10,029ドル産業教育振興に3,528ドルが補助されている。今年度は高校理振に1,500ドルと高校産振に2,500ドルを補助金として計上した。

2. 私立学校振興会出資金

　1968年9月13日に発足した私立学校振興会は私学の銀行として、その果たす役割は誠に大きなものがあり、政府としてはその育成発展に大きな関心をよせている。
　前年度は228,550ドルの出資金で事業計画を完了し、今年度は138,000ドルの出資金が計上され、私学の教育振興に役立つことを期待している。

※参考資料　1970年度私立学校振興会事業計画

貸付計画（単位ドル）

区分	対象事業	金額	備考
一般施設	校舎及校地購入	142,960	貸付資金総額の78%
経営費	備品及運営資金	40,750	貸付資金総額の22%
合計		183,710	

資金計画

区分	金額	備考
政府出資金	138,000	日政援助22,222ドルを含む
貸付金回収	45,710	前年度経営費短期貸付金の回収
合計	183,710	

参考資料

参考資料

[1] 1970年度教育関係歳出予算の款項別一覧表

部　款　項	1970年度 予算額（ドル）	1969年度（最終） 予算額（ドル）	比　較 増△減（ドル）
（文教局）	48,332,167	43,690,429	4,641,738
文教局費	2,314,079	2,287,907	26,172
文　教　本　局　費	515,306	463,603	51,703
学　校　給　食　費	148,678	138,462	10,216
教　員　養　成　費	9,600	9,600	0
施　設　修　繕　費	70,858	50,282	20,576
実　験　学　校　指　導　費	1,527	718	809
各　種　奨　励　費	31,929	29,972	1,957
学　校　安　全　会　補　費	13,400	11,490	1,910
教員候補者選考試験費	1,621	1,585	36
学　校　教　育　放　送　費	29,147	52,618	△23,471
学　校　図　書　館　充　実　費	134,606	82,158	52,448
学　校　備　品　充　実　費	1,018,437	1,094,667	△76,230
教　育　施　設　用　地　費	216,075	164,165	51,910
教育研修センター費	75,173	39,330	35,843
教育研修センター事業費	19,483	13,687	5,796
沖縄史料編集所費	19,839	17,872	1,967
教育研修センター建設費	8,400	117,698	△109,298
中央教育委員会費			
中　央　教　育　委　員　会　費	50,632	45,858	4,774
図　書　館　施　設　充　実　費	15,525	56,050	△40,525
博　物　館　建　設　費	25,000	4,620	20,380
学校建設費			
学　校　建　設　費	6,727,818	6,253,574	474,244
学校教育補助			
学　校　教　育　補　助	27,216,541	24,882,920	2,333,621
教育行政補助			
教　育　行　政　補　助	531,610	450,484	81,126
学用品等給与費			
学　用　品　等　給　与　費	687,968	585,587	102,381
育英事業費			
育　英　事　業　費	369,829	332,384	37,445

参考資料

部　款　項	1970年度予算額（ドル）	1969年度予算額（ドル）	比　較 増△減（ドル）
私大委員会費			
私　大　委　員　会　費	6,490	7,191	△　　701
私立学校助成費			
私　立　学　校　助　成　費	142,000	233,578	△　91,578
公立学校職員共済組合負担費			
公立学校職員共済組合負担費	430,550	10,000	420,550
文化財保護費	86,325	68,292	18,033
文　化　財　保　護　委　員　会　費	35,748	33,650	2,098
文　化　財　保　護　費	50,577	34,642	15,935
教育調査研究費	25,560	22,363	3,197
教　育　調　査　研　究　費	10,008	8,476	1,532
琉　球　歴　史　資　料　編　集　費	15,552	13,887	1,665
教育関係職員等研修費			
教　育　関　係　職　員　等　研　修　費	101,459	48,349	53,110
政府立学校費	8,504,333	7,388,447	1,115,886
政　府　立　高　等　学　校　費	7,079,124	6,269,694	809,430
政　府　立　特　殊　学　校　費	738,727	614,191	124,538
政　府　立　中　学　校　費	119,972	109,137	10,835
政　府　立　各　種　学　校　費	566,508	395,425	171,083
産業教育振興費			
産　業　教　育　振　興　費	549,445	747,850	△　198,405
社会教育費	587,528	325,645	261,883
社　会　教　育　振　興　費	104,296	26,434	77,862
博　　　物　　　館　　　費	42,961	40,799	2,162
図　　　書　　　館　　　費	48,078	43,464	4,614
社　会　体　育　振　興　費	231,935	37,405	194,530
体　育　施　設　等　管　理　費	36,273	16,994	19,279
青　年　の　家　建　設　費	45,893	72,035	△　26,142
少　年　会　館　運　営　補　助	7,000	5,000	2,000
青　年　の　家　運　営　費	27,927	19,572	8,355
青少年浜松会館管理費	2,640	3,272	△　　632
（琉球大学）			
琉球大学費	3,582,574	2,949,929	632,645
琉　球　大　学　費	2,388,762	2,179,674	209,088
施　設　整　備　費	1,193,812	770,255	423,557
計	51,914,741	46,640,358	5,274,383

84　参考資料

〔2〕1970年度　文教局予算中の政府立学校費及び地方教育区への各種補助金・直接支出金

A　政府立学校

1　高等学校

　　総　額　　9,246,868ドル
　　生徒1人当り政府支出金（推計）191.26ドル（前年度179.10ドル）

予算項目	科目	1970年度予算額	1969年度予算額	比較増△減	備考
施設修繕費	修繕費	62,350	41,869	20,481	
学校図書館充実費	事業用備品費	7,500	5,100	2,400	
学校備品充実費	事業用備品費	200,243	314,683	△114,440	
教育施設用地費	不動産購入費	110,180	100,060	10,120	
教育関係職員等研修費	管外旅費	16,118	4,743	11,375	内地派遣研究教員
政府立高等学校費	職員俸給	4,459,726	4,082,818	376,908	
	非常勤職員給与	75,000	93,786	△18,786	
	期末手当	1,693,872	1,391,765	302,107	
	その他の手当	204,892	205,954	△1,062	
	管内旅費	18,987	24,441	△5,454	
	事業用備品費	47,650	52,982	△5,332	
	保険料	402,899	262,860	140,039	
	その他の需要費	176,098	155,088	21,010	
産業教育振興費	管内管外旅費	3,168	2,668	500	農林・水産・工業課程実習指導費
	旅行手当	19,470	16,838	2,632	実習船
	事業用消耗品	80,389	68,317	12,072	
	事業用備品費	141,048	211,700	△70,652	
	その他の需要費	139,008	133,806	5,202	
学校建設費	施設費	1,388,270	1,341,863	46,407	
計		9,246,868	8,511,341	735,527	

（注）政府立高等学校生徒数
　　　1969年5月現在　48,457人、1970年5月（推計）48,013人

2 中学校

総額　122,476ドル
生徒1人当り政府支出金（推計）　179.32ドル　(前年度　166.40ドル)

予算項目	科目	1970年度予算額	1969年度予算額	比較増△減	備考
学校備品充実費	事業用備品費	0	584	△ 584	
政府立中学校費	職員俸給	69,945	66,097	3,848	
	非常勤職員給与	2,180	2,153	27	
	期末手当	26,657	24,059	2,598	
	その他の手当	1,940	1,817	123	
	管内旅費	400	374	26	
	事業用備品費	6,400	4,000	2,400	
	保険料	6,058	4,299	1,759	
	その他の需要費	6,392	6,338	54	
施設修繕費	修繕費	0	555	555	
学用品無償給与費	教科書購入	2,504	2,504	0	
計		122,476	112,780	9,696	

（注）政府立中学校生徒数　1969年5月　729人　1970年5月（推計）544人

3 特殊教育諸学校

総額　1,073,630
生徒1人当り政府支出金（推計）　1,105.70（前年度 939.35ドル）

予算項目	科目	1970年度予算額	1969年度予算額	比較増△減	備考
施設修繕費	修繕費	3,210	5,224	△ 2,014	
学校図書館充実費	事業用備品費	3,594	1,400	2,194	
学校備品充実費	事業用備品費	19,724	17,196	2,528	
教育施設用地費	不動産購入費	66,895	0	66,895	
政府立特殊学校費	職員俸給	420,994	345,534	75,460	
	非常勤職員給与	5,286	4,485	801	
	期末手当	159,668	125,571	34,097	
	その他の手当	18,257	21,604	△ 3,347	
	管内旅費	2,762	2,340	422	
	事業用備品費	20,487	26,394	△ 5,907	
	保険料	38,058	22,221	15,837	
	就学奨励費	53,433	46,046	7,387	
	その他の需要費	19,784	19,996	△ 212	
学校建設費	施設費	240,245	181,740	58,505	
学用品等無償給与費		1,233	1,240	△ 7	
計		1,073,630	820,991	252,639	

（注）政府立特殊学校（含む　澄井　稲沖）生徒数
　　1969年5月　929人　1970年5月（推計）1,095人

4 各種学校

総額 1,267,294ドル　888,08ドル (前年度 804.66ドル)
生徒1人当り政府支出金 (推計)

予算項目	科目	1970年度予算額	1969年度予算額	比較増△減	備考
学校備品充実費	事業用備品費	55,000	27,508	27,492	
施設修繕費	修繕	0	430	△430	
教育施設用地費	不動産購入費	66,895	64,105	2,790	
政府立各種学校費	職員俸給	337,612	228,227	109,385	
	非常勤職員給与	8,406	6,629	1,777	
	期末手当	131,959	82,739	49,220	特殊勤務,宿日直,初任給調整,産業教育手当等
	その他の手当	19,211	21,473	△2,262	
	管内旅費	2,322	2,322	0	
	保険料	31,935	19,567	12,368	
	事業用備品費	8,000	10,190	△2,190	
	その他の需要費	27,063	24,228	2,835	消耗品・光熱水料ほか
	管内旅費	157	218	△61	
産業教育振興費	事業用消耗品費	10,917	9,851	1,066	
	事業用備品費	80,000	98,500	△18,500	
	その他の需要費	1,770	23,188	△21,418	油脂燃料、修繕費
学校建設費	施設	1,047	2,264	△1,117	
	施設	485,000	300,000	185,000	
計		1,267,294	921,399	345,955	

(注) 政府立各種学校生徒数
　　 1969年5月現在 1,378人
　　 1970年5月現在 (推計) 1,572

B 地方教育区
  1 学校教育費
        総　　額　　　33,884,306ドル
        内訳 { 補　助　金　32,870,225
              直接支出金　1,014,081

    a 公立小・中学校
        総　　額　　　3,3,510,742ドル

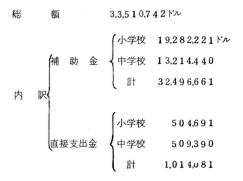

        内訳 {
              補助金 { 小学校　19,282,221ドル
                      中学校　13,214.440
                      計　　　32,496,661

              直接支出金 { 小学校　504,691
                          中学校　509,390
                          計　　　1,014,081

生徒1人当り政府支出金（推計）

        { 小学校　143,33ドル（前年度　124,69ドル）
          中学校　184,45ドル（前年度　168,76ドル）

参考資料

(1) 補助金の明細

予算項目	科目	1970年度予算額（ドル）	1969年度予算額（ドル）
学校給食費	学校給営補助	50,911	47,097
各種奨励費	研究奨励補助	2,980	1,642
学校図書館充実費	備品補助	123,512	75,658
学校備品充実費	備品補助	502,722	348,851
教育関係職員等研修費	研究奨励補助	1,868	1,700
学校建設費	施設補助	4,934,775	4,362,247
	修繕補助	10,000	24,975
学校教育補助	給料補助	16,500,781	16,187,333
	期末手当補助	6,785,042	6,034,779
	管理職手当補助	161,715	139,654
	超過勤務手当補助	8,805	10,677
	複式手当補助	3,107	3,279
	宿日直手当補助	196,753	117,760
	退職給与補助	1,041,000	627,251
	公務災害補償補助	4,522	3,970
	学校運営補助	41,307	39,288
	へき地教育振興補助	60,690	55,192
	保険料補助	1,744,466	968,827
	へき地手当補助	211,095	211,269
	旅費補助	83,694	85,750
学用品等無償給与	就学奨励補助	26,916	0
計		32,496,661	29,347,199

(2) 文教局直接支出金

予算項目	科目	1970年度予算額（ドル）	1969年度予算額（ドル）
学校備品充実費	事業用備品費	240,752	385,845
教育関係職員等研修費	管外旅費	46,014	11,365
産業教育関係費		70,000	180,600
学用品無償給与費	教科書購入費	555,784	563,053
	学用品贈与費	101,531	17,550
計		1,014,081	1,158,413

(注) 公立小中学校児童生徒数　　小学校
　　 1969年5月　　　　　　　　138,766
　　 1970年5月（推計）　　　　 135,927

参考資料　89

比較増△減	1970年度校種別内訳		備　考	
	小学校	中学校		
3,814	36,486	14,425	給食費補助 42,911	
			備品補助 8,000	全額
1,338	1,772	1,208	実験、研究学校奨励	全額
47,854	68,409	55,103	小学校 57,007円	
			中学校 45,919円	
153,871	276,112	226,610	小学校	
			一般 ┌普通補助 192,496	一般
			教材┤特別補助 21,076	全額
			└特殊学級補助 4,009	
			理科┌普通補助 49,751	理科
			└特別補助 8,780	1/2
			中学校	
			一般 ┌普通補助 147,205	
			教材┤特別補助 16,356	
			└特殊学級補助 6,013	
			理科┌普通補助 48,481	
			└特別補助 8,555	
168	500	1,368	理科モデル校生徒指導推進校	全額
572,528	2,338,814	2,595,961		
△14,975	5,000	5,000		
313,448	10,155,455	6,345,326		
750,263	4,244,898	2,540,144		
22,061	88,846	72,869		
△ 1,872	4,270	4,535		
172	1,883	1,224		
78,993	99,925	96,828		
413,749	669,780	371,220	学校統合費 19,747	
552	2,772	1,750	保険衛生費 2,651	
2,019	15,120	26,187	防音装置運営費 18,909	
5,498	29,790	30,900	へき地住宅料 30,600	
775,639	1,063,680	680,786	へき地文化備品 30,090	
174	115,998	95,097		
△ 2,056	48,728	34,966		
26,916	13,983	12,933	学用品(小7,637 中9,075)	
			通学用品 7,342	1/2
			通学費 2,862	
3,149,462	19,282,221	13,214,440		

比較増△減	1970年度校種別内訳		備　考	
	小学校	中学校		
△ 145,093	130,401	110,351	理科実験台、いす、調理台	
34,649	22,400	23,614	図書館用備品、図工美術教	
△ 110,600	0	70,000	室用、前年度は旅費補助金	
△ 7,269	306,323	249,461	中学校職員備品	
83,981	45,567	55,964		
△ 144,332	504,691	509,390		
中学校		計		
75,160		213,926		
72,144		208,071		

b 公立幼稚園

総額 373,564ドル 27,06ドル（前年度31,27ドル）
園児1人当り政府支出金（推計）

補助金の明細

予算項目	科目	1970年度予算額	1969年度予算額	比較増△減	備考
学校教育補助	幼稚園振興補助	373,564	377,991	△4,427	給料（女）施設（男・女）備品（女）旅費（女）（）内は補助率
計		373,564	377,991	△4,427	

（注) 公立幼稚園園児数 1969年5月 13,331人
　　　　　　　　　　　1970年5月（推計）15,231人

社会教育費

総額 10,8,165ドル
人口1人当り政府支出金（推計）80セント（前年度3.4セント）

補助金の明細

予算項目	科目	1970年度予算額	1969年度予算額	比較増△減	備考	補助率
社会教育振興費	研究奨励費	6,098	4,528	1,570	連合区別リーダー研修会、研究指定本土派遣、青年婦人国内研修	十
	運営補助	12,878	7,476	5,402	社会学級、家庭教育学級、青年学級	
	施設補助	45,849	0	45,849	中央公民館建設	
公民館振興費 青年学級振興費	原目				社会教育振興費へ移項	補助
社会体育振興費	体育施設補助	10,000	20,000	△10,000	地方体育施設（陸上競技場）	
計		74,825	32,004	42,821		

（注）人口1965年10月1日現在 934,176人

参考資料

教育行政費

総　額　538,131ドル
人口1人当り政府支出金（推計）57.6セント（前年度48.9セント）

補助金の明細

予算項目	科　目	1970年度予算額	1969年度予算額	比較増△減	備　考	補助
学校給食費	学校給食補助	6,521	6,033	488	栄養士給料補助	
教育行政補助	行政補助	531,610	450,484	81,126	給与、旅費、環境衛生検査器具、医療障害児巡回指導用備品、八重山連合区庁舎建設費（1部）	
計		538,131	456,517	81,614		

(注) 人口1965年10月1日現在　934,176人

地方教育区への文教局支出金合計

区　分	1970年度	1969年度	比較増△減
補助金	33,483,181	30,213,711	3,269,470
直接支出金	1,014,081	1,158,413	△144,332
計	34,497,262	31,372,124	3,125,138

※全額は　1970年——当初予算
　　　　　1969年——最終予算

参考資料

〔3〕 1970年度教育区歳入歳出予算（当初）

(1) 歳入

(単位ドル)

教育区	歳入総額	第1款 市郡村負担金	第2款 分担金及び負担金	第3款 政府支出金	第4款 使用料及び手数料	第5款 諸収入	第6款 繰越金	第7款 教育区債
全　額　計	41,883,206	8,291,603	672,626	31,802,619	236,402	73,668	36,289	661,230
国　頭	548,587	115,948	6,438	426,072	―	127	2	―
大　宜　味	350,902	64,249	19,656	266,577	3	415	1	1
東	324,595	50,283	2,156	269,933	3	28	2,191	1
羽　地	432,445	91,732	12,563	328,057	―	91	1	1
屋　我　地	171,353	33,501	10,375	130,235	―	240	1	1
今　帰　仁	616,656	105,818	52,875	457,558	―	404	1	―
上　本　部	236,433	50,541	2,919	182,521	255	196	1	―
本　部	693,890	138,605	11,348	541,549	30	2,356	1	1
名　護	254,072	47,556	2,638	203,718	5	153	1	1
久　志	843,704	216,896	12,452	599,718	6,125	2,874	1	5,638
宜　野　座	460,555	79,683	21,640	358,375	203	453	200	―
金　武	246,757	51,103	12,815	176,983	1	333	2,622	2,900
恩　納	410,928	76,001	22,468	307,314	1,555	537	3,052	1
伊　江	380,000	71,301	5,768	259,477	1,751	169	534	41,000
伊　平　屋	219,629	47,128	2,167	163,324	―	32	3,978	―
伊　是　名	244,807	47,333	3,366	193,866	210	31	1	―
計	6,438,313	1,287,678	201,644	4,862,277	10,141	8,439	12,588	49,546

参考資料

恩納	576,533	101,689	6,055	467,810	475	3	500	—
石川	762,608	119,052	10,218	628,901	4,307	30	100	1
具志川	1,093,259	192,762	18,551	847,036	1,976	434	500	—
与那城	473,647	136,592	8,439	328,156	—	459	1	—
勝連	586,457	134,027	12,314	436,610	3,264	239	2	32,000
具志川	1,397,721	250,100	22,150	1,089,682	3,336	453	2,000	1
コザ	2,276,496	359,756	32,389	1,656,468	15,406	26,007	23,470	30,000
美里	845,553	153,020	13,818	669,339	7,070	305	2,000	163,000
読谷	590,678	110,500	9,481	464,742	2,744	400	2,810	1
嘉手納	498,535	82,125	8,456	377,594	1,828	5,531	1	—
北谷	304,301	66,519	4,639	223,752	546	105	8,740	23,000
北中城	414,622	78,969	6,793	328,555	—	304	1	—
中城	1,327,246	229,938	23,214	1,061,157	5,426	5,511	2,000	—
宜野湾	456,136	74,048	6,505	322,463	1,031	208	1	51,880
西原								
計	11,603,792	2,089,097	183,022	8,902,265	47,409	39,989	42,126	299,884
浦添	1,281,260	222,100	23,050	870,267	5,621	221	1	160,000
那覇	8,946,566	2,307,698	1,636	6,458,839	126,432	16,307	35,654	—
(久)具志川	296,920	48,776	3,364	243,098	1,482	200	—	—
仲里	512,366	83,700	5,369	422,641	403	252	1	—
北大東	77,429	20,000	965	55,727	347	388	1	30,000
南大東	229,009	35,001	2,566	161,093	—	348	1	19,001
計	11,343,550	2,717,275	36,950	8,211,665	134,285	17,716	35,658	—
豊見城	534,932	101,578	8,347	424,600	3	403	1	—
糸満	1,356,554	241,131	21,681	1,074,124	5,910	407	13,300	1

参考資料

東風平	422,264	87,054	30,248	304,494	3	380	82	3
具志頭	344,932	79,236	27,711	237,465	2	516	1	1
玉城	614,804	85,001	6,846	484,664	—	153	7,140	31,000
知念	277,354	57,250	4,444	211,899	2	58	3,700	1
佐敷	383,634	61,050	5,591	316,832	2	157	1	1
与那原	358,167	74,701	21,852	248,370	1,045	1,843	356	10,000
大里	337,536	70,001	25,196	280,904	2	1,132	300	1
南風原	511,400	87,704	7,034	398,437	2	207	5,016	13,000
渡嘉敷	167,261	27,440	1,124	135,599	33	64	1	5,000
座間味	181,170	38,501	807	140,269	3	88	1	1,501
粟国	149,937	33,273	2,137	114,514	3	8	—	1
渡名喜	76,567	18,992	197	57,228	100	—	50	—
計	5,756,512	1,062,912	163,215	4,427,399	7,110	5,416	29,950	60,510
平良	1,467,754	250,744	22,136	1,168,244	8,580	200	17,850	—
城辺	682,116	122,000	11,433	544,491	3,992	200	—	—
下地	261,317	57,428	3,533	197,662	388	106	2,200	—
上野	298,421	52,200	3,233	220,045	441	70	2,432	20,000
伊良部	536,435	88,790	8,692	434,683	4,069	200	1	1
多良間	201,167	34,540	1,386	159,288	793	60	100	5,000
計	3,447,210	605,702	50,413	2,724,413	18,263	836	29,583	25,000
石垣	2,293,846	345,000	28,064	1,865,610	17,761	1,123	1	36,287
竹富	737,792	136,800	4,835	596,149	1	5	—	1
与那国	262,191	47,139	4,483	206,841	1,432	144	2,151	1
計	3,293,829	528,939	37,382	2,668,600	19,194	1,272	2,153	36,289

参考資料　95

②歳出

(単位ドル)

教育区	歳出総額	第1款 教育総務費	学校教育費	第2款 小学校	中学校	幼稚園	第3款 社会教育費	第4款 諸支出金	第5款 予備費
全琉計	41,883,206	1,345,801	39,333,472	23,035,087	15,097,216	1,201,169	338,373	784,178	81,382
国頭	548,587	15,082	525,103	312,508	211,717	878	4,020	3,777	605
大宜味	350,902	11,238	329,031	200,835	128,194	2	2,990	6,455	1,188
東	324,995	15,199	302,903	193,362	109,541	—	2,190	4,015	288
羽地	432,445	11,555	390,312	235,893	154,019	400	4,400	25,092	1,086
屋我地	174,353	7,488	161,876	89,937	71,937	2	1,233	3,470	286
今帰仁	616,656	14,459	592,161	342,006	250,154	1	4,949	4,387	700
上本部	236,433	11,836	218,883	133,380	83,341	2,162	901	2,825	1,988
本部	693,890	17,542	658,290	365,713	292,577	—	6,622	8,705	2,731
名護	254,072	11,812	236,657	125,389	111,268	—	1,954	2,861	788
久志	843,704	28,255	730,925	467,464	218,982	44,479	6,539	75,193	2,792
宜野座	460,555	12,909	436,096	222,123	212,767	206	5,320	6,027	203
金武	246,757	10,665	231,017	156,001	72,943	2,073	1,546	3,147	382
伊江	410,928	11,438	390,347	236,891	135,995	17,461	3,526	5,160	457
伊平屋	380,000	13,092	354,285	178,843	148,209	27,233	3,976	7,683	964
伊是名	219,629	7,683	206,530	118,469	87,861	200	2,104	3,112	200
計	244,807	10,039	228,845	125,236	100,640	2,969	2,117	3,218	588
	6,438,313	210,292	5,993,261	3,505,050	2,390,145	98,066	54,387	165,127	15,246

参考資料

恩納	576,533	16,565	549,850	329,249	189,826	30,755	4,318	5,373	427
石川	762,608	20,814	685,964	360,537	306,403	19,024	49,936	5,511	383
具志川	1,093,259	19,811	1,029,063	695,110	319,832	14,121	3,164	39,221	2,000
与那城	473,647	19,719	411,340	309,722	101,618	—	3,274	36,961	2,353
勝連	586,457	18,664	554,239	291,328	248,221	14,690	2,532	8,743	2,279
コザ	1,397,721	45,135	1,327,767	817,329	487,079	23,359	8,973	15,333	513
美里	2,276,496	236,706	1,986,175	1,170,807	711,053	104,315	6,201	34,555	2,859
読谷	845,553	19,275	813,978	473,298	304,098	36,582	4,889	6,911	500
嘉手納	590,678	17,983	559,630	342,879	194,811	21,940	4,329	8,236	500
北谷	498,535	14,120	476,983	269,060	169,257	38,666	1,288	5,794	350
北中城	301,301	14,453	283,946	165,819	113,747	4,380	3,236	1,966	700
中城	414,622	14,318	393,719	250,675	143,044	—	2,047	2,391	2,147
宜野湾	1,327,246	24,135	1,281,068	836,308	421,902	22,858	4,429	13,719	3,895
西原	456,136	15,103	430,222	232,026	191,173	7,023	2,164	7,106	1,541
計	11,603,792	506,801	10,783,944	6,544,147	3,902,064	337,733	100,780	191,820	20,447
浦添	1,281,260	27,839	1,229,086	746,193	455,001	27,892	4,156	15,900	4,279
那覇	8,946,566	206,191	8,522,471	5,104,966	2,902,181	551,324	18,845	188,859	10,200
(久)具志川	296,920	11,427	279,436	174,368	98,554	6,514	2,175	3,582	300
仲里	512,366	13,080	488,472	284,451	202,413	1,608	3,674	5,721	1,419
北大東	77,429	8,677	67,788	38,870	27,274	1,644	367	560	37
南大東	229,009	8,478	217,792	170,905	46,887	—	569	1,204	966
計	11,343,550	275,692	10,805,045	6,519,753	3,732,310	552,982	29,786	215,826	17,201
豊見城	534,932	14,357	499,691	329,910	169,781	13,605	3,389	17,215	282
糸満	1,356,554	29,867	1,303,023	780,771	508,647	—	7,339	14,585	1,740

参考資料　97

東風平	422,264	11,714	393,659	214,809	178,850	—	2,058	13,712	1,121
具志頭	344,932	10,438	316,492	188,516	127,976	—	2,573	14,971	458
玉城	614,804	10,849	584,460	264,318	320,142	—	3,940	11,251	1,304
知念	277,354	11,958	260,573	153,106	107,467	—	2,352	2,292	174
佐敷	383,634	11,411	365,202	154,572	210,617	13	3,194	3,327	500
与那原	358,167	12,418	324,743	179,751	140,697	4,295	3,380	15,387	2,239
大里	377,536	11,016	360,051	208,198	151,853	—	3,631	2,377	461
南風原	511,400	13,323	489,951	293,404	196,547	—	2,775	5,178	173
渡嘉敷	167,261	6,972	158,182	55,980	102,202	—	829	1,178	100
座間味	181,170	7,686	170,103	81,992	88,111	—	1,155	2,056	170
粟国	149,937	8,303	133,041	55,831	77,210	—	970	7,323	300
渡名喜	76,567	8,658	65,909	38,497	27,412	—	779	1,121	100
計	5,756,512	168,970	5,425,080	2,999,655	2,407,512	17,913	38,362	114,978	9,122
平良	1,467,754	37,945	1,398,528	761,949	599,494	37,085	7,234	21,451	2,596
城辺	682,116	16,530	648,585	367,579	262,200	18,806	5,079	10,922	1,000
下地	261,317	15,315	238,952	117,207	103,602	18,143	3,297	3,395	358
上野	298,421	12,009	274,730	101,624	159,848	13,258	2,574	7,608	1,500
伊良部	536,435	19,147	500,202	231,064	251,994	17,144	2,915	13,460	711
多良間	201,167	8,909	186,992	87,684	94,866	4,442	2,070	2,678	518
計	3,447,210	109,855	3,247,989	1,667,107	1,472,004	108,878	23,169	59,514	6,683
石垣	2,293,846	38,796	2,123,020	1,318,162	736,410	78,448	84,887	28,175	8,968
竹富	737,792	21,381	706,068	349,135	356,933	—	4,048	3,816	2,479
与那国	262,191	14,014	239,065	132,078	99,838	7,149	2,954	4,922	1,236
計	3,293,829	74,191	3,078,153	1,799,375	1,193,181	85,597	91,889	36,913	12,683

〔4〕 1970年度交付税教

〔1〕 小 学 校 費

1. 標準規模
   1. 児　童　数　　810人
   2. 学　級　数　　18学級（1学級当り児童数45人）
   3. 教職員数　　24人
   4. 雇用人数　　6人（事務補助員1人、用務員1）
   5. 校舎面積　　2,640㎡

2. 総　括

細　　目	細　　節	消費投資の別	総　額
1. 児 童 経 費	(1) 児 童 経 費	消	7,619
	(2) 追加財政需要額	消	120
	計		7,739
2. 学 級 経 費	(1) 学 級 経 費	消	5,875
		投	729
	計		6,604
	(2) 追加財政需要額	消	125
	計		6,729
3. 学 校 経 費	(1) 学 校 経 費	消	2,991
	(2) 追加財政需要額	消	60
	計		3,051
標準施設における測定単位の数値		児童数	810
単　位　費　用			8.20

3. （細目）
   児童経費（消費的経費）

区　分	経　費	積　　算
給 与 費	2,428	給食従事員
		前年度公退年金負担金
需 用 費	2,334	
		消耗品費
		燃料費
		印刷製本費
		光熱水費
		修繕費
		医薬材料費
賃　　金	648	給食従事員非常勤
備品購入	1,115	児童用備品
		図書及び図書備品

育 費 単 位 費 用 積 算 基 礎

人、給食従事者4人）

特　定　財　源			差　引
政府支出金	諸収入	計	一般財源
1,076	22	1,098	6,521
			120
1,076	22	1,098	6,641
270		270	5,605
			729
270		270	6,334
			125
270		270	6,459
214		214	2,777
			60
214		214	2,837
学級数		学校数	
18		1	
358,883		2,837.00	

内　　　　　容
$1,199.77 × 2人 = $2,399.54
($56.67 × 12月 × 2人) × $\frac{21.1}{1,000}$ = $28.70
$500.00
$440.00
$400.00
$470.00
$200.00
$324.00
$2.70 × 20日 × 12月 × 1人 = 648.00
$567.00
$548.00 (0.68 × 810)

参考資料

区　分	経　費	積　算
負　担　金	1,094	要保護準要保護児童関係経費 　学用品費 　通学用品費 　通　学　費 　給　食　費 　治　療　費 　修学旅行費 　学校安全会共済掛金 　　要保護児童 　　準要保護児童 　　一般児童
歳　出　計	7,619	

区　分	経　費	積　算
特定財源	政府支出金 1,076	要保護準要保護児童関係経費補助 　学用品費 　通学用品費 　通　学　費 　給　食　費 　治　療　費 　共済掛金 　図書備品補助 前年度公退年金負担金補助金
	雑　収　入 22	学校安全会共済掛金徴収金
歳　入　計	1,098	
差引財源	6,521	

內	容
$1,046.98	
$6.28 × 810人 × 0.07 = $356.08	
$1.00 × 810人 × 0.07 = $56.70	
$0.06 × 810人 × 0.07 × $\frac{9}{100}$ × 240日 = $73.48	
$0.0423 × 810人 × 0.07 × 200日 = $479.63	
$1.00 × 810人 × 0.07 × 0.36 = $38.16	
$3.18 × 810人 × 0.1 × $\frac{1}{6}$ = $42.93	
$47.38	
$0.01 × 810人 × 0.03 = $0.24	
$0.06 × 810人 × 0.07 = $3.40	
$0.06 × 810人 × 0.9 = $43.74	

內	容
$608.92	
$356.08 × $\frac{9}{12}$ + $356.08 × $\frac{3}{12}$ × $\frac{1}{2}$ = $311.57	
$56.70 × $\frac{1}{2}$ = $28.35	
$73.48 × $\frac{3}{12}$ × $\frac{1}{2}$ = $9.19	
$479.63 × $\frac{1}{2}$ = $239.82	
$38.16 × $\frac{1}{2}$ = $239.82	
($0.24 + $3.40) × $\frac{1}{4}$ = $0.91	
$438	
$548 × $\frac{4}{5}$ = 438	
$28.70	
$21.87	
$43.74 × $\frac{1}{2}$ = 21.87	

参考資料

学級経費 (消費的経費)

区 分	経 費	積　　　算
給 与 費	2,528	給食従事員 事務職員補助員 前年度公退年金負担金
その他の庁費	1,711	建物維持修繕費 運動場修理費
備 品 費	1,036	学級備品
旅 費	600	職員旅費
歳 出 計	5,875	
特 定 財 源	270	旅費補助 公退年金負担金補助金
差引一般財源	5,605	

学級経費 (投資的経費)

建 設 費	729	給食室及び屋内運動場建設費等

学校経費 (消費的経費)

給 与 費	1,241	
報 酬	175	用務員 前年度公退年金負担金 内科医・歯科医 薬剤師
需 用 費	102	
役 務 費	216	通信・運搬
設 備 費	1,284	放送 理科 体育 衛生 給食 その他の備品
歳 出 計	2,991	
特 定 財 源	政府支出金 241	理科設備備品補助金 給食　〃　〃 公退年金負担金補助金
差 引 財 源	2,777	

內	容
$1,199.77 × 1人 ＝ $1,199.77	
$1,298.17 × 1人 ＝ $1,298.17	
$1,427.28 × $\frac{21.1}{1,000}$ ＝ $30.12	
$0.51 × 2,640 ㎡ ＝ $1,346.40	
$0.05 × 7,300 ㎡ ＝ $365.00	
$1,036	
$25 × 24人	
$10.00 × 24人 ＝ $240.00	
$30.12	

$729

| $1,214.12 |
| $1,199.77 × 1人 ＝ $1,199.77 |
| $680.04 × $\frac{21.1}{1,000}$ ＝ $14.35 |
| $70 × 2人 ＝ $140.00 |
| $35 × 1人 ＝ $35.00 |
| $102.00 |
| $18.00 × 12月 ＝ $216.00 |
| $1,284.00 |

560		56	
2,000		200	
480	× 0.1 ＝	48	
300		30	
1,000		100	計 $434.00
$850.00			

$200 × ¾ ＝ $150.00
$100 × ½ ＝ 50.00
　　　　　＝ 14.35

参考資料

〔2〕 中学校費
1. 標準基模
　　1. 生　徒　数　　　675人
　　2. 学　級　数　　　15学級（1学級当り生徒数45人）
　　3. 教職員数　　　25人
　　4. 雇用人数　　　　3.5人（事務補助員1人、用務員1人、給食
　　5. 校舎面積　　　2,986㎡

2. 総　括

細　目	細　節	消費投資の別	総　額
1. 生徒経費	(1) 生徒経費	消	6,696
	(2) 追加財政需要額	消	60
	計		6,756
2. 学級経費	(1) 学級経費	消	5,448
		投	772.50
		計	6,220.50
	(2) 追加財政需要額	消	65
		計	6,285.50
3. 学校経費	(1) 学校経費	消	3,307
	(2) 追加財政需要額	消	60
	計		3,367
標準施設における		生徒数	
測定単位の数値		675	
			7.95

3. 細　目
生徒経費（消費的経費）

区　分	経　費	積　　算
給　与　費	1,230	給食従事員
需　用　費	2,776	前年度公退年金負担金
		消耗品費
		燃料費
		印刷製本費
		光熱水費
		修繕費
		医薬材料費
備品購入費	1,316	生徒用備品

従事員数1.5人)

特　定　財　源			差引一般財源
政府支出金	諸　収　入	計	
1,388		1,388	5,308
			60
1,388		1,388	5,368
266		266	5,182
			772.50
266		266	5,954.50
			65
266		266	6,019.50
225		225	3,082
			60
225		225	3,142
学　級　数			学　校　数
15			1
401.30			3,142.00

内　　　　容
$ 1,199.77×1人＝$ 1,199.77
$ 1,427.28×$\frac{21.1}{1,000}$＝$　　30.12
$ 2,776
$ 　618
$ 　400
$ 　650
$ 　500
$ 　280
$ 　328
$ 　675（$1.00×675人)

区　分	経　費	積　　算
備品購入費	1,316	図書及び図書備品
負　担　金	1,374	要保護準要保護生徒関係経費 　学　用　品　費 　通　学　用　品　費 　通　　学　　費 　給　　食　　費 　治　　療　　費 　修　学　旅　行　費 学校安全会共済掛金 　要　保　護　生　徒 　準　要　保　護　生　徒 　一　般　生　徒
歳　出　計	6,696	

区　分	経　費	積　　算
特　定　財　源	政府支出金 1,370	要保護・準要保護生徒関係経費補助 　学　用　品　費 　通　学　用　品　費 　通　　学　　費 　給　　食　　費 　治　　療　　費 　共　　済　　掛　　金 図書及び備品補助 公退年金負担金補助金
	雑　収　入 18	学校安全会共済掛金徴収金
差　引　財　源	5,308	

学級経費（消費的経費）

区　分	経　費	積　　算
給　与　費	1,314	事務職員補助員 前年度公退年金負担金
賃　　金	324	給食従事員非常勤
その他の庁費	1,985	建物維持修繕費

參考資料　107

內	容

$ 641（$0.96×675人）
$1,334.55
$14.19×675人×0.07＝$670.48
$ 1.00×675人×0.07＝$ 47.25
$ 0.06×675人×0.07×$\frac{9}{100}$×240日＝$61.24
$ 0.0423×675人×0.07×200日＝$399.74
$ 1.00×675人×0.07×0.36＝$17.01
$ 6.17×675人×0.1×$\frac{1}{3}$＝$138.83

$39.32
$0.01×675人×0.03＝$ 0.20
$0.06×675人×0.007＝$ 2.64
$0.06×675人×0.9＝$36.48

內	容

$827.05
$670.48×$\frac{9}{12}$＋670.48×$\frac{3}{12}$×$\frac{1}{2}$＝$586.67
$ 47.25×$\frac{1}{2}$＝$23.63
$ 61.24×$\frac{3}{12}$×$\frac{1}{2}$＝$7.66
$399.74×$\frac{1}{2}$＝$199.87
$ 17.01×$\frac{1}{2}$＝$ 8.51
（$0.20＋$2.64）×$\frac{1}{4}$＝0.71

$513.00
$641×$\frac{4}{5}$＝513.00
$ 30.12
$ 18.24

內	容

$1,298.17×1人＝$1,298.17
$ 747.24×$\frac{21.1}{1000}$＝$15.77
$2.70×120＝$324
$0.51×2,986$㎡$＝$1,522.86

区　　　　分	経　　　費	積　　　　　　　算
備品購入費 旅　　　費	1,210 625	運動場修地費 備品購入費 職員旅費
歳　出　計	5,448	
特定財源 〃	266	旅費補助 公退年金負担金補助
差引財源	5,182	
投資的経費		
建　設　費	772.50	

学校経費　（消費的経費）

区　　　　分	経　　　費	積　　　　　　　算
給　与　費	1,214	用　　務　　員 前年度公退年金負担金
報　　　酬	175	内科医・歯科医 薬　剤　師
需　用　費 役　務　費 施　設　費	102 252 1,564	通信・運搬 放　　　送 理　　　科 体　　　育 衛　　　生 給　　　食 技　　　家 その他の備品
歳　出　計	3,307	
特定財源	225	理　　　科 給　　　食
差引財源	3,082	

参考資料

内　　　　　容
$0.05 × 9,250 ㎡ = $462
$1,210
$25 × 25
$10 × 25 = 250
$15.27
給食室及び屋内運動場等建設費 $772.50

内　　　　　容
$1,214.12
$1,199.77 × 1人 = $1,199.77
$680.04 × $\frac{211}{1000}$ = $ 14.35
$70 × 2人 = $140.00
$35 × 1人 = $ 35.00
$102.00
$21 × 12月 = $252.00
$\left.\begin{array}{r}560\\2,600\\2,500\\740\\330\\600\end{array}\right\} × 0.1 \left\{\begin{array}{r}\$\ \ 56\\\$\ 260\\\$\ 250\\\$\ \ 74\\\$\ \ 33\\\$\ \ 60\\\hline\$831\end{array}\right.$
$260 × $\frac{3}{4}$ = $195
$ 60 × $\frac{1}{2}$ = $ 30

110　参考資料

[3] その他の教育費
1. 標準施設
    (1) 人　　口　　　　　　　　　　30,000人
    (2) 教育委員会　　教育委員数　　5 〃
    　　　　　　　　　会 計 係　　　1 〃
    　　　　　　　　　主　　任　　　2 〃
    　　　　　　　　　書　　記　　　2 〃
    　　　　　　　　　書 記 補　　　1 〃

細　　　　目	消費・投資の別	総　　額
1. 教 育 委 員 会 費	消　費	27,235
2. 社 会 教 育 費	消　費	6,072
3. 保 健 体 育 費	消　費	1,406
4. 幼 稚 園 費	消　費	17,894
	投　資	973
	計	18,867
5. 教 育 行 政 共 通 費	消　費	1,000
	投　資	1,800
	計	2,800
6. 追 加 財 政 需 用 額	消　費	1,370
計	消　費	54,977
	投　資	2,773
	計	57,750
標準団体の測定単位の数値		
単　位　費　用		

1. 教育委員会費（消費的経費）

区　分	経　費	積　　　　算
報　酬	4,350	委 員 長
		委　　員
		監　　査
		委員期末手当
給 与 費	10,405	
		会 計 係
		主 任 級
		書　　記
		書 記 補
		前年度公退年金負担金

参考資料　111

```
公民館数      2 0 館
幼 稚 園
　園　数      2
　学級数      8
　教員数      8
　園児数    3 2 0
```

特　定　財　源			差引一般財源
政府支出金	その他	計	
1 1 7		1 1 7	2 7,1 1 8
2 7		2 7	6,0 4 5
			1,4 0 6
5,5 3 9	5,3 4 9	1 0,8 8 8	7,0 0 6
			9 7 3
5,5 3 9	5,3 4 9	1 0,8 8 8	7,9 7 9
			1,0 0 0
			1,8 0 0
			2,8 0 0
			1,3 7 0
5,6 8 3	5,3 4 9	1 1,0 3 2	4 3,9 4 5
			2,7 7 3
5,6 8 3	5,3 4 9	1 1,0 3 2	4 6,7 1 8
	3 0,0 0 0 人		
	$　1.5 6		

内　　　　　　　　容
$ 6 0 × 1 2 月 × 1 人 ＝ $　　7 2 0
$ 5 5 × 1 2 月 × 4 人 ＝ $ 2,6 4 0
$ 　3 × 2 5 日 × 2 人 ＝ $　　1 5 0
($ 6 0 ＋ $ 5 5 × 4) × $\frac{300}{100}$ ＝ $ 8 4 0
$ 2,9 4 2. 6 9 × 1 人 ＝ $ 2,9 4 2. 6 9
2,3 2 2. 0 9 × 1 人 ＝ 　2,3 2 2. 0 9
1,8 9 8. 8 0 × 2 〃 ＝ 　3,7 9 7. 6 0
1,2 2 5. 3 7 × 1 〃 ＝ 　1,2 2 5. 3 7
5,5 3 4. 8 8 × $\frac{21.1}{1,000}$ ＝ $ 　1 1 6. 7 9

112　参考資料

区　　分	経　費	積　　算
入 当 庁 費	150	入 当 庁 費
賃　　　金	135	
旅　　　費	440	
		費 用 弁 償
		連 合 区 会 議
		職 員 旅 費
		財 政 研 修
報 償 費	200	謝礼 その他
需 用 費	1,475	
役 務 費	100	
使 用 賃 借 料	480	
備 品 購 入 費	400	事 務 局 用 備 品
負 担 金	9,100	連 合 区 分 担 費
歳 出 計	27,235	
特 定 財 源	117	
差 引 財 源	27,118	

2. 社 会 教 育 費 （消費的経費）

区　　分	経　費	積　　算
給 与 費	2,349	
		主　　　任
		前年度公退年金
入 当 庁 費	30	入 当 庁 費
賃　　　金	162	
報 償 費	250	各種行事講師謝礼
旅　　　費	300	講師巡回指導員費用弁償職員旅費
需 用 費	771	消耗品費 ＄230
		光熱水費 ＄100
		燃料費 ＄ 66
役 務 費	120	
使 用 費	240	
備 品 購 入	200	
負担金補助金	450	
公 民 館 補 助	1,000	
歳 出 計	6,072	
特 定 財 源	27	
一 般 財 源	6,045	

内　　　　　容
$30×5人＝$150. $2.70×50人＝$135 $2×24日×5人＝$240 〃5×6回　　＝　30 〃30×5人　＝150 〃5×2人×2回＝20 $200 消耗品費　$650　　修繕費　$50 印刷製本費　550　　食糧費　50 光熱水費　175 $100 $40×12月＝$480 400 0.30×30,000＝$9,000　その他100

内　　　　　容
$2,349.43 $2,322.09×1人＝$2,322.09 $1,295.64×$\frac{21.1}{1,000}$＝$27.34 $30×1人＝$30 $2.70×60人＝162 $250 $300 印刷製本費　$400 修　繕　費　$100 食　糧　費　$75 $10×12月＝$120 $20×12月＝$240 事務用備品　$200 $50×20館＝$1,000

3. 保健体育費

区　分	経　費	積　算
報　償　費	120	体育指導員謝礼及び賞賜金
旅　　　費	60	
需　用　費	140	
役　務　費	651	健康管理手数料　レントゲン ツ　反
委　託　費	375	
備品購入費	60	
歳　出　計	1,406	

4. 幼稚園教育費

区　分	経　費	積　算
給　与　費	15,725	幼稚園教諭 前年度公退年金負担金
修　繕　費	530	校医手当
報　酬	70	
旅　　　費	200	
需　用　費	700	
役　務　費	123	
備品購入費	546	
歳　出　計	17,894	積　算
特定財源	政府支出金 5,539	給料補助 備品補助 前年度公退年金補助
	使用料手数料 5,349	授業料 入園料
計	10,888	
差引一般財源	7,006	

投資的経費

園舎建築費	973	

参考資料　115

内　　　　容
$120 $60   消耗品費 $50　　印刷製本費 $50　　救急医薬品 $40   0.05×6800人＝340   0.25×4500人×$\frac{20}{100}$＝225　　0.25×2,300人×$\frac{15}{100}$＝86.25

内　　　　容
$1,941.87×8人＝$15,534.96 $9,024×$\frac{21.1}{1,000}$＝$190.41 $0.51×1,040$m^2$＝$530.40 $70×1人＝70 $25×8人＝$200   消耗品費 $311　　医薬材料費 $97   光熱水費　　72　　印刷製本費　148   燃料費　　　72   通信運搬　10.25×12月＝123   園児用図書　80　　積木　　80   教師用図書　80　　学校用備品　306

内　　　　容
$5,539.21 $103.10×8人×12月×$\frac{1}{2}$＝$4,948.80 $400 $190.41 $1.32×12月×320人＝$5,068.80 $1.00×280人　　　＝　280

$78×1,040$m^2$＝81,120　　81,120×0.9×$\frac{1}{75}$＝973.44

5. 教育行政共通費

区　分	経費	積算
1. 消費的経費	1,000	
2. 投資的　〃	1,800	
計	2,800	

参考資料

内	容

〔5〕 教育関係

区分		項目	1970年度
日本政府援助	琉政予算受入	1. 教職員給与	11,388,700
		2. 学校施設整備	3,404,472
		3. 教科書無償給与	582,497
		4. 学校備品購入	509,475
		5. 育英奨学事業	208,333
		6. 学用品贈与	101,531
		7. 体育館建設	95,072
		8. 農業教育施設	93,895
		9. 幼稚園施設整備	43,244
		10. 青年の家建設	41,667
		11. 公民館建設	27,778
		12. 特殊教育学校就学奨励	26,667
		13. 私立学校助成	22,222
		14. 文化財保護	13,333
		15. 視聴覚ライブラリー	7,222
		16. 台風災害復旧	79,400
		17.-1. 教員等本土研修	53,008
		〃 -2. 青年婦人国内研修	2,852
		青年の家付属体育館	0
		（文教局関係計）	(16,701,368)
		18.-1. 琉球大学整備	561,140
		17.-3. 琉大教員本土研修	12,717
		小計	17,275,225
	日政直接支出	19. 国費学生招致	382,108
		20. 教育指導	99,869
		18.-2. 琉大保健学部調査	10,858
		17. 教育文化研修	
		小計	492,835
	南援経由	21. 公民館図書	42,200
		22. 体育関係全国大会参加	5,556
		遺児育英事業	0
		小計	47,756
	日本政府援助額合計		17,815,816
米政府援助	琉政予算受入分	1. 教員給料	6,000,000
		2. 学校建設	1,700,000
		3. 学校備品	460,000
		4. 産業教育備品	200,000
		5. 英語教育普及	65,000
		英語教育備品	0
		琉球大学	0
	米国政府援助額合計		8,425,000
	日米両政府援助総額		26,240,816

日 米 政 府 援 助

（単位　ドル）

１９６９年度	比　較　増　減	備　　　　考
9,315,128	2,073,572	
2,269,539	1,134,933	
528,178	54,319	６９補正へ３１,３１７計上
373,108	136,367	
194,444	13,889	
87,750	13,781	
0	95,072	
107,817	▲ 13,922	
28,969	14,275	
0	41,667	
0	27,778	
0	26,667	
22,222	0	
0	13,333	
0	7,222	
0	79,400	６９補正へ全額計上
	53,008	６９補正へ９,２１４計上
2,852	0	
50,000	▲ 50,000	
(12,980,007)	(3,721,361)	実質７０年受入１６,５８１,４３７
313,639	247,501	
	12,717	
15,293,646	3,981,579	
361,542	20,566	
99,869	0	
11,111	▲ 253	
65,725	▲ 65,725	
538,247	▲ 45,421	
42,000	0	
5,556	0	
750	▲ 750	
48,506	▲ 750	
13,880,399	3,935,417	
4,153,000	1,847,000	当初１,０００,０００計上（６９）
1,975,000	▲ 275,000	
700,000	▲ 240,000	
610,000	▲ 410,000	
0	65,000	
25,000	▲ 25,000	
30,000	▲ 30,000	
7,493,000	932,000	
21,373,399	4,867,417	

```
1969年10月20日  印刷
1969年10月30日  発行
```

教育関係予算の解説

```
発行所 琉球政府文教局調査計画課
印刷所 美 栄 橋 印 刷
       那覇市美栄橋町2の17の6
          電話 3-1834
```

文教時報

117

第十九巻（第二号）

117 琉球政府・文教局総務部調査計画課

写真のページ

沖縄公立学校教頭会
第3回研究大会

沖縄公立小中学校教頭会の第3回研究会が去る10月22〜24日、「教育の進展と教頭のあり方」を大会テーマに文教局と公立小中学校教頭会の共催で開かれた。
校長と職員との中間にあって、校長の方針に基づき「校務を整理」する教頭の職務の重大さを自覚して熱気あふれる研究大会がもたれた。

大会長あいさつを述べる中山興真局長

祝辞を述べる屋良主席

公立学校職員共済組合給付第1号

去る7月1日に発足した公立学校職員共済組合は、御承知のように那覇市内目抜通りに事務所を開設し、給付の準備をととのえていたが、短期給付の第1号が去る9月20日支給された。支給を受けたのは与那国小学校書記の東浜勇幸さんで台風災害に対する見舞金である。上覇中の石垣孫可八重山連合区教育長が代って受領した。

第9回 全琉教育作品展

全沖縄の小中高校教師を対象に教材、教具の作品展を実施することにより、創意くふうの製作活動を促すとともに、学習指導の能率化をはかる趣旨で、今年も9月中旬～10月中旬にかけて6連合で教育作品展が開催された。

▲審査風景

◀ 開南小学校交通安全指導セット

第4回　放送教育研究会沖縄大会

▼ 知念高校吉浜教諭の発表

VTRを使っての研究授業（名渡山・上地先生）▲

「地域や学校に即した放送教育の実践」を主題に第4回放送教育研究大会が去る9月12日～13日の2日間名護町において開催された。（主催・沖縄放送教育研究会、北部放送教育研究会、NHK沖縄総局）沖縄のどの学校にもラジオ、テレビ、映写機、オーバーヘッド投映機、録音機等いわゆる視聴覚教材が備えられるようになり、教育方法の多様化、近代化の条件が整備されつつある。これらの新しいミデアとしての電波通信による教育の方法をほとんどの意味で価値あらしめるために本研究会のもつ意義は大きい。

復帰対策研究委員会の発足（文教局）

復帰に備えて、文教行財政の問題点について調査研究し、復帰体制づくりの具体的施策について研究協議するため文教局内に復帰対策研究委員会が去る9月12日に発足した。委員会の構成は大きく(1)教育行政小委員会と(2)教育財政小委員会に分け、(1)を更に法制と外かく団体の2分科会に(2)を較差是正、給与など教育一般財政の2分科会に分けてそれぞれの研究テーマを設定研究を続けることになった。

＜写真ページ＞
第4回放送教育研究会沖縄大会・復帰対策研究委員会の発足・公立学校職員共済組合給付第1号・第9回全琉教育作品展・沖縄公立小中学校教頭会第3回研究大会

文教時報

No. 117　'69/12

沖縄の義務・後期中等・高校教育について　(3)
　　　　　　伊是名甚徳……1

公立学校職員共済組合法の施行にあたって　〔2〕
　　　　　　安村昌亨……5

肢体不自由児の教育と問題点　(1)
　　　　　　小嶺幸五郎……8

沖縄の学校給食
　　　　　　照屋善一……15

1970年度交付税教育費の改正点について　(1)
　　　　　　新城久雄……20

1970年度教育委員会法の疑義について
　　　　　　安里原二……24

父兄支出の教育費調査中間報告
　　　　　　調査計画課……28

＜社教主事ノート＞　(5)
みんなのPTAにするために
　　　　　　大城藤六……33

＜教育関係法令用語シリーズ＞　(10)
充て職員
　　　　　　祖慶良得……36

第4回立法院定例議会における
文教局関係立法の解説
　　　　　　祖慶良得……38

表紙　…　パイン

沖縄の義務・中等・高等教育について（3）

大学連絡調整官
伊 是 名 甚 徳

3 高等教育

(1) 大学行政制度

　戦前、沖縄には大学は設置されてなかったが、終戦後の昭和25年に米軍布令により、その昔沖縄の政治文化の中心であった首里城の跡に琉球大学が設立された。その後、私立大学も年をおって設立されるようになって、現在4校（うち2校は短期大学）が私立の高等教育機関として沖縄の政治、経済、教育、文化等の発展に寄与している。琉球大学は昭和41年に民立法により沖縄唯一の政府立大学として再スタートし現在に至っている。

　沖縄における高等教育機関への進学熱はきわめて高く、高等学校卒業者の進学希望者は毎年増加していく状況にあり、沖縄の大学だけでこれを満たすことができないので、沖縄の大学で収容している数の約半数あまりが本土大学に負っている現状である。さらに、沖縄の大学では通信教育が行なわれていないので、本土各大学の通信教育を受講している者が約900人おり、6大学が沖縄で科目修得試験を実施している。

　高等教育に対する教育行政制度については本土のそれと異なっている。本土においては、国・公・私立大学の所轄庁は文部省の1本になっているが、沖縄では、それが2本だてとなっている。すなわち、政府立琉球大学に対しては琉球大学委員会があり、私立大学に対しては私立大学委員会があってその所轄庁になっており、いずれの委員会の委員も立法院の同意を得て琉球政

府行政主席がこれを任命することになっている。琉球大学委員会の委員は7人で、文教局長と中央教育委員会の委員1人の計2人は職責委員として指定されており、他の5人は学識経験者から任命されることになっている。私立大学委員会の委員は文教局長の推せんする者から3人、中央教育委員会の推せんする者から3人、私立大学側から推せんする者から3人計9人で構成されている。

(2) 大学の現況

(1) 概況

大学数は政府立1校と私立4校の計5校で在学者数8,246人で、設置者側の状況は表1のとおりである。なお、私立大学については昭和41年に私立学校法が制定され、その設置者は財団法人から学校法人にきりかえられた。

(2) 琉球大学

琉球大学は前述のとおり、昭和25年に創設され、翌26年本学の基本法である琉球列島米国民政府布令第30号によって運営されてきたが、昭和41年に琉球大学設置法及び同管理法が民立法として制定され、昭和42年に政府立大学としての位置づけが明確化された。また、昭和42年4月から勤労学徒を対象とする夜間3年課程の短期大学部が開設され、昭和43年現在、法文学部、(9学科)、教育学部(6学科)、理

表一 沖縄における大学の概況

(昭和43年5月)

	学校数		学生数		備考
	大学	短大	大学	短大	
政府立	1	—	3,579	398	琉球大学に夜間3年課程の短大部が併置されている。
私立	2	2	2,730	1,539	二大学に短大部がそれぞれ併置されている。
計	3	2	6,309	1,937	

工学部（7学科）、農学部（6学科）の4学部、28学科および短大部（6学科）が開設されている。さらに、本土政府の援助により昭和44年4月から保健学部が新設される運びとなっている。保健学部は本土の大学でも数少ない状況にあるので、その運営ならびに整備拡充については今後大きな努力を必要とし、したがって引続き本土政府の物心両面にわたる援助を強く期待しているところである。なお、琉球大学の整備については、日米琉諮問委員会では、同大学の沖縄における地域の学問研究と教育の中心機関たる役割の重要性を強調し琉球大学の現状にかんがみ、その整備については国立大学の水準到達を目標に、琉球政府は本土政府の援助を得て年次計画を策定し、その実施に努める必要があることについて意見の一致を見た旨、日米琉三政府に勧告しているが、これに対応して琉球政府においては、琉球大学国立化問題等審議会を設け（昭和43年11月）諸問題について審議をすすめる運びになっている。

沖縄における昭和43年3月に高等学校卒業者総数は約13,000人で、その約半数の6,800人が沖縄内の大学（短大を含む）に入学を志願している。このほかに、本土の大学へ志願する者も相当数ある。琉球大学への志願者数および入学者の状況等は表2のとおりとなっている。昭和43年3月に琉球大学を卒業した者の約40％は沖縄内の小・中・高校の教員として採用されており、琉球大学は実質的には教員養成大学としての色彩が濃い。

(3) 私立大学

沖縄における私立大学は昭和33年に嘉数学園沖縄短期大学が発足したのに端を発し、翌34年には国際短期大学およびキリスト教短期大学が設置され、昭和36年には沖縄大学、翌37年に国際大学、さらに昭和41年に沖縄女子短期大学が設立され、大学2校（各短期大学併置）、短期大学2校が現在の沖縄における私立の高等教育機関となって

いる。学校規模はいずれも小さいが、全体で学生数から見た場合、沖縄の高等教育の約52%は私立大学に負っていることとなっている。開設学部は法文科系、商経科系が主体で理工学系は開設されていない。

入学志願者数は各大学により差異はあるが総体としてみた場合、志願者数に対する合格率は約70%台となっている。

表二　琉球大学への入学状況

	志願者数	入学者数	合格率
大　学	4,734	921	19.5%
短　大	533	200	37.5

私立大学への助成については、皆無の状態であったが、昭和41年に、ようやく沖縄私立学校振興会法が制定され、昭和43年からその発足をみるに至っている。沖縄の私立大学はいずれも創立、日なお浅く、その整備はこれからというところであり、本土の大学設置基準に達するようその整備を促進していく必要がある。そのためには政府としても振興会への出資、財政投融資、私立大学研究設備整備費の補助など今後においてもいっそうの助成策を講じていく必要がある。

おわりに

以上、沖縄の学校教育の現況について、その概略を説明してきたが、沖縄が本土の施政権より分離され異国の行政下にあり幾多の苦難の道を歩み続けながらも、孜々として日本国民の育成に精励している現状をじゅうぶんにご覧察いただき、沖縄に一日も早く晴れて本土の一県としての位置が与えられるよう、また、それまでの間に沖縄の教育が実質的に本土と同じ水準まで引上げられるよう、本土政府をはじめ、教育関係の皆様の物心両面にわたるいっそうのご指導、ご援助を重ねてお願いしたい。

公立学校職員共済組合法の施行にあたつて（2）

公立学校職員共済組合

事務局長　安　村　昌　享

さきに、文教時報第116号において公立学校職員共済組合の目的及び事業内容については、おおまかな説明をいたしましたので、今回は共済組合の運営について、その組織と役員及び運営審議会のメンバーの紹介をかねながら筆をすすめたいと思います。

1　運営組織

共済組合は特殊法人で、行政主席の監督のもとに（実際に指導、監督にあたる機関として文教局に福利課が設けられている）、理事長が組合を代表し業務を執行します。また職場ごとに所属所を設け、その長が所属所長となって、定められた事務を行ないます。

組織を簡単に図示しますと右のようになっています。

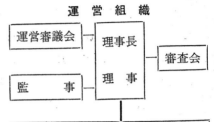

運営組織

所属所
1　公立学校（小、中、高等学校、特殊学校）
2　公立幼稚園及び各種学校
3　琉球大学の各学部
4　文教局の各課、連合区教委事務局、区教委事務局、教育研修センター、史料編集所、博物館、体育施設管理所、中央図書館及び宮古、八重山各分館、青年の家、共済組合事務局

2　役　員

組合には、役員として理事長と理事若干名及び幹事3人以内を置くよう定められており、それぞれの職務及び権限についてみますと、理事長は組合を代表し、組合の業務を執行する、理事は理事長の定めるところに従って理事長を補佐して組合の業務を執行します。また理事長に事故あるときまたは理事長が欠けたときは、理事のうちからあらかじめ理事長が指定するものが理事長の職務を代理して行なうように

定められています。監事は組合の業務を監査するもので任期は2年と定められています。理事長及び監事は行政主席が直接任命することになっておりますが理事は理事長が行政主席の認可を受けて任命するよう定められ、任期も監事と同様2年と定められています。

組合設立当初の役員は次のとおり任命されました。氏名後の( )内は現職。

理事長（常勤）
　　小　嶺　憲　達（専任）
　　　1969年4月28日就任

理事（非常勤）1969年7月25日任命
津嘉山　朝吉（文教局総務部長）
譜久山　朝直（沖縄教育長協会会長）
波　平　憲祐（沖縄高校長協会副会長）
宮城　竹秀（沖縄小中校教頭会副会長）
平敷　静男（沖縄教職員会事務局長）
宜保　幸男（沖縄県高教組委員長）
新垣　茂治（沖縄教職員共済会理事長）
新垣助次郎（豊見城中学校長）

　監　事（非常勤）
宮島　長純（沖縄高校長協会会長）
糸洲　長良（全琉小学校長協会会長）
大城真太郎（全琉中学校長協会会長）

3　運営審議会

組合の民主的な運営及び組合業務の適正な運営に資するため、組合に、公立学校職員共済組合運営審議会が設置されています。運営審議会の委員は9人で、組合員のうちから行政主席が任命することとなっており、任期は2年となっております。特に(1)　定款の変更(2)　運営規則の作成及び変更(3)　毎事業年度の事業計画並びに予算及び決算(4)　重要な財産の処分及び債務の負担については、運営審議会の議を経ることを義務づけており、その他理事長の諮問に応じて組合の業務に関する重要事項について調査審議し、又は必要と認める事項について理事長に建議することができるようになっています。

運営審議会の委員は、定款の定めるところにより、文教局長を会長に充て、組合事務従事者4人、組合員を代表する者4人が次のとおり任命されました。（1969年9月8日）

委員（会長）中山　興真　文教局長
委員（会長代理）仲宗根　繁
　　　　　　　　　　文教局管理部長
委員
　仲本　賢弘　文教局総務部福利課長
　安村　昌享　公立学校職員共済組合
　　　　　　　事務局長
　富村　盛輝　公立学校職員共済組合
　　　　　　　事務局　年金課長

新垣　義一　琉球大学教授
当銘　睦三　南部連合区教育長
　　　　　　沖縄教育長協会副会長
池原　秀光　美里中学校教頭
　　　　　　沖縄教職員会青年部長
上江洲トシ　南風原小学校教諭
　　　　　　沖縄教職員会婦人部長

4　審査会

　組合員の資格若しくは給付に関する決定又は掛金の徴収に関し、組合員が不服がある場合は、文書又は口頭で、公立学校職員共済組合審査会（審査会）に審査の請求ができるようになっており、これらの審査の請求に対して、審査し、決定する機関として設けられたのが審査会であります。審査の決定は、組合その他の利害関係人を拘束することになります。審査会の委員は、組合員を代表する者3人、政府等（使用者）を代表する者3人、公益を代表する者3人を行政主席が任命することになっています。委員の任期は3年で、会長は公益を代表する委員のうちから選挙されることになっています。

5　公立学校職員共済組合審議会

　公立学校職員共済組合法に基づく、共済組合に関する制度及びその行なう給付その他の事業の運営に関する重要事項について、行政主席の諮問に応じて調査審議するため、政府に公立学校職員共済組合審議会が置かれるようになっています。審議会は組合に関する施策及び組合の運営に関する事項について、行政主席に建議することができます。審議会の委員は9人で学識経験者、関係行政機関の職員及び組合員のうちから行政主席が任命し、任期は、2年となっています。

　以上、共済組合の運営組織について説明しましたが、これらの機関、すなわち、役員（理事長、理事、監事）運営審議会、審査会及び審議会がそれぞれの機能を十二分に発揮するとともに、共済組合事務局職員が、研修を重ね、人的充実をはかることによって、共済組合法の趣旨が発揮され、組合員の福祉が充実されるよう努力したいと考えています。

組合事務所所在地お知らせ　共斉組合は下記の場所で執務しております。お問い合わせ、諸連絡はどうぞ下記へ。
　　　那覇市美栄橋町1丁目12番地　　沖縄工業商事ビル3階
　　　電話　（4）6756・6757

肢体不自由児の教育と問題点 (1)

政府立鏡が丘養護学校　教頭

小嶺　幸五郎

　特殊教育とは、普通の小学校や中学校などの学級に編入したのでは、これを教育することが困難な児童、生徒のための特別な学校教育であるといわれている。従って特殊学校は、普通の小学校や中学校と異なった特別な施設設備、備品、教育方法、学習内容、教職員組織がある筈である。

　私は肢体不自由児養護学校に、5ヶ年勤務し、その間に得た知識と経験によって標題について、所見を述べてみたいと思う。

　1、肢体不自由児とは

　肢体不自由児とは、「四肢や体幹の機能に不自由なところがあり、そのままでは、将来生業を営む上に支障をきたすおそれのある児童」ということである。即ち骨や関節およびそれに付着して、これを動かす筋肉、さらにこれに脳細胞の命令を伝える神経などに疾病、その他の原因で、運動機能に永続的な不全のある児童のことである。

　その起因疾患については概略を後述したいと思うが、肢体不自由児は前述したように、そのまま放置していては自活することができないばかりか社会的にもやっ介者になるおそれがあるのであって、すみやかに（早期発見、早期治療、早期訓練）適切な医療や機能訓練などの方法によって、その障害を軽減し、運動機能を向上させ、形態的にも、機能的にも正常に近づけなければならない。而してこの医療、機能訓練は、長期にわたって行なわれなければならないので、学校教育の必要が生じてくるのはむしろ当然である。

　2、肢体不自由児と教育目標

　肢体不自由児教育は、機能訓練を主要な教科として位置づけ、その障害の改善を図るとともに、かれらが障害を

克服して一般に伍していけるようなバイタリティの育成を期して行なわれなければならない。そうすることによって、社会生活に必要な知識、技能を修得させ、さらに身体的悪条件から二次的に生じ易い性格や行動のゆがみを、たくましい意志と自己統制によってくいとめ、望ましい性格や態度、習慣を身につけ、社会的に適応し自立し得る人間を育成することが出来ると思うのである。

3、肢体不自由児の実態

沖縄肢体不自由児協会の資料によれば、沖縄における肢体不自由児の総数は、18才未満の児童の0.54％で、その数は2,475名余と推定されている。而して同協会の療育ノートに登録されている実数は、1,646名で、全肢体不自由児数の66％になっているということである。（1969.6.30現在）

イ、年令段階別内訳

0才～	2才	69名
3才～	6才	112〃
7才～	9才	309〃
10才～	12才	409〃
13才～	15才	387〃
16才～	18才	360〃
	計	1,646名

ロ、病類別調査（起因疾患）

脳性マヒ	756名
せき髄性小児マヒ	300〃
骨関節結核	26〃
先天性股関節脱臼	96〃
ペルテス氏病	46〃
外傷	35〃
先天性奇形	85〃
その他	302〃
計	1,646名

ハ、地区別調査

北部地区	299名
中部地区	438〃
那覇市	380〃
南部地区	271〃
宮古地区	133〃
八重山地区	125〃
計	1,646名

この資料によれば、829名の肢体不自由児が、未登録となっており、何らの処置も、恩恵も受けないまま沖縄の各地に散在していることになる。0才から2才までの数字が比較的少ないのは、学令期に達した児童の実数は比較的に把握しやすいが、いわゆる乳児期の実数は、なかなか把握しにくいことを実証している。また病類別調査に於ては脳性マヒが、756名と絶対多数

で、全体の46％を占めている。地区別にみると、中部地区と那覇地区が多く、これは人口の集中度と比例しているようである。

文部省の実態調査によれば、肢体不自由児の出現率（0才から18才までの）は、0.67％で、そのうち特殊教育の対象となるものは義務教育人口の、0.34％であるといわれている。しかし最近になって、生ワクチンの投与によるせき髄性小児マヒの激減、結核対策の推進による骨関節結核等の減少によって、この比率は修正され、0.54％と0.2～0.18％に減っているということである。せき髄性小児マヒが減って、脳性マヒの比率が、ぐんとあがってきた。複雑多岐、多種多様な脳性マヒの実態は医学界でも未だ充分に解明されていないという。肢体不自由児教育に取組むとき、80％以上を占めるこの脳性マヒ児の病理的、心理的、教育的な研究は、この教育に携わる教師の前に横たわる大きな問題点であると思われる。

前記沖縄肢体不自由児協会の調査によれば、沖縄における特殊教育の対象となるべき肢体不自由児の数は約800名と推定されている。そのうち121名は政府立鏡が丘養護学校で、180名は、同整肢療護園分校でそれぞれ教育訓練をうけているから計300名で、その就学率は、37.5％になっており、残り62.5％が未就学、就学猶予等で特殊教育の恩恵を受けていないことになっている。

4、肢体不自由児の教育

児童福祉法（昭和22.12.12）に、(1)すべて国民は、児童が心身ともに健やかに生まれ、且つ育成されるよう努めなければならない。(2)すべて児童は、ひとしくその生活を保証され、愛護されなければならない、とあり、また児童憲章には「すべて児童は、身体が不自由な場合、または精神の機能が不十分な場合に、適切な教育と保護が与えられる」とうたわれている。教育基本法第3条には「住民は、ひとしくその能力に応ずる教育を受ける機会を与えられなければならないのであって、人種、信条、性別、社会的身分、経済的地位、または門地によって、教育上差別されない」と規定されている。

これら一連の法や憲章に見られるように、エレン・ケイに、「児童の世紀」といわせた今世紀になって、民主主義思想の成熟滲透とともに、社会に

よる児童の権利の確認が色々の形で行なわれ、国家的必要の枠外に置かれていた障害児たちにも、教育の機会均等が、及ぶようになった。我が国に於ては、肢体不自由児療育の父といわれた高木憲次博士の功績は余りにも有名である。学校教育法第76条には「政府は、盲者、ろう者、又は精神薄弱、身体不自由者若しくは病弱者で、その心身の故障が、第73条の2の中央教育委員会規則で定められた程度のものを就学させるに必要な、盲学校、ろう学校又は養護学校を設置しなければならない」と規定されている。

(1) 政府立鏡が丘養護学校

そこに肢体不自由児のための、よい学校があることを知らない人が多い。

近年政府は、この教育に対する施策を強力に推進され、充実発展の歩を進めてきている。文部省は昭和31年、公立養護学校整備特別措置法を制定し、全国都道府県に通達、その設置義務を負わしめたが、昭和44年ついに滋賀県を最後に全国肢体不自由児養護学校設置が実現したのである。沖縄は滋賀県に先だつこと4年、鏡が丘養護学校が創立開校されている。

養護学校とは、精神薄弱、肢体不自由、病弱、虚弱等の児童、生徒のためそれぞれの心身の障害別に設置された特殊な学校で、幼稚部、小学部、中学部、高等部の設置や教科等についても普通学校に準じておこなわれるよう規定されている。就学義務についても、養護学校は今のところ義務制ではないが、児童、生徒を養護学校に就学させている保護者は、これらの子女を小学校、中学校に就学させる義務を履行していると見做されることになっている。本土政府は沖縄の養護学校整備のため、いわゆる日政援助として多額の施設設備及び備品費を支出している。また沖縄においても本土法に準じ、「盲学校、聾学校及び養護学校への就学奨励に関する法律を制定し、この法によって教科書の購入費、学校給食費、交通費（通学費、付添人も含む）寝具費、日用品費、食費（以上三項は寄宿舎居住者に限る）、修学旅行費、

学用品購入費等が支弁されている。

　政府立鏡が丘養護学校は、沖縄における唯一の肢体不自由児養護学校として、浦添村字大平鏡原に、1965年4月26日に創立開校された。以下学校の概要を紹介したい。

　1、敷地　約13,000㎡（大平養護学校との境界線が暫定的であるため概数）

　2、学校建物
　　イ、第1校舎、2階建、12教室 1,360㎡
　　ロ、第2校舎、5教室、444㎡
　　ハ、特別教室、3教室（音楽、理科、家庭科、準備室）260㎡
　　ニ、体育館兼講堂、278㎡
　　ホ、屋内水治訓練プール、196㎡
　　ヘ、寄宿舎の一部（食堂、炊事室、倉庫、浴室）456㎡
　　ト、寄宿舎居室、388㎡

　計、3,382㎡の校舎が、何れもクリーム色鉄筋コンクリート建てで、たたずまいよく配置され、浦添村鏡原原頭に、その美観を誇っているかのようにみえる。

　本校の創立は、沖縄整肢療護園分教場（当時神原小学校、寄宮中学校の分教場）が母体となっており、小学校、中学校に準ずる教育を行なっているのであるが、普通学校と異なる点は、教科に機能訓練が、週5時間、必須教科としておかれていることである。

　成長期にある肢体不自由児の障害は、一般的にいって、固定したものとはいえないのであって、児童と成人との根本的に異なる点は、児童が心身ともに発育の過程にあるということである。この成長の波にのって、これを利用できること。さらには9～12カ年（高等部）の長期にわたって、計画的、継続的に改善指導を実施できることである。肢体不自由児養護学校の対象児童大半を占める（本校もそうである）脳性マヒ児は、医療、手術等では完全な治療は期待出来ないといわれている。それは障害の改善の補助的手段にすぎないものであって、機能向上や障害の改善の成否は、もっぱら肢体不自由児自身のたゆまない根性によって、機能訓練を続ける外、道はない。だから機能訓練なくしては、肢体不自由児養護学校存立の意義はないし、勿論本校存立の意義もここにあるのである。肢体不自由児養護学校には、単独型、隣接型、併設型の3種類の型があり、本校はそのうちの単独型の養護学

校で、療護園分校は、併設型の養護学校といえる。併設というのは、肢体不自由児施設（整肢療護園）内に併設されているということで、長期療養を必要とする入園児144名と通園児36名計180名が、対象児童生徒となっており、職員は、主事以下24名、本年4月独立校舎1棟7教室が竣工して、学校としての体裁ができたが、それでもなお9教室が、横長で狭く、通風も採光も悪く学習環境上不適な病室教室であり、3学級はベットサイド学習になっていて、計19学級を編成している。

別表は本校の学級編成及び児童生徒在籍数、出身地別、通学状況、病類別等の児童生徒数と教職員数である。

（つづく）

学級編成及び在籍児童生徒数

区分\学部\学年	小学部						計	中学部			計	合計
	1	2	3	4	5	6		1	2	3		
学級	1	1	1	1	2	1	2	10	1	1	2	1	2	5	15
男	6	5	8	5	5	6	4	6	2	3	50	3	2	3	5	5	18	67
女	3	3	3	3	3	2	3	2	5	3	30	9	5	4	2	2	22	52
計	9	9	11	8	8	8	7	8	7	6	81	12	7	7	7	7	40	121

病類別、児童・生徒数

病名 \ 学級別	一年	二年	三年	四の一	四の二	五の一	五の二	五の三	六の一	六の二	中一	〃二の一	〃二の二	〃三の一	〃三の二	計
進行性筋萎縮症						1										1
関節リウマチ							1									1
発育異常				1	1		1									3
先股脱						1			1							2
せきずい性小児マヒ		1	1		2	1			1	1	1	2	1	1	2	2	16
脳性マヒ	5	7	9	4	2	4	6	4	4	4	5	8	4	4	4	4	74
痙性片マヒ	1			2	1					1		2	1	1			9
その他の痙性マヒ			1														1
先天性奇形	1	2															1
その他		2		2	2	2			1				1	1	1	1	13
計																	121

出身地別児童生徒数

地域 \ 学部・学年	小学部							中学部				合計
	1	2	3	4	5	6	計	1	2	3	計	
那覇市	2	2	3	1		3	11	4	5	3	12	23
南部		1	4	4	5	2	16	3	2	2	7	23
中部	6	3	1	6	11	5	32	1	6	6	13	45
北部		1	2	4	4	1	12			1	3	15
宮古	1				2		3	2	1		3	6
八重山		1	1			2	4			2	2	6
その他				1	1		2					2
合計	9	9	11	16	23	13	80	12	14	14	40	121

通学状況

通学状況 \ 学部・学年			小学部						中学部			合計
			1	2	3	4	5	6	計	1	2	3	計	
通学生	スクールバス利用	那覇コース	2	3	6	5	7	6	29	4	6	4	14	43
		中部コース	5	4	1	6	7	1	24	5	4	3	12	37
	自家用車、徒歩、その他		1	0	0	1	1	4	7	1	1	1	3	7
舎生			1	1	4	4	8	5	23	2	3	6	11	34
合計														121

教職員数

校長	教頭	教諭	養護教諭	訓練士	書記	寮母	運転手	作業職	校医	夜警	合計
1	1	20	1	2	2	5	2	4	1	1	40+2

プラスパートタイム2（車掌）

沖縄の学校給食

文教局保健体育課

主事 照屋善一

1 学校給食の普及

1969年7月1日現在で学校給食の公立義務教育諸学校の実施率は、学校数で小学校、中学校いずれも100％である。 このうち完全給食を実施しているものは、小学校49.0％、中学校39.1％である。 これを児童生徒数でみると学校給食の普及状況は、小学校、中学校100％で、このうち完全給食を実施しているものは、小学校67.6％、中学校51.5％である。

学校給食の意義は、成長期にある児童生徒にバランスのとれた栄養を摂取させることにより健康の増進、体位の向上を図るとともに、望ましい食習慣・社会性を身につけさせることにあり、ひいては、これが現在および将来の国民の生活改善に寄与することを期待しているものである。

学校給食が戦後開始されてから14余年を経た今日、学校給食は、明るく楽しい学校生活の場として学校教育に定着しつつあり、広く父兄および住民の理解と協力により急速な普及充実をみたのであるが、なお、学校給食の指導や管理運営に当面する諸問題は多く、その改善充実が望まれている。

2 学校給食の位置づけ

1969年4月12日づき中央教育委員会告示で小学校学習指導要領の全部の改正が行なわれたが、これは1971年4月1日から施行することになっている。

従来、学校給食は学校行事等の中の内容として規定されていたが、こんどの改定で、特別活動（従来の特別教育活動）の学級指導に位置づけられている。 これは、今日まで、学校行事等の内容として掲げられていたものを、学級指導の一環として給食の指導が実施される。そうなると、学級担任の活

動の中に位置づけられたことになる。これは従来よりも給食指導の位置づけが一歩はっきりしその効果が期待される。

新学習指導要領において特記すべきことは、第一章総則に新たに「体育」の項を設け「健康で安全な生活を営むのに必要な習慣や態度を養い、心身の調和発達を図るため、体育に関する指導については、学校の教育活動全体を通じて適切に行なうものとする。」としており、この「体育」は保健、安全、給食に関する指導も含めており、「学級指導」に位置づけられた給食指導においても、この趣旨をいかして適切な指導を行なうことが望ましい。

3 学校給食指導の特性

人間の食生活は本来楽しいものであり、きわめて自然なものであり、他の教育活動と異なる点でもあり、独自性をもつものである。

学校給食指導の特性として、文部省主催 給食研究集会資料から引用してみよう。

(1) 食事という人間の本能的、生活的な活動を媒介として行なわれる指導である。

食事をとることは日常生活に欠くことのできない活動であり、児童はそれぞれ家庭の食習慣を身につけている。

配達車に積み込まれるコンテナー

給食時における指導は、ある行動様式を型としてとり出して指導するのでなく、食事という実体とむすびつけての指導となる。児童に何を教えるかということより、児童にどのように食事をとらせるかが指導の中心になる。

(2) 学習から解放された時間に行なわれる指導である。

給食時は児童相互間における競争意識も弱まり、みんなが同一の食事をとることによる安心感、親密感が増し、リラックスした時間である。教師は一緒に食事をしながら、その雰囲気をそ

こなわないように指導するが、給食時の活動自体が教育的に組織されれば、児童は為すことによって自らそのねらいを体得することができる。

(3) 毎日同じ順序でくりかえされる実践活動に対する指導である。

給食の準備から、後始末までの実践活動を、第一学年から第六学年までいつもくりかえすので、とかく活動がマンネリ化し、児童の興味、関心が持続しにくい。給食時の指導は、活動目的に対する指導であって、知識のかくとくそれ自体が目標ではない。知識という立場からすれば、指導は偶発的であり非系統的である。児童の自主性をじゅうぶん生かした弾力性のある指導計画によって、循環的発展的指導が行なわれることがのぞましい。

(4) 集団の食事の場で行なわれる指導である。

学級またはグループでの活動が多いので、それらの集団を望ましい方向へ発展させることを通して、ひとりひとりの児童に対する指導が行なわれ、食事を他人とのつながりの中で考えさせるよう指導する。

(5) 清潔、安全の保持が要求される活動に対する指導である。

毎日くりかえし行なわれる活動であるので、とかく安易になり易いが、食事というものの性質上、食物の衛生、児童の安全がつねに要求される。

(6) 給食の管理面に左右されることの多い指導である。

給食の献立、調理がじゅうぶんに考慮されてないと、とかく頭で食べさせようという指導になる。また、設備が整備されてないと、児童の活動がスムーズにはこばず、指導も徹底しにくい。食堂の設置によって、よい効果的な指導が期待できよう。

4 学校給食の最近の問題
(1) まずい給食について

この頃、おいしい給食と共に、まずいパン、まずいミルク、おかずなどと雑音がとびこんでくる。

まずい給食の条件に、一つは給食関係者（栄養士、調理員、業者）が献立、調理、加工の研究を怠り、労を惜しむこと。二つは、できるだけ学校給

食費を安くし、栄養とおいしさと変化をなくし、まずかろう安かろうに徹底すること。三つは、教師が、絶えず、学校給食に児童生徒の前で不平不満を言い、特別活動の学級指導を無視すること。これによって、まずい給食になることは請合いである。

(2) 学校給食の集団赤痢について

去る5、6月の異状なつゆで、北部の学校で集団赤痢が爆発的に発生した。幸い患者も軽い症状で終った。

赤痢は、赤痢患者（健康保菌者も含む）の糞便で、またはその糞便によって汚染されたものを、しかも私達の口から入って来ない限り赤痢にかからないと言われている。

こんどの場合、その原因が究明されない中に集団赤痢が終ったが、その主たる原因と考えられることは、1.調理従事者の手が保菌による汚染 2.外部から運ばれる食材料の汚染 3.施設設備のねずみ、ゴキブリ等による汚染 4.使用水の汚染であるが、こんどの事故前に、すでに中、北部の二、三の市町村では赤痢患者が発生し、学校給食へ飛火する素地は充分あった訳である。

その際、献立作成、学校環境衛生（人、物）を一層慎重、強化すべきだったと思われる。

各学校の関係者が他山の石としてのみでなく、自らの問題として真剣に取組む秋に来ているのではなかろうか。

(3) AIDマークについて

AIDとは米国政府国務省内にある国際開発局の頭字をとった名称である。AIDは米国の

那覇教育委員会の共同調理場

友好国とくに開発途上にある国々の援助について総括する局である。

学校給食援助物資は1966年1月20日米国宗教団体の沖縄代表と行政主席によって協定が結ばれ、その内容に米国の法律で定める方法で使用されることがうたわれている。

すなわち、AIDの規則によって援助の方式が規定されている訳である。

学校給食費は学校給食法第6条で、学校給食を受ける児童又は生徒の保護者の負担となっているが、沖縄の学校給食は変則的ではあったが、米国の援助によって今日の普及充実を見たのである。近く本土と一体化した場合、当然それらの援助物資が打切られ、本土なみの保護者負担となるのは必至である。

それまで、援助物資を教育的に有効に使用し卑屈感を与えず児童生徒の健康増進、体位の向上を図るべきではなかろうか。

完全給食実施状況　　1969年7月現在

		小学校			中学校			小中校計		
		総数	実施数	百分比	総数	実施数	百分比	総数	実施数	百分比
北部	学校	63	25	39.7	43	18	41.9	106	43	40.6
	児童・生徒	17,966	7,888	43.9	10,678	3,768	35.3	28,644	11,656	40.7
中部	学校	56	37	66.1	29	15	51.7	85	52	61.2
	児童・生徒	41,321	31,198	75.5	22,325	10,318	46.2	63,646	41,516	65.2
那覇	学校	35	25	71.4	19	12	63.2	54	37	68.5
	児童・生徒	42,033	38,018	90.4	20,928	17,718	84.7	62,961	55,736	88.5
南部	学校	30	12	40.0	21	6	28.6	51	18	35.3
	児童・生徒	18,273	10,633	58.2	10,389	4,270	41.1	28,662	14,903	52.0
宮古	学校	21	3	14.3	17	2	11.8	38	5	13.2
	児童・生徒	11,429	3,336	29.2	6,398	1,910	29.9	17,827	5,246	29.4
八重山	学校	34	15	44.1	22	6	27.3	56	21	37.5
	児童・生徒	7,744	2,708	35.0	4,442	688	15.5	12,186	3,396	27.9
計	学校	239	117	49.0	151	59	39.1	390	176	45.1
	児童・生徒	138,766	93,781	67.6	75,160	38,672	51.5	213,926	132,453	61.9

1970年度交付税教育費の改正点について (1)

調査計画課　新　城　久　雄

　地方教育区の財源は、政府補助金や教育区債等のようにその使途が限定若しくは決定されたいわゆるひもつき財源としての「特定財源」と教育区が独自に使用できる「一般財源」から成っています。この「一般財源」の主なものが市町村交付税教育費になります。市町村交付税教育費の一般的解説については、文教時報104号をご参照いただくことにして今回は1970年度の交付税教育費の積算基礎における「新設項目」と特に現年度から適用された「教育費補正」についてその概略を申し上げ、教育現場並びに行政担当の方々の一層のご理解とご協力をあおぎたい。

1、1970年度の新設項目

A　消費的経費については、給食従事員、事務職員補助員、雇用人、幼稚園教員、学校医、学校歯科医、学校薬剤師、教育委員、会計係、主任級、書記、書記補、等の給料又は報酬を是正し、その他事業費等についても単価引き上げを行なったが、更に下記の項目を新設し地方教育の行財政の強化を図っている。

イ、就学奨励法に基づいて、小中学校の準要保護児童生徒に対し、学用品費、通学用品費、通学費、修学旅行費（含要保護）等を算入したこと。

ロ、学校保健体育費の項目を新設し、児童生徒及び園児の健康管理を強化したこと。

ハ、教育行政共通費を新設し、教育行政の自主的運営の円滑化を図ったこと。

ニ、追加財政需要額を算入したこと。

ホ、体育指導員関係経費を保障したこと。

ヘ、事務職員補助員の超勤手当を算
　入したこと。
ト、教育委員の期末手当を保障した
　こと。
チ、公立学校職員共済組合法の適用
　により設置者負担分の掛金及び追
　加費用を算入したこと。
B　投資的経費（校舎以外の設置者負
　担施設設備費）は、今日地方教育区
　の最っとも頭を痛めている問題の一
　つで地方教育区も政府の施策に則っ
　て学校施設設備の整備充実に最善の
　努力を続けているわけですが、較差
　是正に伴なう教育区負担の需要額は
　年々ぼう大となり貧困な地方教育区
　の自己財源をもってしてはとうてい
　負担し得ない現状にあります。しか
　し教育の較差は早急に是正されねば
　ならず地方教育区、特にへき地の小
　規模教育委員会はその殆んどが教育
　区債を起債し、その償還に窮してい
　ます。1969年度までの教育区債の未
　償還額は、198万ドルで1970年度の
　校舎以外の諸施設に要する需要額は
　およそ150万ドルとなっています。
　こうした地方教育区の財政の窮状を
　緩和するために、現年度から投資的
　経費項目を新設し、屋内運動場、給

食準備室、幼稚園園舎等の建築費を
算入し、更にその算入方式についても減価償却算入方式を廃して、事業
費算入方式を採用し、設置者負担対
応費の負担軽減を図っています。この算入された基財額はおよそ30万ド
ル程度で未だ地方教育区の需要を満
たすに足りない僅少な額ですが、項
目を新設し新しい行政の方向を示したことは大きな進歩であります。地
方教育区の財政的措置については、
交付税教育費以外でも、現年度は資
金運用部資金に教育分として50万ド
ルが計上され、屋内運動場、給食
室、水泳プール、公民館、幼稚園園
舎について教育区債が起債できるよ
う措置されています。

2、1970年度教育費補正
イ、補正の必要性
　教育費の基準財政需要額の算定は、
　標準規模における各経費項目につい
　ての積算基礎に基づいて単位費用
　（1人当り経費）を決定し、『単位
　費用×測定単位の数値』という形式
　で行なわれます。1970年度の全琉の
　教育費基準財政需要額は（次表）、
　小学校、中学校、その他の教育費に
　ついてそれぞれの測定単位の数値に

それぞれの単位費用を乗じておよそ698万ドルと算出されています。

1970年度教育費単位費用　　ドル

区分	経費項目	測定単位	1970年度	1969年度
小学校	児童	144,900	8.20	6.14
	学級	3,960	358.83	328.17
	学校	243	2,837.00	2,051.00
中学校	生徒	78,300	7.93	5.72
	学級	2,050	401.30	375.33
	学校	153	3,142.00	2,391.00
他	人口	1,123,000	1.56	1.17
基準財政需要額			6,976,313	5,504,700

ところがこれらの経費を教育区に配分する場合、「単位費用は全琉同一でよいのか」という疑問が生じます。それは、現在地方教育区が置かれている地域的、社会的、経済的、諸条件が千差万別で、かつ同一条件の地域でも学校規模の大小によって経費にてい減、てい増があり、従って各教育区毎に各経費項目について単位費用に差異が生じてくるのは当然だからです。例へば、小学校児童1人当り経費は、標準では＄8.20ですが、実状は標準的水準を保つのに、いろいろな地域諸条件に左右されて、A地区では＄10.00、B地区では＄15.00といったように経費差が生じてきます。そこで、この地域的諸条件によって生ずる経費差をもっとも公正妥当な方式で測定しこれを各教育区の基財額に反映させ、全琉同一の行政水準が保持できるようにすることが極めて必要になります。このために補正が行なわれます。

ロ、補正の種類

地方教育区の行政をして千差万別の姿たらしめている要因には、各教育区の行政判断や財政運営の巧拙等のような主観的なものから、自然的、社会的、経済的諸条件のような客観的なものに至るまで無数に存在しますが、補正に当っては、これ等の事由のうち客観的で、経費の割安割高で明白な因果関係があり、しかも普遍的でその影響が客観的な資料によって係数化できるものを補正事項とします。1970年度の補正の種別は次のようになっています。

小中学校

○児童又は生徒経費＝単位費用×（児童数又は生徒数×態様補正係数×人口急増補正係数）

○学級経費＝単位費用×（学級数×態

様補正係数×人口急増補正係数）
○学校経費＝単位費用×（学校数×態様補正係数）
○その他の教育費＝単位費用×（人口段階補正係数×態様補正係数×幼稚園密度補正係数）

八、補正の方法

　地域差を基財額に反映させる方法としては、1人当り経費に差異をもたらしている事由に応じて教育区毎に単位費用を作成し基財額を算出することになりますが、全琉59教育区についてそれぞれ異った単位費用を作成することは極めて複雑になるので単位費用は全琉一定にし、その代り地域差によって生ずる経費差、別の言葉で言えば「教育区毎の単位当り経費と標準単位費用との差異」を一定の比率で表わし、この比率を測定単位の数値に乗ずることによって前者と同一の結果を算出します。ひらたく言えば、単位費用は全琉一定にして、その代り教育区の地域差に応じて測定単位としての児童数、生徒数、学級数、学校数、人口等を伸ばしたり縮めたりします。1970年度の補正係数は4種地～8種地を1.00として算定されていますので4種地～8種地の地域の児童生徒数、学校数、学級数は減少することはなく、1969年5月1日現在の実数になります。3種地～1種地についてはその地域差によってこれ等の数値が増加します。例へば1970年度名護教育区の児童経費について申し上げますと、測定単位としての児童数は2,938人（1969年5月1日現在学校基本調査在籍者数）ですが、態様補正及び人口急増補正を適用した補正後の数値は、2,997人となります。その児童数にかかる基財額は ＄8.20×2,997人＝＄24,575で、これを単位費用に換算すると24,575×1／2,938人＝＄8.66となり、名護での地域差は、標準的条件を備えた教育区が妥当な水準で行政を行なう場合に要する経費として算定された交付税標準規模における児童1人当り経費＄8.20よりも＄0.46だけ基財額に反映されていることになります。角度を変えて言えば名護ではいろいろな地域的社会的条件によって児童1人当り経費が割高となるので、その分＄0.46割増すことによって始めて標準規模で測定した行政水準が保てるということを意味します。（以下次号）

教育委員会法の疑義について

文教局義務教育課
主事　安　里　原　二

沖縄の教育委員会制度は本土とは異なった独自の立場をとっている。それにはよい面もあるが、運用上多くの問題点も惹起しているようである。

とくに市町村長と教育委員会、市町村議会と教育委員会との間で教育予算の取扱いで疑義の照会が多いのである。

このような法律上の問題点を根本的に解決するためには法律を改正しなければならないのであるが、教育委員会法を抜本的に改正するとなると沖縄が独自の立場をとっている制度そのものの根本理念にもふれるので慎重に検討されなければならない。

このような意味においては、多分に政治的問題を包含しているといえよう。

従って教育委員会法の抜本的改正は政治的問題として検討され、本土復帰の時期等とも関連し、いずれ解決されなければならないことであるが、それまでは関係者が現制度のよい面を見出し、いかにすれば運用上地方教育行政がスムーズにいくかについて真剣に取りくみ相協力することが最も必要ではないかと考えるのである。

以下教育委員会法関係で今年度疑義照会のあった件で文教局が助言指導をしたものを掲載し、関係者の参考に供したい。

問1　1967年12月23日付文義第106号教育委員会法の疑義についての回答中問4の(イ)の回答に「教育長は教育委員会の指示要求により又は教委法第25条第1項の規定による独立の権限として、教育委員会に対して助言と推せんができるものである。

この独立の権限により、直に提案権は教育長の専属的権限と解することは適当ではない。」とあるが教育委員会法第25条第1項の規定「教育長の助言と推せんを得て」から推せんとは人事の提案を意味し別に法令の定めがない限り人事の提案権は教育長の専属的

権限と解してよいか。
回答　貴見のとおり。

問2　人事の提案権が教育長の専属的権限であると解した場合、教育長は教育委員会に議案を提出する以前の事務として適材を適所に配置させるためにその選考を実施しなければならないものである。それで人事の（議案の）提案権について必然的にその選考権が付随しなければならないと解するが如何。

回答　人事に関する一般方針の決定並びに任命権は教育委員会の権限とされているが、教育委員会法（1958年立法第2号）第25条及び第85条第2項の規定による教育長の助言、推せんは、教育長がもつ独立の権限であって教育委員会の要求がなくても自ら適当と思うものは助言、推せんできる。ことに事務局職員、校長、教員その他教育機関の職員の任命、採用、昇任については教育長の推せんに基づかないでは、これを教育委員会が行なうことはできないと解する。

したがって推せんの段階で選考を実施することは差支えない。

さらに選考は、推せんに付随する準備的な事実上の行為であると考えられる。

問3　問2のように解されない場合は、人事の選考権は誰（どこ）にあるか詳しく解説して下さい。あわせて、その法的根拠を示してほしい。

回答　回答1、2によって予知されたい。

問4　区教育委員会関係の議会に付議すべき事件（おもに予算及び決算）説明のため議会の議長から出席を求められる場合の説明者は教育委員会法第65条の5の2項の条文中教育長又は委任を受けたもの、委任とは例えば北大東教育区の場合は校長と解してよいか。

回答　教育長からその所属している職務について委任を受けうるものは、教育長の下部機関（補助執行機関）でなければならないことから連合区、教育区の事務局職員を指すのであって教育委員は含まれないものと解する。
（北大東区のような特殊な地域にあっては、校長に委任することも止むを得ないが、この場合にも委任者は委任すべき事項を限定して委任すべきであろう。）

問5　同上、同法の委任を受けたものが校長であれば校長が沖縄本島へ出張の為議会への説明者を更に教育委員長又は会計係へ委任して差支えないか

　回答　問4の回答によって了知されたい。なお委任を取り消し、変更することはできるが、受任者が再委任することはできない。

問6　区教育委員会の教育予算は市町村議会で必要に応じて修正権は可能であるか。

　回答　市町村予算については、市町村長の予算の提案権を侵さない限りにおいて修正権は認められているので、教育予算についても同様な取り扱いをして差支えないものと解する。なお問6中「修正権は可能であるか」は「修正は可能であるか」と読み替える必要がある。

問7　現在教育区の区教育委員選挙法は施行されていないと思うが教育委員の選挙の執行は何法によって行なわれているか、又候補者の届出一切の様式は何によるか、尚候補者の推せんは60名であるか、それは何法何条に謳われているか。

　回答　区教育委員の選挙については教育委員会法（1968年立法第2号）並びに市町村議会議員及び市町村長選挙法（1968年立法第74号）によって行なわれている。

　なお推せん人については、候補者の推せん届出をすることができる旨規定しているが、数についての限定はない。（市町村議会議員及び市町村長選挙法第75条第2項）

問8　学校長が委員を兼ねる場合の費用弁償の支給について

　当区教育委員会は学校敷地等の問題を解決するため市議会、小中学校長、PTA会長、各機関代表で構成する教育振興推進委員会を設置し、目下活動中でありますが、議員、PTAの方々には費用弁償の規則に基づき1日3ドル支給し学校長の場合支給できるかについて御回答を願います。

　回答　学校長が勤務時間中に参考人として同会に出席するだけで費用弁償を支給することは好ましくないが、時間外（土曜日の午後や日曜日）に同会がもたれるのであれば支給して差支えないと解する。この場合委員会規則で明確にすべきであろう。

問9　学校給食費父兄負担の分（おかず代）の委員会の予算計上は適当かどうかについて

当区委員会では学校給食共同調理場を設置運営しておりますが父兄負担の給食材料費も全部予算に組入れてありますが適当か、又来年度は別途に取扱いたいと思いますがよいでしょうか。以上について出来る限り参考規則等の根拠を明示して御回答をお願いします

回答　学校給食法（1960年立法第47号）第6条第3項の父兄負担の学校給食費について、ミルク給食、パン給食等の加工賃については、公費に組入れた寄附金として委員会予算に計上することが望ましい。

尚上記以外の父兄負担の給食材料費（おかず代）については貴見のとおり委員会予算に計上せず別途に取扱って差支えないと解する。

参照条文　学校給食法第6条
学校給食用物資製造委託工場の選定基準に関する規則第2条。

問10　教育長の選任に関する規則第4条第2項で連合区委員会が前項における協議を行なう場合には教育区委員会と合同して又は合同しないでこれを行なうことが出来るとあるが合同してとあるのは連合区を構成する区委員会（全区）が合同することを意味すると解するが如何。

又合同しないでとあるは各教育委員会毎に連合区教育委員会とが行なうことを意味すると解するが如何。

回答　前段について、連合区委員会と連合区を構成している各区委員会が合同して協議を行なうということである。後段については、意見のとおりと解する。

問11　全規則第5条に「前条における協議において充分意見の調整をはかった上教育長を任命しなければならない」とあるが意見の調整が出来ない場合は如何なる方法をとるか。

この場合教育委員会法第31条の規定に基づいて採決し、それを委員会の統一した意見として差支えないか。

回答　設問中「全規則第5条」とあるのは「同規則第5条」の誤りと解する。

同条の趣旨は十分に意見の調整を図り、期が熟したときは連合区委員会は任命できるということで、必ずしも完全に意見の一致をみるまで調整する必要はないと解する。

父兄支出の教育費調査 中間報告

小学校の部

調査計画課

　父兄が支出する学校教育費の実態を知るための調査を1968年4月から1969年3月までの1年間高校以下の学校から対象を抽出して実施しましたが、このところ小学校の分について結果がまとまりました。追って全体の詳しい報告が年末頃には発表されることになっています。今回は小学校のみについて速報的に概要を紹介いたします。なおこの数字は今後のより詳しい集計分析の過程で一部訂正されることもありますのであらかじめお断りしておきます。
　調査に協力して下さいました児童生徒、御父兄、先生方に厚くお礼申し上げます。

1 父兄支出の学校教育費

　1968年4月から1969年3月までの1年間に小学校児童1人のために父兄が支出した学校教育費は、34ドル38セントである。この父兄支出の学校教育費を、A・直接支出金とB・間接支出金の大支出項目別に示すと、A＝18ドル24セント（53.1％）、B＝16ドル14セント（46.9％）となっており直接支出金の割合が大きい。ちなみにここでいう「直接支出金」とは、父兄が子どもの教育のために、教科書、学用品の購入費、通学のための交通費等として直接支出した経費であり、「間接支出金」とは父兄が学校に納付しまたは寄付した経費で、学校等を通じて子どもの教育のために使われた経費で、給食費やPTA会費等である。なお学校に納付した金でも児童個々人の所有に帰するためのものを一括購入するような

場合は直接支出金に計上することにした。

2 前回の調査との比較

沖縄で父兄支出の教育費について調査が行なわれたのは1961学年度が初回で今回は2回目の調査である。前回との比較は次表のとおりである。

	1968年度	1961年度
総　額	34.38ドル	16.69ドル
直接支出金	18.24	11.61
間接支出金	16.14	5.08

表でわかるように父兄支出の教育費は過去8年間に名目額で2倍に増えたが、それは主として間接支出金の増加によるものであり（学校給食の普及によるところが大きい）、本土でもこの傾向は同じである。

3 公教育費と父兄支出の学校教育費および本土比較

公教育費と父兄支出の学校教育費はどうなっているであろうか。1968会計年度の財政調査によれば、小学校児童1人あたりの公教育費は117.57ドルとなっており公費と父兄支出の比率は次表に示すとおりである。

		合計	公費	父兄支出
沖縄	実額	151.95	117.57	34.38
沖縄	比率	100.0	77.4	22.6
本土	実額	209.09	166.63	42.46
本土	比率	100.0	79.7	20.3

注　(1)単位　実額はドル、比率は％
　　(2)本土は昭和41年度
　　(3)公費は、生徒1人あたり公費の額から学校安全会掛金等を差引いたものである。

児童のための教育費の大部分は、当然のことながら公費負担にたよっておりその伸びも1961年度27ドル77セントから1968年度117ドル57セントと4.2倍に増額している。

4 地域類型別にみた父兄支出教育費

本調査では全沖縄の小中学校を、市街地、小都市、農村（へき地を再掲として出した）の三つの地域類型に区分し、それぞれの地域から対象を抽出して調査を行なった。その結果は地域によって父兄支出の学校教育費がかなり大きなへだたりのあることを示している。それは主として間接支出金によるものであり、特に給食費は完全給食の実施率が農村へき地ではまだ低い状態にあるため、地域間の差を生ずるもと

となっている。その他に地域間の差の大きい支出項目は学用品、実験実習材料費、学級費、寄付金等である。反面地域差の認められない経費もあり、それらは教科書以外の図書費やPTA会費である。しかし全般的にへき地における父兄支出の教育費は低い状態にある。

地域類型別の父兄支出学校教育費

	学校教育費	直接支出金	間接支出金
	ドル	ドル	ドル
平　均	34.38	18.24	16.14
市街地	43.90	21.38	22.52
小都市	36.25	17.74	18.51
農　村	29.06	16.99	12.07
へき地(再掲)	21.25	14.25	7.00

5、学年別にみた父兄支出学校教育費

　学年別には6年生が37.81ドル、1年生が37.78ドルと最も多く、以下4年33.63ドル、5年33.54ドル、3年32.45ドル、2年生は最も少なく31.01ドルである。入学時と卒業時に教育費の出費が多いことを示している。

6　小支出項目別の教育費

　直接支出金と間接支出金の別にそれぞれ小支出項目別教育費を金額の多い順に列記すると次のとおりである。

直 接 支 出 金

		ドル
1	学用品実験実習材料費	10.32
2	教科書以外の図書費	3.53
3	通学用品費	1.97
4	その他の直接支出金	0.91
5	交通費	0.74
6	教科外活動費	0.63
7	保健衛生費	0.14

間 接 支 出 金

		ドル
1	給食費	9.81
2	PTA会費	2.95
3	学級費等	0.97
4	その他の寄付金	0.87
5	学校教具のための寄付金	0.72
6	見学費、補習費、安全会費等	0.39
7	旅行費	0.26
8	児童会、生徒会費	0.09
9	クラブ費	0.08

　直接支出金では「学用品、実験、実習材料費」が10.32ドルで最も多く「教科書以外の図書費」が3.53ドルでこれについでいる。なお教科書費は小中校では全額政府負担となっているので教科書費の支出はない。

　間接支出金では「給食費」が最も多く9.81ドルでその次に「PTA会費」の2.15ドルが多い。以上の「学用品、実験、実習材料費」「教科書以外の図

書費」「給食費」「PTA会費」の4支出項目で全体の77.4%を占めている。

7 月別の教育費

父兄支出の教育費は月によってどの様にちがうであろうか。参考資料の1によってみると、どの学年も新学期の4月に出費が多い。また卒業期の3月においては6年生の支出の多いのが目立っている。10月も支出の多い月であるが、運動会のシーズンであるためと思われる。6年生の場合7月の支出が3、4月に次いで多くなっているが、これは臨海学校のような学校行事に伴なう教育費がかかるためである。

参考資料

1 月別学年別父兄支出教育費（小学校）

単位ドル

	4月	5月	6月	7月	8月	9月	10月	11月	12月	1月	2月	3月	年間計
平均	5.93	3.20	2.82	2.74	1.23	2.83	3.33	2.68	2.46	2.57	2.79	3.07	34.38
1年	12.03	3.26	2.52	2.48	1.06	2.83	3.43	2.37	2.24	2.29	2.46	2.16	37.78
2年	4.16	2.89	2.60	2.35	1.13	2.68	3.23	2.47	2.42	2.76	2.56	2.43	31.01
3年	4.96	3.52	2.63	2.34	1.12	2.80	3.23	2.49	2.28	2.52	2.79	2.92	32.45
4年	5.77	3.10	2.93	2.63	1.34	2.97	3.46	2.80	2.53	2.63	2.74	3.22	33.63
5年	4.63	3.01	2.88	2.62	1.19	2.83	3.08	2.77	2.34	2.59	2.92	2.92	33.54
6年	4.02	3.42	3.32	3.98	1.63	2.97	3.51	3.21	2.66	2.63	3.29	4.78	37.81

2 学年別父兄支出教育費（小学校）

支出項目			1年 $ ¢	2年 $ ¢	3年 $ ¢	4年 $ ¢	5年 $ ¢	6年 $ ¢	平均 $ ¢	比率 %
A 直接支出金	1 教科学習費	a 教科書費								
		b 教科書以外の図書費	3 28	3 37	3 67	4 01	3 25	3 57	3.53	10.3
		c 学用品、実験、実習材料費	11 62	8 46	9 32	10 90	11 20	10 40	10.32	30.0
	2 教科外活動費		43	40	39	46	62	1 46	63	1.8
	3 保健衛生費		16	23	12	14	14	9	14	0.4
	4 通学費	a 交通費	48	52	93	1 19	51	83	74	2.2
		b 通学用品	4 28	1 42	1 96	1 67	1 29	1 21	1.97	5.7
	5 その他の直接支出金		78	91	59	62	69	1 87	91	2.7
	計		21 03	15 31	16 98	18 99	17 71	19 43	18.24	53.1

（次ページへ続く）

	支出項目									
B 間接支出金	1 学校納付金	a	授業料							
		b	給食費	9.87	9.99	9.92	9.11	9.96	10.62	9.81	28.5
		c	旅行費	8	10	14	14	16	94	26	0.8
		d	クラブ費	1		9	3	4	29	8	0.2
		e	見学費、補習費、安全会費等	38	27	30	38	38	62	39	1.1
		f	学級費等	97	94	96	95	97	1.02	97	2.8
		g	PTA会費	3.02	2.88	2.89	2.87	2.97	3.10	2.95	8.6
		h	児童会・生徒会費	8	7	13	7	8	9	9	0.3
	2 寄付金	a	学校教具のための寄付金	1.12	67	55	60	45	90	72	2.1
		b	その他の寄付金	1.22	78	49	49	82	1.40	87	2.5
			計	16.75	15.70	15.47	14.64	15.83	18.38	16.14	46.9
合			計	37.78	31.01	32.45	33.63	33.54	37.81	34.38	100.0

3 地域類型別父兄支出教育費（小学校）

	支出項目			平均		市街		小都市		農村		へき地(再掲)	
				$	¢	$	¢	$	¢	$	¢	$	¢
A 直接支出金	1 教科学習費	a	教科書費										
		b	教科書以外の図書費	3	53	4	21	3	31	3	08	3	08
		c	学用品、実験・実習材料費	10	32	12	29	11	11	9	03	7	72
	2 教科外活動費				63		82		81		46		45
	3 保健衛生費				14		15		12		16		21
	4 通学費	a	交通費		74		66		30		98		5
		b	通学用品費	1	97	2	21	1	53	2	05	1	69
	5 その他の直接支出金				91	1	04		56	1	01	1	05
			計	18	24	21	38	17	74	16	99	14	25
B 間接支出金	1 学校納付金	a	授業料										
		b	給食費	9	81	13	86	12	08	6	90	2	85
		c	旅行費		26		45		14		22		18
		d	クラブ費		8		19		3		4		
		e	見学費、補習費、安全会費等		39		60		63		18		16
		f	学級費等		97	1	25		86		89		62
		g	PTA会費	2	95	3	43	2	82	2	79	2	88
		h	児童会・生徒会費		9		7		3		13		
	2 寄付金	a	学校教具のための寄付金		72	1	25		91		38		12
		b	その他の寄付金		87	1	42	1	01		54		19
			計	16	14	22	52	18	51	12	07	7	00
合			計	34	38	43	90	36	25	29	06	21	25

〈社教主事ノート〉 （5）

みんなのPTAにするために

社会教育課　主事　大　城　藤　六

PTAは、「児童生徒の健全な成長をはかることを目的とし、親と教師が協力して、

①学校及び家庭における教育の理解とその振興

②児童生徒の校外における生活指導

③地域における教育環境の改善充実をはかるため、会員相互の学習その他必要な活動を行なう団体である。」といわれている。

PTAは学習する団体である。その学習に基づいて実践活動をする団体である。これはPATがもって生れた性格であったが、戦後という特殊な社会の中で、いつの間にか後援的性格の濃い団体になってしまった。そこで、この二三年PTAは所期の目的を達成すべく、援助するPTAから学習するPTAへと前進し続けている。

成人教育の立場から、PTAは学習する団体として、社会教育関係の中でも大きな比重を占めていて、毎年連合区単位に指導者養成のための研修会がもたれているが、望ましいPTAとなるためには、組織運営の面でもっと努力してほしい点があるのであげてみたい。

〔PTA役員〕

「PTAの構成は、学校を単位として、学校に在籍する児童生徒の親と教師によって組織される。」これが原則である。従来どのPTAの会則にもみられたような、「その他この会の趣旨に賛同する者」という会員資格の条項があって、父兄以外の者が加入できるようになっていたが、これは好ましくないものである。心身共に健康な子どもらの成長をはかるのに、もっともよ

く学習し、実践活動をしなければならない者は、父親であり母親である。

ところが、地域の知名士や他団体の役職（区長、婦人会長、青年会長）にある者をPTAの役員にしたり、あるいは両親健在でありながら、おじいさんがPTAの役員になっているところがある。また、PTAの目的性格から、PTAの運営方針としては政治的、宗教的に中正でなければならないとなっているので、政治的色彩の強い人を役員にすることは好ましくないと思われる。選挙のあるごとに、地域の末端組織である教育隣組までくずれてしまった。」という研修会場での発表を聞いたこともあるが、各PTAともいま一度、PTAの目的、性格について再確認する必要がある。

PTAの役員は、学校に在籍する子どもの親の中から、ほんとに活動できる人でなければ、真のPTA活動はできないと考える。

〔学習するPTA〕

先日の新聞に、あべこべという題で、ある小学校教師のレポートがあった。子どもの生活の3分の2を共に過している親たちが、家庭でなされるべき基本的なしつけがなされず、学校の教師に家庭教育の分野まで背負わされているとのことであった。こういう親と子どもはどこの学校にもいるものである。家庭における教育的役割を充分理解し、それに基づいて家庭教育が行な

大道小ときわ学級の合唱練習

われていなければ、教育の効果はあがらない。PTAがもっと成人教育活動をしなければならない理由がここにある。PTAは積極的に自主学級や各種研修会等を開いて、一般会員の家庭教育に対する理解を深めなければならない。研修会場で、区教委の設置した社

会学級や家庭教育学級を自分たちPTAの学級と混同したり、4・5年も頑張っている熱心な学級生もいるとのことを発表しているPTAもあるが、区教委の社会学級に参加するだけで成人教育活動は充分だと考えたり、1学級50人ぐらいしか収容できない学級で4年も5年も居座わって、一度も入級したことのない者に学習の機会が与えられないようでは困ったことである。

それぞれのPTAが成人教育活動を充実させて、より多くの会員に学習の機会を与えるようにしたいものである。

〔P会員とT会員の協力〕

PTAの活動で、学校まかせ、役員まかせ、会員不在ということがある。会員意識が低く、PTAは学校のもの、又はPTAと学校を同一視している会員がいる。P側からすれば、Tは子どもたちの先生だということで、会員として同等の立場になれず、すべてのことにおいてP側に遠慮がみられるような学校まかせのPTAがある。研修会で、のぞましいPTA像を学習しても、それが研修後の会活動に反映されていないのも、そのあたりに問題があるのではないだろうか。

役員まかせのPTAでは役員だけが活動し、一般会員は金品を集める時だけ動員される。

このように、学校まかせ、役員まかせで会員不在のPTAではPTA本来の姿にかえることはむつかしい。

今後、各団体が積極的に学習活動をすすめて会員意識をたかめ、P会員とT会員が、会員として同等の立場に立ってお互いに協力し合い、PTAが全会員の総意によって運営されなければ、会員から親しまれる「みんなのPTA」は生れてこないだろう。

＜教育関係法令用語シリーズ＞(10)

充　て　職　員

総務課法規係長　祖　慶　良　得

1　序

「充て指導主事」とか「充て主事」という用語は広く使用されているが、ここで耳なれない「充て職員」という言葉を敢えて使用したのは、指導主事のほかにも教育管理職や一般事務職に充てられる者がいたので、これらを包括する意味で用いたのである。

教員をもって充てられた職員が文教局に25人いる時もあったが、10月1日現在で本局内部に18人、附属機関に4人、計22人となっており、うち4人は商業実務専門学校（各種学校）を含む高校に、他は小・中学校に籍を置いているようである。これについても次第に定員化されていけば、充ては解かれていくものと予想される。

2　根拠規定

教育委員会法第130条は、指導主事若しくは教科用図書の採択、教科内容及びその取扱、その他特殊な事務又は技術に従事する事務職員又は技術職員には、教員をもってこれに充てることができる。ただし、その期間中は教員の職務を行なわないことができる。と規定している。この規定は文教局に関するものであるが、同法第83条第4項で連合区教育委員会事務局にも準用されている。この規定は、本土の旧教育委員会法第47条を受けて作られたものである。違う点は本土法には教科用図書の検定の事務があったのを削ってあるだけである。

この規定の趣旨は、教育委員会の処理すべき事務には、一般の行政職員をもってしては適切有効に処理しにくい場合があるので、これについて専門的な識見をもって処理させる必要があり、このような事務を担当させるために、教員がその職員の身分を保有したまま特殊の事務に従事させることができるようにし、その間は教員としての職務を行なわないものとしているのである。

本土の現行地教行法にはこのような規定はなく、同法第19条第4項及び同法施行令第4条及び第5条でもって、指導主事に教員をもって充てることができる場合のことを規定し

ている。

3 特殊な事務又は技術の範囲

　教育内容や学校保健等に対する専門的指導助言等が規定にてらしてこれに該当することは明らかだが、「その他特殊な事務又は技術」には、どのようなものがあるか。これには、通常の人事管理、会計事務、庶務等は含まれないと解されている。すなわち、教育に関する専門的な知識が要求される一種の専門職でなければならない。文教局や連合区教育委員会事務局の場合、一般の行政職員とは異なる教育管理職、教育指導職として、学校と交流できる教員免許状保持者を充てる職員が中心で、これが職員の大部分を占めている現状において、更に教員をもって充てるということは、すでに法の意図するところとは別のものとなっているように思われる。また実際にも充て職員と本務職員の職務内容がほとんど同一で区別することが困難である。連合区教委事務局の場合も同様だが、校長会の庶務を処理させるために充てたりするのは大いに問題があろう。

4 身分取扱い等について

　教員をもって充てる職員は、教員の身分を保有し充てられた職務に従事するものであり、充てる行為は特殊の任用行為であるとされている。教育委員会法には規定はないが、任命権者の異なる教育委員会の教員をもって充てるときは、その任命権者の同意を得なければできないものと解される。また法第130条には単に「教員」とあるが、大学や私立の学校の教員は除外すべきであり、各種学校の教員についても疑問がある。

　これらの職員の給与の規定、懲戒等は教員として取り扱われ、その身分の属する任命権者が行なう。給与のうち時間外勤務手当、旅費、通勤手当（未施行）等の職務遂行上支給されるものは、その職務を行なう委員会（政府又は連合区）が負担すべきものと解される。明確な職階制がしかれている場合、例えば教諭をもって2級教育管理職に充てると発令されると、格付が違うので教員給料を支給することに疑問が生じてくる。

　これらの職員の身分については、その充てられた期間中、教員の身分を保有し、もとの学校の教員の職を保有するが、教員の職務に従事せず、充てられた職務に従事するのである。つまりその身分までも事務局職員となるものではない。

　これらの職員の定数は、もとの学校の設置者である団体の定数とされなければならない。本土のように県費負担教員について国が2分の1補助するというような関係がないので、特別の問題は生じない。

第40回立法院定例議会における

文教局関係立法の解説

総務課 法規係長 祖 慶 良 得

1 概略

第40回立法院定例議会は、延長会期を含めて1969年8月13日に閉会された。今議会に立法勧告された文教局関係の法案は、新規立法2件、一部改正6件の計8件であった。このうち公立学校職員共済組合法の一部改正案は追加の勧告を含めて2度勧告されたが、これは1件として数えたものである。勧告法案中宗教法人法案が継続審査に付されたほか、他はすべて可決をみている。これらの可決された立法と、さらに議員発議による文教関係立法を加えて、ここに簡単な解説を試みることにする。

2 解説

(1) 学校教育法の一部を改正する立法
　　（1969年5月24日立法第11号）

この立法による主な改正点は四つある。第一点は、第12条（学生、生徒等の懲戒）について、従来は学校教育法施行規則には何ら規定がなく、もっぱら設置者の定める規則によらしめ、かつ公立及び私立の学校の設置者が規則を定めるに当っては中教委の認可を得てするとされていたのを改め、本土法同様、懲戒に関する基本的な基準を施行規則で定めることにして、中教委が認可することを廃したものである。

第2点は、高等学校には職業課程に限り専攻科を置くことができる（第44条の3第1項）、とされていたのを改め、高等学校には専攻科及び別科を置くことができるとした。そして、その修業年限は1年以上とし、別科においては簡単な程度において、特別の技能教育を施すことを目的とするものとした。将来産業技術学校が高校に移行される場合は、この別科として設置されるのもでてくる予想による。

第3点は、短期大学に関する規定（第70条、第71条）を本土の現行法と同一にするために整備したものである。

その他の改正点は、高等学校、盲学校、聾学校及び養護学校並びに特殊学級においては、当分の間、中教委の定めるところにより、教科用図書以外の図書を教科用として使用することができるものとしたことと、他法

の改正を含めて、若干の条文を整備したことである。

この改正法は、公布の日（5月24日）から施行された。

(2) 公立学校職員共済組合法の一部を改正する立法（1969年5月30日立法第31号）

この立法は、共済組合が7月1日から発足する予定だったが、それ以前に補正予算でもって、発足のための準備行為を着手する必要があるとして、文教局からも要望して議員発議により制定されたものである。

内容は、附則中の規定の施行期日を変更するだけの改正であるが、条文作成上のミスもあって、立法そのものは意味の不明（矛盾する）なところも生じている。

(3) 教育委員会法の一部を改正する立法（1969年6月30日立法第50号）

この改正は、従来教育委員や教育区事務職員の手当等については、規則の定めるところによると解されていたのが、市町村の議会筋との関係で問題とされたため、明文の規定を設けて解決しようとしたものである。

改正の第一点は、区教委及び中教委の委員の期末手当について支給できるとして明文化したことである。

改正の第二点は、教育区の事務職員に対し、時間外勤務手当、宿日直手当、夜間勤務手当、期末手当及び退職手当を支給できるとして明文化したことである。

これら二点の改正に必要な条文の整備をしたもので、7月1日から施行された。

(4) 就学困難な児童及び生徒に係る就学奨励についての政府の援助に関する立法（1969年7月17日立法第83号）

この立法は、ここ数年来懸案とされていたもので、新規立法である。この立法は、経済的理由によって就学困難な児童及び生徒について学用品を給与する等就学奨励を行なう教育区に対し、政府が必要な援助を与え、もって義務教育の円滑な実施に資することを目的とするものである。

補助の対象となる児童生徒は、要保護者及び準要保護者で、補助の範囲は、学用品については通常必要とするものの価額又は購入費の総額の2分の1で通学費については、教育区が支給する額の2分の1を政府補助とし、修学旅行費については、年1回参加する修学旅行に直接必要な交通費、宿泊費及び見学料で教育区が支給する額の2の1を政府補助とするもので、以上三つの経費が補助の範囲とされ、いずれも教育区の対応費が必要とされる。なお従来の生活保護法に基づく扶助は、そのまま行なわれる。

この立法は、1970年4月1日から施行される。

(5) 沖縄学校安全会法の一部を改正する立法 (1969年7月17日立法第84号)

この改正は、高教組との団交もあって、沖縄学校安全会に政府立各種学校の生徒も加入できるようにしようとするものである。第19条第2項及び第24条を改めて、産業技術学校及び商業実務専門学校の生徒も加入できるようにし、すでに施行規則も改正して（9月19日規則第118号）その掛金の額を定め、公布の日から（7月17日）施行された。

(6) 公立学校職員共済組合法の一部を改正する立法 (1969年9月25日立法第137号)

この立法は、同一会期中に改正された二度目のものである。本法の内容は専門家にも難解なところが多く、この改正についても、そのために詳細に述べることはできない。要点だけをあげるとすれば、第1回の改正に含められなかった急を要する経過措置的な規定と、中教委の委員を共済組合に加入させるための改正である。

第一点の経過措置的な規定は、公務員等共済組合法との関係（第105条の2、第105条の3）、本土の共済組合法との関係（第105条の4）、公務員退職年金法の関係（附則第10条の2、同10条の3）、公庫等役職員に関する経過措置（附則第11条の2）等の規定であるが、特に急を要するものとして、公務員退職年金法の施行の日から公立学校職員共済組合法の施行までに身分の異動のあった年金法適用者に対する共済組合法の適用による救済措置を設ける必要があった。公務員等共済組合法との関係は、新しく同法が1970年7月1日から施行されるために生じたものである。

改正の第二の要点である中教委員を共済組合に加入させることについては、総則第2条に中央教育委員会の委員を列記し、第4章第3節に第5款として第80条の2から第80条の9までの規定を加えたものである。この第5款の規定は、中教委の委員に対する長期給付の特例で、委員を12年以上勤務して退職したときには退職年金を支給するとして、これに関する特例を定めたものである。中教委の委員が非常勤であって給料の支給を受けない者でありながら共済組合に加入することが認められた点は注目すべきである。中教委に係る

改正は1970年7月1日から施行され、条文整理その他の規定は1969年7月1日から遡及適用された。

(7) 公立学校職員共済組合法の長期給付に関する施行法の一部を改正する立法
(1969年9月25日立法第158号)

この改正も専門的で難解だが、大体の要点は、条文整理と上記の改正法と歩調を合わす同法の施行のための改正である。

(8) 社会教育法の一部を改正する立法
(1969年9月30日立法第159号)

この立法は、当初本土法にできるだけ同一にするために大幅の条文整備をするよう成案されたのであったが、政府部局間の調整に手間どって、70年度予算とも関連する範囲で最小限の改正をするよう修正されたものである。

改正点は、立法勧告理由によれば、①地方教育区における社会教育主事の設置を義務づける。②社会教育委員を政府及び連合教育区にも設置できるようにする。③公民館の設置及び運営に関する基準を定めてその振興をはかる。その他にも条文の整備を行ない、もって社会教育行政の円滑な実施を図る必要があるとしている。

これらの重要な施策を実現するために、社会教育主事及び主事補の設置（第11条）、社会教育主事及び主事補の研修（第13条の3）、補助金交付についての社会教育委員の会議への諮問（第17条）、社会教育委員の構成（第19条）、社会教育委員の職務（第20条）、公民館の基準（第23条の2）、公民館の職員の研修（第31条の2）、公民館の補助（第37条）、公民館の事業又は行為の停止（第41条）、公民館類以施設（第42条の2）等の規定の新設又は改正が行なわれたのである。そして施行は公布の日（1969年9月30日）である。

この立法の制定に伴い、中教委においては、文教局の社会教育委員の会議規則、公民館の設置及び運営の基準、公民館に関する補助金交付の規則等の規則をすでに制定している。

なお、社会教育主事について現に置いてない教育区及び社会教育主事補について現に置いてない文教局及び地方教育区にあっては、1972年6月30日までの間は、置かないでもよいように経過規定を設けてある。

1969年12月5日印刷
1969年12月7日発行

　　　文　　教　　時　　報　　(117)
　　　　　　　　非　売　品
発行所　琉球政府文教局総務部調査計画課
印刷所　大同印刷工業株式会社　ＴＥＬ 2-7890　4-1451

文教時報 一一七号（第十九巻 第二号） 一九六九年十一月 琉球政府文教局

文教時報

118

第十九巻（第三号）

琉球政府・文教局総務部調査計画課

1969年度教育関係 10大ニュース

72年返還の日米共同声明発表後共同記者会見する屋良主席（11月22日午前1時）

▲風疹聴覚障害児指導のため来沖した指導団（3月25日）

▼ヘルメット覆面姿の学生デモ

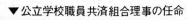

▼公立学校職員共済組合理事の任命

▲定通制教育振興会大会（8月5日）

10大ニュース その2

▲指導要領の改訂について審議中の中教委

▼工業高校への移行が決った産業技術学校

▼集団赤痢の発生で検診を受ける人たち

▼海技試験で優秀な成績をおさめた沖水専攻科

▲那覇阜頭における観迎式であいさつを述べる中央高校ボクシングチームの仲本監督

フォトニュース

▲ 高松宮杯中学校英語弁論大会で優勝・準優勝した百名君（右端）宮里さん（中央）引率の金城教諭

◀ 北農パイロットフォームの落成式であいさつを述べる仲宗根　寛北農校長
（1969. 11. 28）

▶ 局内人事移動の辞令交付式（一九六九年十一月十五日）

<写真ページ>
1969年度教育関係10大ニュース
北農パイロットファーム落成・高松宮杯中学
校英語弁論・優勝・準優勝
1970年度国自費試験・局内人事移動

教材費補助の改正について
　　　　　川平道夫……1
公立学校職員共済組合法の
　施行にあたって〔3〕
　　　　　安村―富村……7
肢体不自由児の教育と問題点(2)
　　　　　小嶺幸五郎……11
1970年度交付税教育費の
　改正点について (2)
　　　　　新城久雄……17
本土研修雑感
　　　　　照屋寛功……25
校長実務研修雑感
　　　　　石川盛良……28
地域農業の方向を示唆する
　北農のパイロットファーム……30
弁論沖縄　中学校英語弁論大会
　でも全国を制覇す……………33
教育関係法令用語シリーズ(11)
　連合教育区
　　　　　祖慶良得……38
1971年度 文教局予算概算要求 ………41
1969年教育関係10大ニュース ………42

文教時報

No. 118　'70/1

表紙………島の夜あけ

教材費補助の改正について（解説）

義務教育課　川　平　道　夫

㈠　はじめに

　文部省は昭和42年度以降10ヵ年間において教材基準総額の70％に相当する額を財政措置すべく「教材基準」を昭和42年8月に設定したが、文教当局としても設備・備品の本土との較差を是正することにより学校教育の向上を推進すべく本土と同一の基準に改め1969年7月1日から「教材基準」を設定実施することになっていますので、1970会計年度以降の教材に要する経費に係る補助金の取扱いについては1969年9月9日付の「公立小・中学校教材費補助金の取扱いについて」の通達文書に基づいて次のとおり処理することとなった。

　なお、この新「教材基準」の設定によって従前までの「教科備品基準」は廃止することとなった。（但し、中学校の技術・家庭科は継続）

　教材費補助金の配分についての規則として「公立義務教育諸学校の教科用備品等の補助金交付に関する規則」が1968年公報第97号に登載されているので参照されたい。

㈡　教材の範囲

　イ　「教材基準」は、小学校、中学校について、学校種別にそれぞれの教育課程を学習指導要領に基づいて実施する際基本的に必要な教材をもとにして、更にそれぞれの学校において実施される学習指導内容の差異による使用教材の選択幅をも考慮して作成されている。

　ロ　基準品目は、各教科を通して使用される「共通」教材と国語、社会、算数（中学校においては数学）、図工（美術）、体育（保健体育）、更に中学校においては家庭、外国語及び進路指導など各教科ごとに使用される教材等に区分して掲げられている。

　ハ　補助金の対象となる教材の品目はおおむね「教材基準」に掲げる品目

によるものとし、その数量は同基準に学校規模の段階ごとに掲げる数量を標準とすることとした。

二　教材の品目はおおむね教材基準に掲げる品目によるということは学校が教材を整備する際、基準に掲げる品目を整備すればほとんど十分と考えられる。しかしながら、教材基準の品目が全琉の学校の個々の需要に完全に合致するものとは必らずしもいえないし、また将来においては新しい教材の出現も予想される。

従って教材基準に掲げる名目と同じ指導内容に使用される教材で、しかもこれが基準に掲げる品目よりも有効かつ効果的な教材であることが明確なものがあれば、その教材についても補助の対象として認めようということである。

ホ　教材の数量は教材基準に掲げる数量を標準とするということは教材費補助の対象としては教材基準に掲げる数量までしか補助しないということではなく、或る程度の幅を予想してその学校の事情によって、例えば或る教科の研究指定校である場合などに当該教科の教材の数量を増すことによって他の未充足教材の数量をへらす場合とか、学校規模が特に大きい場合とか、種々の理由によって若干標準とされている数量をこえた場合においてもこれを許容して補助対象としようということである。

但し、この学校規模の段階ごとに掲げられている基準数量は、例えば小学校の場合6学級から12学級の学校規模の段階での基準数量は12学級がその基準数量を設定する際の学校規模となっているために、11学級、10学級と学級数が少なくなっていくに従って教材の数量も減じていくという操作が必要となってくる。

その操作の具体的な方法としては、1969年9月9日付で送付されている通達文書「公立小・中学校の教材費補助金の取扱いについて」の末尾の別表「規模別補正率」に基準数量を乗ずることによって決めることとなる。

この規模別補正率は基準数量設定規模（小学校の6学級から12学級の規模区分では、その最大である12学級）の基準総額に乗ずるという方式で該当する規模の学校の教材基準総額を補正増減して算出することを主たる目的としている。

ヘ　教材の数量の設定の方法例

① 学校規模のいかんに拘わらず同じ数量程度のものが基礎的に必要なもの……………各種の映写機、ピアノ、放送設備一式など。
② 学級数の多少に比例するもの………………ラジオ受信機、方眼黒板など。
③ 学級数の多少に比例するが、各学年の各学級間および各学年間における同じ教科の授業時間が重複しない限度で共用が可能なもの………………………掛図類。
④ 特別教室の数に応ずるもの………………音楽、図工（美術）、家庭の各教科の教材の一部など。
⑤ 一学級の児童・生徒の数によって差が生ずるもの……………………………デスクオルガン、画架、版画作業板、製図板など。

ト 教材のうち他の法令上又は補助金制度上基準等のある次に掲げる㋐から㋒までの設備ならびに学校に備えるべき教材の基準になじまない次に掲げる㋔から㋕のものについては、これを基準から除外してあるのでこれらについては教材費で購入しないようにすること。

㋐ 理科備品補助金の対象となる設備備品。
㋑ 中学校産業教育備品補助金の対象となる設備・備品。
㋒ 特殊学級備品補助金の対象となる設備・備品。
㋓ 図書基準による学校図書館図書。
㋔ 耐用年数が3年未満のもの。
㋕ 個人用そろばん、計算尺、辞書等児童・生徒の保護者が負担することを相当とするもの。

㈢ 補正係数を採用した理由

教材基準に掲げる基準数量の決め方は前記のとおり各品目について共通ではなく、小規模学校は割り高に、大規模学校は割り安になっているために、「単一の補助単価×学級数」という方式では学校規模に応じた教材費を適正に配分することはできない。

そこで学校規模に応じて均衡かつ適正な教材費を算出配分するためには学校規模別に異なった補助単価を定める必要があるが、それが繁雑となるために、学校規模別に補助単価を算出配分する代りに学級数を補正する方式をとってある。

それを小学校についてみると次のとおりである。

イ 小学校の1学級当り単価〔基準による所要額〕の比較

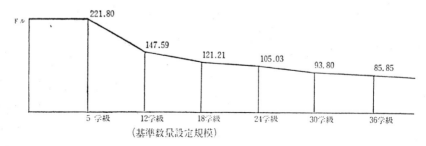

ロ 補正の方法

基準数量設定規模 ㈠	学級当り単価差率(18学級の単価を1) ㈡	補正後の学級数 ㈠×㈡	規模間の補正学級数の差 ㈢	規模間の学級数の差 ㈣	学級一に対する補正後学級数 ㈢÷㈣
5学級	1.83	9.15学級			
			5.37学級	7学級	0.767学級
12 〃	1.21	14.52 〃			
			3.48 〃	6 〃	0.57 〃
18 〃	1.00	18.00 〃			
			2.88 〃	6 〃	0.48 〃
24 〃	0.87	20.88 〃			
			2.52 〃	6 〃	0.42 〃
30 〃	0.78	23.40 〃			
			2.16 〃	6 〃	0.36 〃
36 〃	0.71	25.56 〃			

　この表を利用すると基準数量設定規模以外の例えば5学級と12学級の間にある学校規模の補正後の学級数を算出することができる。

　9学級の規模の学校の場合を例にと

ると、5学級の補正後の学級数が9.15学級であるから、この数に、実学級数の9学級から5学級を差し引いた4学級に「学級一に対する補正後学級数」欄中の0.767を乗じて得た数3.068を加えると12.2が算出される。これが即ち9学級の補正後の学級数となる。

教材費の配分は、このように学級数を補正した後に、単一の補助単価（各年予算の額の多少によって異なる）を乗ずることによりなされることになる。

㈣ 教材基準に価格が表示されない理由。

輸送費、製造数量又は地域あるいはメーカーによって差があること及び価格の変動を考慮していることなどによる。

このことは基準設定後10ヵ年間も「教材基準」を運用することとなるために、価格を表示したのでは、上記理由からしてその運用に支障をきたすこととになるからである。

㈤ 価格差指数について

これは基準に掲げられている教材の品目ごとの平均価格のそれぞれを、例えば200円あるいは500円の如くある一定の数で除して算出した数値であり、教材各品目ごとの価格のウエイト差を表現する指数である。

同基準の場合は、その価格差指数1は大体1.50ドルと想定される。

㈥ 教材用消耗品の市町村交付税による財源措置

「教材基準」から除外されている教材用消耗品についても、基準財政需要額の単位費用積算基礎として考慮されている。

1970年度についてみると（小学校の場合、児童経費の需要費として500ドル（中学校では618ドル）が積算されている。

㈦ 教材整備における留意事項

㋐ 教材の整備充実を行なうに当っては、各学校について教材基準に掲げ

られている各教科ごとの品目および数量の充足状況を調査確認し、不足する教材についてはその必要度、緊急度、使用頻度等を考慮のうえ、年次的に計画され、その充実を図るよう努めていただきたい。

㋑ 教材費補助金により購入した教材については、教材整備台帳を整え、これに数量、購入年月日および購入代金支払年月日、廃棄処分の年月日および数量、その理由等必要な事項を記入し、又これが他の補助金および経費により購入された教材と混同されないようにする等、その維持管理については適正を期していただきたい。

㈥ 教材処分について

㋐ 補助事業により取得した140ドル以上の品目又は放送設備、テレビ受像機、オーバーヘッドプロジェクター、実物幻灯機、映写機、ピアノ、電子オルガンおよび電蓄については、先に送付した「公立小・中学校教材基準」の参考欄に掲げる「耐用年数」以内は処分制限期間とし、その期間を経過してない品目は文教局長の承認を受けないでは処分してはならないとしている。

㋑ なおこれらの教材の処分の承認を受けるに際しては、前記の通達文書の第1号様式によって所管の教育区教育委員会を経由の上申請すべく通達してあります。

㈦ むすび

以上が教材費補助制度のスタートに際して留意していただきたい事がらであるが、これらの他にもまだまだ改善、補足すべき諸点があります。

これらのことについては逐次改められていくこととなりましょうが、本土で着実なスタートをしたこの制度に沖縄も本土復帰の時点では同一化されることが予想されますので、教材の運用については十分なご配慮をしていただきたいと考えます。

なお文教局では、1974年度までに教材基準総額の55パーセント相当まで整備できるよう計画しています。

公立学校職員共済組合法の施行にあたって (3)

組合員となるための手続

公立学校職員共済組合

事務局長　安　村　昌　享
年金課長　富　村　盛　輝

Ⅰ　はじめて組合員となった場合

公立学校職員共済組合法第2条の定義に示されている機関の職員となった者は、その職員となった日から、組合員としての資格者となる。また、組合員が死亡したとき、または退職したときの翌日から組合員の資格がなくなります。このことは、同法の第26条に規定されている。しかし、組合員としての資格ができたとしても、組合員としての手続をし、組合員の認定がなされていないと、前記共済組合法で保障されている長期給付、短期給付の恩典を受けることはできない。共済組合法の第28条に、組合は、この立法で定められている長期給付、短期給付を組合員に対して行なうものとすると記されていることから伺い知ることができる。

2　手続はどのようにするか。

公立学校職員共済組合法施行細則の第92条、第93条、第94条に、初めて組合員となった者は、組合員資格届書、被扶養者申告書、前歴報告書、履歴書の4つの書類を作成して、所属所長、つまり学校であれば学校長、連合区教育委員会事務局、区教育委員会であれば教育長を経由して公立学校職員共済組合の理事長宛に提出しなければならないということが指示されている。所属所長から提出された4つの書類を組合は受理すると、すぐにひとり一人の書類の審査をし、組合員としての資格はどうか、申告された被扶養者は法に規定されている条件にかなうかどうかを調べ、法の規定に適合する者について、組合員原票に記載すると同時に組合員証を作成し、原票は組合に保管し、組合員証は、各所属所長を経由して、組合員に配られることとなる。これまでのことを図示すると次頁の通りである。

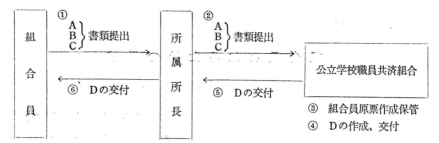

注： A＝組合員資格取得届書、B＝被扶養者申告書、C＝前歴報告書、履歴書
D＝組合員証

3 提出すべき書類の記入に際しての注意

(1) 組合員資格取得届 （様式第12号）

ほとんどの様式に記入上の注意事項が掲載されている。そのなかで、ことに注意して記入すべきことを2、3取り出して記してみると。

ア 恩給等の給付を受けている者は、その欄に必ず記入のこと。年金等を支給する場合は、恩給受給者の場合は、年金と恩給との調整をする必要が生ずるので、前もってその事を知り、恩給局や、関係官公署から必要な証明書等を取りよせておくことは、年金支給事務をスムーズに運ぶことになる。

イ 非常勤職員で、組合員の資格を有するようになった者は、その旨を証明する資料を添付すること。例え ば、任命権者からの辞令は証明資料として適当なものである。

ウ 職名は教諭、助教諭、書記補等と明記のこと。ことに小中学校の併置の場合、又は小学校と幼稚園がいっしょになっている場合は、職名の欄に中校教諭、小校助教諭、幼稚園教諭、とはっきり所属している職種がわかるように明記すること。組合は職種別に、あるいは男女別等に集計されたその実態に基づいて事業計画を作成し、事業を進めていくので、職種の明記は絶対必要条件となる。

(2) 被扶養者申告書（様式第14号）

この書類は、記入すべき事が多い上に、記入に際しての注意事項も多く、ことに申請の理由の欄はやや複雑であるので、記入もれ等の不備が多く発生する。また証明書を必要とする被扶養者もあるので注意を要する。ことに添

付すべき証明書で、不具廃疾、学生生徒の場合、添付もれが多く被扶養者としての資格を備えながら認定の段階でけずられる者が多い。

(3) 前歴報告書 （様式第10号）

記入すべき量は少ないが、恩給法、退職年金条例、共済条例等適用期間ということがわからないために記入にとまどうことがあると思うので例記しておく。

　　勤務先　退職年月日　就職年月日
　　備考
前歴 小学校　0年0月0日　0年0月0日
　　　中学校　0年0月0日　0年0月0日

なお、はじめて就職し、記入すべき前歴のない場合でも前歴なしと前歴報告書に記入の上、必ず組合に提出すること。

(4) 履 歴 書

履歴書は年金の給付額算定に必要なばかりでなく、組合員の資格認定のためにも欠かせないものであるので記入に際しては細心の注意を払うよう心がけるべきである。

　ア　年月日、事項及び発令庁の欄には、任免、転任、停職、昇給、休職等辞令面通り間隙のないように記入すると同時に、給与に関しては、給料表の種別、職務の等級及び号俸、金額の記載に注意する。なお、任免事項の官職については明記のこと。例えば、農業試験場に就職とはせずに、農業試験場作業員を命ず、技手補に命ずるとか、教育委員会に就職とはせずに、教育委員会書記補を命ず、〇〇幼稚園教諭を命ず等と職名をはっきり記入するよう注意すること。

　イ　任命権者の証明印が必要なことは申すまでもないが、履歴書が2枚以上にまたがる時はその間に割印をするようにしてもらいたい。その時の割印は任命権者の公印をもってする。

　ウ　恩給、退職一時金、廃疾一時金等を受けた者はその事項を（金額計算の基礎となった給料額も併わせて）履歴事項の最終に記載するようにする。

　エ　通算辞退によって恩給の支給を受けている者は、その辞退した日に"一身上の都合により退職"と記し、その日から1日後の日に再び発令された形式で履歴事項を記入する。

　　例、1953年3月31日　一身上の都合により退職

　　　　1953年4月2日　〇〇学校教諭を命ず、職務の等級〇〇等級〇〇

号俸〇〇ドルを給する。

　オ　履歴事項加筆訂正の場合は、証明者の押印をなすこと。

　カ　給与改定、その他の特記事項で朱書することとされている個所は赤インク、その他は黒インクでペン書のこと。赤インク、黒インク使用の理由は、特記事項がはっきりし、年金額計算に際しまちがいが起らないようにするため、履歴書の長期保存に耐える、必要に応じて複写が可能である等のためである。

Ⅱ　組合員証配布後の注意事項

1　組合員証の住所及び所属所所在地欄は各自記入（黒インク使用）すること。

2　組合員証の記載事項に変更が生じた場合は、組合員証記載事項変更申告書（運営規則第2号様式）を提出すること。

3　組合員が異動した場合は、次のとおり組合員異動報告書（運営規則第1号様式）及び組合員証を提出すること。

(1)　元の所属所長は組合員異動報告書を理事長へ提出する。

(2)　新しい所属所長は組合員証と組合員異動報告書を理事長へ提出する。

4　組合員証を亡失し若しくは著しく損傷したとき、又は組合員証に余白がなくなったときは、亡失の場合を除き組合員証を添えて組合員証再交付申請書（細則第15号様式）を提出すること。

5　組合員が退職等により資格を喪失した場合は、組合員証を組合に返納させること。

6　組合員資格取得届書、被扶養者認定（取消）申告書、前歴報告書、履歴書の全部又は一部の未提出で組合員証の交付が受けられなかった職員については、早目にその書類の全部又は一部を提出させること。

肢体不自由児の教育と問題点（2）

政府立鏡が丘養護学校

教頭　小嶺　幸五郎

5　肢体不自由児教育における機能訓練

「機能訓練」とは、肢体不自由児の障害の改善や機能の向上、あるいは成長の過程にあらわれる二次変形の防止、残存機能の向上、またとくにCPに見られる言語障害や感覚知覚の異常などについて常に1人1人の障害の実態に即して、必要な訓練を計画的、系統的に施し、日常の起居動作における不自由の克服と生活能力の向上、さらに将来の職業的自立に必要な身体的機能の基礎的能力を身につけさせることを目標としているので、あくまでも児童が不自由な手、腕、足、軀幹を駆使することにより、現に残っている能力、訓練によって得られる能力、代償能力を総合して、もっとも効果的に発揮し、現実の生活に役立つように、不自由を克服する手段を訓練を通じて体得させ、進んでは自己訓練を生活化させることを意図しているのである。

学校における機能訓練は、理学療法、作業療法、言語治療のそれぞれの内容のうち学校の教育活動として行ない得るもので且必要なものを選別して訓練士として総称されるPT、OT、STの職員によって行われるが、何れも校医（専門医）の指示によることは勿論である。機能訓練はただに教科として教育課程に位置づけられているばかりでなく、この教育の教育活動全般を通じて行われなければならない。従ってPT、OT、ST間の密接な連絡提携は勿論、一般教師も子ども1人1人の障害の状態を知悉し、更に家庭ぐるみの協力態勢とチームワークが必要である。

6　学習指導について

肢体不自由児教育は、機能訓練を主要な教科として位置づけ、その障害の改善を図るとともに児童が障害を克服して一般に伍していけるような知識や技能を修得させ、さらに身体的悪条件

から二次的に生じ易い性格や行動のゆがみをたくましい意志と自己統制によってくいとめ望ましい性格や態度、習慣を形成して社会的に適応し自立し得る人間を育成せねばならない。肢体不自由児は医学的、心理学的に正常児と異なる特殊性をもっているが、同時にまた正常児と変るところのない同一の基本的欲求をもち、同じ発達の法則に従って成長する共通性をもっている。そして本質的には正常者と異ならない社会的使命と責務を担っているのである。

　従ってこの教育は基本的には普通教育と異なるものであってはならない。と同時に、不自由児の特性と能力に応じた特殊性がなくてはならないのである。ということは、不自由児の著しい個人差に応ずる教育ということで、それぞれの能力に応じて学習の効果を高め学習したものが、それぞれの分に応じて確実に人生に役立つようにせしめ

（上肢訓練）目と手の関連動作がうまくできないが、訓練を重ねることによってできるようになる。

るとともに、他面、他の個性や特質を伸ばすことである。人間の社会的価値は、知的、身体的側面ばかりではなく、道徳的、宗教的、経済的側面などいろいろある。要はその人が人間として持っているそれぞれの特性や価値を望ましい方向へ伸ばし得たかどうかということでなければならない。

　肢体不自由児は行動に制限をうけることなどから就学前において、とくに外出や同年輩の友だちとの遊びなどを通して得られる諸経験の不足から種々の形の学習を経験していない。従って不自由児が一般的に陥っている経験的背景の貧困に対処するためには経験領

域の量的、質的な充足に特別な配慮が払われなければならない。と共に常に創造や新奇なものへの探究心を有効に刺激して行動に訴えて学習するよう配慮がなされなければならない。

教科学習は単に学力を高めるだけの目標であってはならない。真理や価値を追求し、興味や意欲をいだかせ、意志や忍耐心を養ない問題解決や完成の喜びを味わわせ、安定した心情を培うという意図が、学力を高めること以上の重みで果さなければならない。

これを果すためには1人1人の能力に応じた教材を課し、たえず学習への意欲と緊張を保持させることが大切で課題がやさしすぎても、むずかしすぎても効果は乏しいのである。

7 生活指導について

肢体不自由は、さきに述べたように情緒的、社会的適応が好ましくない。性格的にも問題をもつものが多い。すなわち依存性、情緒不安定、過敏等小児の特徴が多くまた同性愛的妄想的傾向などの徴候が多くみられる。

したがってこの教育においては、常に児童個々の Case Study を怠らず、児童の精神衛生に留意しつつ適切な指導を行ない、児童自らが自分の欠陥や実情をあるがままに受け入れ、自己理解することを援助し、日常生活において、まぬがれることのできない心理的葛藤を最少にくいとめ、最大の自己統制で、克服していけるよう指導することに努力せねばならない。さらに集団活動で、参加と協力の喜びを体得させ、責任と自己統制の必要を学ばせつつ対人関係においてうまく適応する方法を身につけさせるとともに趣味の涵養、余暇の有効な利用、健康と安全を保つ能力を育成する等学校と家庭が一体となり、一貫した計画のもとに意図的、積極的な生活指導を行なうべきである。

8 肢体不自由児と職業教育

この教育の目標を端的にいえば、不自由児が障害にうちかって社会的に適応し、職業的に自立し得るよう育成することであるといえよう。そのためには教育内容が生産的な社会の一員になれるよう職業教育、職業指導をかなりの比重をもってとり入れなければならないことは当然である。職業教育のね

らいは、1人1人の障害の程度や改善の見込み適性や能力をふまえて、将来の社会的自立に必要な知識や技能を身につけさせることは勿論、技術中心のせまい職業教育（戦前の徒弟教育）に偏することなく、労働に耐え得るねばり強い体力、他人と協調することのできる生活態度、職業人として望ましい行動様式、さらに明朗、勤勉、正直など好ましい人間的資質の育成等をあげることができるが、脳性マヒ児が絶対多数を占めるようになった今日の肢体不自由児養護学校において職業教育の前途には大きな壁が横たわっている。

即ち肢体不自由児は、身体的及び教育ニードから職業的ニードへ次第にその重点が移行するのであって、それに応えるものが職業的リハビリテイションである。これは肢体不自由児教育の最終目標ともいうべきもので教育のシステムもこの脳性マヒに焦点をあてて検討せねばならない時期にきている。

学校における職業教育と相俟って特に要請されることは、身障者職能評価の確立、保護授産施設の整備拡充、身障者雇用法による雇用率の引上げ、身障者手当の増額等は政府の責任においてぜひ実現してもらいたいものである。

9　重度障害（重複障害）児の教育と、重症心身障害児の問題

本来どんな重症児でも教育をうける権利がある以上、学校でもこれらの子らを受け入れられる諸条件が整えられていなければならない。

本校の児童生徒のなかにも若干の重度障害児や重複障害児（肢体不自由と精薄を併せもったもの）が収容されているが、肢体不自由児の大部分が脳性マヒで占められるようになった今日、どこの養護学校でもこの傾向はますます強くなるであろうことが推測される。これらの重度障害児は、本校の普通の学級の教科学習についていけないので、特別学級を編成して障害の程度に応じた教育を施さなければならないのであるが、本校の現在の規模では（教職員の増加、教室の増設、介助員の採用等が実現せなければ）実施困難である。

重症心身障害児とは昭和38年厚生省次官通達(3)で、リハビリテイションが

困難な心身の障害があり、家庭内療育はもとより、肢体不自由児施設においても療育することができないと考えられるもの、つまりリハビリテイションの効果の期待できないものが重症心身障害児（重症永患児）ということになっている。しかし脳性マヒのような中枢性の障害はたとえ権威者を網羅した判定機関を設置したとしても単に一時点における諸検値や診断で判定を下すことは危険であるといわれる。早期診断に基づいて始められる長期の医学的教育的管理の中で、継続的観察と詳細な検査を行ないながら判別しなければならないということである。

判定は当然医学的ならびに教育的措置を想定しながら行なわれる以上、どのような重症児でもその症状や個性、能力に即して、必要な時期に、必要な時間、治療なり、教育なりが施されなければならないので多様な教育的措置を必要とする。重症心身障害児施設はこれらの要請にこたえられるものでなければならない。

沖縄では250名の重症心身障害児が登録されているが推定数は350名ということである。これらの障害児は肢体不自由児協会の在宅訪問指導、ホームヘルパーサービス等をうけるだけで施設が皆無の状態である。11月26日には沖縄重症心身障害児を守る会の主催で沖縄重症心身障害児（者）福祉大会が開催され、政府に対し施設の設置を強く訴えることになっている。

10 就学猶予及び免除の問題

就学の義務の猶予や免除は憲法に定められた権利や義務の重要な事項となっているが、本校の本年度の教研委員の調査によると、1969年度の全琉の就学猶予、免除児童数は猶予が442名、免除が18名になっており、そのうち肢体不自由児が猶予52名、免除6名になっている。ところが肢体不自由児協会の登録名簿と照合したところ、前記442名のうち発育不良と判別された257名のなかに14名の肢体不自由児がいることがわかったのである。従って肢体不自由で猶予になった52名にこの14名を加えると実数は66名の肢体不自由による猶予児童がいることになっているのである。尚教研委員の調査によって問題となるべき次の諸項があげられている。

1 養護学校には就学可能な児童が猶予になっているもの

2 親の判断により教育委員会の指

定医でない最寄り医院の診断によって猶予されたもの。

3　区教育委員会止まりで中央教育委員会へ進達されてないもの等があり、就学時の手続きが正確に行われていない事例が見受けられる。就学前の指定専門医の一斉検診と判定委員会の的確な判定がきびしく行われなければならないと思う。それと共にこれら猶予児の就学前の教育が望まれる。大阪肢体不自由児協会のつくし教室はこれらの猶予児、免除児に対し、ＡＤＬ（日常生活動作）を中心とした療育が施され「体を動かすコツ」をおぼえさせ、自らの最も楽な姿勢を考えさせるとともに、子どもたちがのびのびと自由に遊べるプレイルームを設ける等細かい配慮のもとに指導が行なわれているということである。

11　普通学校からの途中下車、

「どうしても学校がいやだといってききません」これは不適応―劣等感―孤独―葛藤―悲観と昂じて行く。

「だんだんに障害がひどくなって通学するのに困難になってきました」これは第二次変形、要、機能訓練のケース。「学校の学習についていけない勉強ぎらいになって机の番をするだけ」これは仮性精薄、等々養護学校の該当児が普通学校に入学した場合（軽症は別として）落伍して本校に転入学を願い出るものが最近多くなってきている。「もっと早く連れてきたらよかったですのに」「こんな学校があるとは知りませんでした」こんなやりとりが子どもを前に両親と養護学校の職員との間でかわされている。

以上肢体不自由児教育の二、三の問題についてふれたが問題があまりにも多く、研究すべきことがあまりにも多く実践すべきことがあまりにも多い。これは肢体不自由児教育に限ったことではないが、資料を集め、文献を読みあさらなければ教育に対する意欲もファイトもビジョンも生れてこない。読んで考え、実践して子どもたちに還元するようにしたい。この教育も究極の目標は、子どもたちを１人前の職業人として育てることである。しかしながら重度の障害児のなかには社会自立の期待出来ない者もいる。だからといってこれらの子を放置することはできない。何らかの期待を期待しながら、奇跡をも信ずる心境に立って教壇に立たなければならない。

1970年度交付税教育費の改正点について(2)

文教局調査計画課　新城久雄

3　小中学校分各補正の概要
　イ　態容補正

　地方教育区の財政需要は、教育区の態容すなわち教育区の都市化の程度によって一般に割高になります。例へば、道路、水道、防火施設等は教育区の都市化が進むにつれてその整備の必要度が高くなり、又その他都市特有の諸施設についても高度化をはかる必要があり、職員の給与費等についても差が生じます。一方、離島へき地の教育区になると一般に旅費、通信運搬費、物件費等が割高につく傾向があります。このように教育区の態容による行政の質及び量の差等により教育区間に当然生ずべき財政需要の差について適用される補正が態容補正と呼ばれます。(交付税法第15条)

　態容補正の適用に当っては、人口、経済構造、宅地平均価格指数等で算定された点数の合計数によって各教育区を1種地から8種地に区分し(市町村に対して交付すべき市町村交付税のうち普通交付税の額の算定に関する規則第9条、1969年11月30日規則第195号)その種地毎に定めた補正係数を用いて補正します。

(1)　1970年度教育区種地一覧

種地	教育区
1	那覇
2	コザ
3	宜野湾、浦添、嘉手納、美里、名護、与那原、具志川、石川、北谷
4	石垣、糸満、平良、読谷、金武、北中城
5	本部、与那城、勝連、南風原、西原、佐敷
6	今帰仁、豊見城、中城、玉城、東風平、国頭、羽地、恩納、大里、久志、知念、大宜味
7	城辺、伊良部、仲里、伊江、竹富、具志頭、(久)具志川、上本部、屋部、宜野座、与那国、屋我地
8	下地、上野、伊是名、伊平屋、南大東、東、渡嘉敷、北大東、多良間、粟国、座間味、渡名喜

(2)　補正係数
　a　小学校

○ 児童数にかかるもの

総　額6,641（100％）

給与費2,548（38.4）

その他4,093（61.6）

種地	給与差の率A	給与費割合B	その他C	B+C	補正係数
1	1.268	0.487		1.103	1.10
2	1.103	0.424	0.616	1.040	1.04
3	1.041	0.400		1.016	1.02
4～8	1.000	0.384		1.000	1.00

○ 学級数にかかるもの

総　額6,459（100％）

給与費2,653（41.1）

その他3,806（58.9）

種地	給与差率A	給与費割合B	その他C	B+C	補正係数
1	1.268	0.521	0.589	1.110	1.11
2	1.103	0.453	〃	1.042	1.04
3	1.041	0.428	〃	1.017	1.02
4～8	1.000	0.411	〃	1.000	1.00

○ 学校数にかかるもの

総　額2,837（100％）

給与費1,274（44.9）

その他1,563（55.1）

種地	給与差割合A	給与費割合B	その他C	B+C	補正係数
1	1.268	0.569		1.120	1.12
2	1.103	0.493	0.551	1.046	1.05
3	1.041	0.467		1.018	1.02
4～8	1.000	0.449		1.000	1.00

b　中学校

○ 生徒数にかかるもの

総　額5,368（100％）

給与費1,290（24.0）

その他4,078（76.0）

種地	給与差率A	給与費割合B	その他C	B+C	補正係数
1	1.268	0.304		1.064	1.06
2	1.103	0.263	0.760	1.023	1.03
3	1.041	0.250		1.010	1.01
4～8	1.000	0.240		1.000	1.00

○ 学級数にかかるもの

総　額6,019.50（10％）

給与費1,379（22.9）

その他4,640.50（77.1）

種地	給与差率A	給与費割合B	その他C	B+C	補正係数
1	1.268	0.290		1.061	1.06
2	1.103	0.253	0.771	1.024	1.02
3	1.041	0.238		1.009	1.01
4～8	1.000	0.229		1.000	1.00

○ 学校数にかかるもの
総　額 3,142 （100％）
給与費 1,274 （40.5）
その他 1,868 （59.5）

種地	給与差率A	給与費割合B	その他C	B＋C	補正係数
1	1.268	0.514		1.109	1.11
2	1.103	0.447	0.595	1.042	1.04
3	1.041	0.422		1.017	1.02
4～8	1.000	0.405		1.000	1.00

㈡　人口急増補正

　小中学校で児童生徒数、学級数、（学校数には適用しない）の増加の著しい教育区においては、標準的な単位費用で算定された基財額だけでは算定が不合理になるので、その増加した分について補正が適用されます。人口急増補正には、内容的に二種類あり人口が増加した分だけ測定単位の数値を割増しする「人口急増補正Ⅰ」と、人口が急増したことに伴ない必要とされる公共施設の整備に要する経費を算入する「人口急増補正Ⅱ」があります。小中学校費については、施設設備が教育区に大きな財政負担となっていること、全般的には児童生徒数が減少傾向にある

こと等を考慮して、児童生徒数の対前年度増加率が1,000をこえるものについてはすべて投資割増し補正を適用しています。1970年度の補正率の算定方法を示せば次のようになります。

A：算出方法
　○小学校児童数にかかるもの
　○標準施設における児童経費一般
　　財源総額　$6,521 ……… a
　○投資的経費にかかる再建設価格
　　の総額（一般財源）$9,423 …… b
　○bのうち標準施設の財政需要額
　　に減価償却費として算入されて
　　いる額（一般財源）$1,084 …… c
　○ $\frac{b-c}{a} \times \frac{5}{10} = 0.64$

以下同様な算式で算出された「人口急増補正Ⅱ」の補正率は次表のとおりになります。

B　人口急増補正Ⅱの補正率

経費別＼学校別	小学校	中学校
児童、生徒	0.64	1.48
学　級	4.53	5.11
学　校	なし	なし

C　人口急増補正係数

人口急増補正Ⅱの係数は次の算式で算出されます。（規則第10条）

人口急増補正係数＝$\left(\dfrac{1969.5.1現在児童、生徒数}{1968.5.1現在児童、生徒数}-1,000\right)$×人口急増補正Ⅱの補正率＋1,000

ハ　態容補正と人口急増補正の適用

小中学校の態容補正及び人口急増補正を適用した補正後の数値の算出は次のようになります。

a　小学校

　　児童数＝実数×態容補正係数×人口急増補正係数

　　学級数＝実数×態容補正係数×人口急増補正係数

　　学校数＝実数×態容補正係数

表

区分	種地	態容係数	人口急増補正係数（算出）
児童数	1	1.10	$\left(\dfrac{1969.5.1児童数}{1968.5.1児童数}-1.000\right)$ ×0.64＋1.000
	2	1.04	
	3	1.02	
	4〜8	1.00	
学級数	1	1.11	$\left(\dfrac{1969.5.1児童数}{1968.5.1児童数}-1.000\right)$ ×4.53＋1.000
	2	1.04	
	3	1.02	
	4〜8	1.00	
学校数	1	1.12	なし
	2	1.03	
	3	1.02	
	4〜8	1.00	

b　中学校

生徒数＝実数×態補係数×人急係数

学級数＝実数×　〃　×　〃

学級数＝実数×　〃　　ー

区分	種地	態容係数	人口急増補正係数
生徒数	1	1.06	$\left(\dfrac{1969.5.1生徒数}{1968.5.1生徒数}-1.000\right)$ ×1.48＋1.000
	2	1.03	
	3	1.01	
	4〜8	1.00	
学級数	1	1.06	$\left(\dfrac{1969.5.1生徒数}{1968.5.1生徒数}-1.000\right)$ ×3.11＋1.000
	2	1.02	
	3	1.01	
	4〜8	1.00	
学校数	1	1.11	なし
	2	1.04	
	3	1.02	
	4〜8	1.00	

c　算出の実例（小学校児童数）

○教育区：　浦添教育区

○種　地：　3種地

○態容補正係数　1.02……………a

○人口急増補正係数は、

　1969.5.1児童数　　5,173人……b

　1968.5.1児童数　　5,101人……c

　$\dfrac{b}{c}$ －1.00＝0.014……………D

　D×0.64＋1.000＝1.009………E

○　児童数（補正後数値）の算出は
　　b×a×E＝5,323人

○　児童数にかかる基財額は
　　8.20×5,323人＝43,649ドル

4 その他の教育費分各補正の概要

その他の教育費は、教育委員会、社会教育、幼稚園教育、保健体育に関する経費項目から成っています。これ等の教育費に適用される測定単位はいずれも人口になりますが、経費の算出は次のような方式で算出されます。

　　その他の教育費＝単位費用×（人口段階補正係数×態容補正係数×幼稚園密度補正係数）

イ　人口段階補正

その団体の行政に要する経費は、通常他の条件が等しければその団体の規模によって割安割高になります。例へば、各教育区の教育委員はその教育区の人口の多少を問わず5人ずつ置かれていますが、当該教育区の人口1人当り経費は標準規模（人口3万）を基準にして、それ以上の教育区では割安に、それ以下の教育区では割高になります。このように人口の増減によって生ずる経費差を基財額に反映させるために行なう補正が人口段階補正になります。

この段階補正の基本的な考え方を標準団体（人口3万）以上の団体についてごくおゝまかに述べると

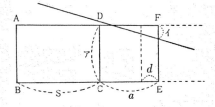

○BC（＝S）＝標準団体（人口3万）
○CD（＝ア）＝単位費用（現年度＄1.56）
○S×ア（ABCD）＝標準団体基財額

○標準団体（＝S）より人口がaだけ増加した団体において人口1人当り経費がイだけ安くなったとするとこの場合の基準財政需要額は（S＋a）×（ア－イ）となる。

○ところがこの算式では各教育区毎に単位費用を作成することになり算出が極めて複雑になるので、別の角度から単位当り経費が割安となる分だけ人口を割落すこととしその割落し率をdとすると、a段階における基財額＝（S＋a×d）×アとなる。

○従って（S×a）（ア－イ）＝（S＋d）×アで、これからd＝$\frac{a×ア－(S＋a)×イ}{a×ア}$となります。

このような考え方に立って各段階毎の補正率が測定されます。

1970年度の人口段階

人口	区　　分	補正率
三万人以上	人口30,000人	1.00
	30,000～60,000	0.74
	60,000～120,000	0.72
	120,000～以上	0.70
三万人以下	その団体の数値	1.00
	30,000人に満たない数7,500人	0.13
	7,500～15,000人	0.16
	15,000～22,500	0.25
	22,500～以上	0.11

〇人口段階補正係数の求め方

　実例Ⅰ　（人口3万以上）

那覇教育区……実人口257,177

人口段階　　　算　出

30,000まで　　30,000×1.00＝30,000

3万～6万　　30,000×0.74＝22,200

6万～12万　　60,000×0.72＝43,200

12万～以上　137,177×0.70＝96,024

段階補正人口→　計191,422

人口段階補正係数＝$\frac{段階補正人口}{実人口}$

＝$\frac{191,422}{257,177}$＝0.744

実例Ⅱ　（人口3万以下）

北大東教育区　実人口　962人

人口段階　　　算　出

その団体の数値　962×1.00＝962

7,500人まで　　7,500×0.13＝975

7,500～15,000　7,500×0.16＝1,200

15,000～22,500　7,500×0.25＝1,875

22,500～以上　6,538×0.11＝72

段階補正人口…計　　5,084人

人口段階補正係数……5,285

ロ　態容補正（その他の教育分）

　総　額　46,742（100％）

　給与費　23,443（50.2）

　その他　23,299（49.8）

種地	給与差 A	給割合 B	その他 C	B＋C	補正係数
1	1.268	0.637		1.135	1.14
2	1.103	0.554	0.498	1.052	1.05
3	1.041	0.323		1.021	1.02
4～8	1.000	0.502		1.000	1.00

ハ　幼稚園密度補正（規則第8条）

幼稚園経費の算定については、従来人口3万に対し2園8学級、園児数320人の標準規模で測定され、全琉教育区一りつに配分されています。とごろが、公立幼稚園設置教育区は全琉59教育区のうち現在27教育区で、しかも

これ等の幼稚園設置教育区における園児数は算定の基礎となる標準園児数320人を超えるものもあれば、それ以下のものもあり、従って経費に多額の差が生じます。これは次表段階補正率算出の基礎となる各段階毎の経費をみても十分理解できます。

（地方課資料）

園児数 A	密度 B	理論所要額 C A×21.89375	単位費用による算入額 D	単位費用差 C－D E	E×$\frac{10}{100}$ $\frac{70}{100}$ F	F＋46.742 G	単位当り費用 H($)	I H－1.56($)
80	375	1.752		△5.254	△ 525	46.219	1.54	0.02
150	200	3.284		△3.722	△ 372	46.370	1.55	0.01
240	125	5.255		△1.751	△ 175	46.567	1.55	0.01
320	94	7.006	7.006	0	0	46.748	1.56	－
400	75	8.758		1.752	1.226	47.968	1.60	0.04
600	50	13.136		6.130	4.291	51.033	1.70	0.14
750	40	16.420		9.414	6.590	53.332	1.78	0.22
1,000	30	21.894		14.888	10.422	57.164	1.91	0.35
1,500	20	32.841		25.835	18.329	65.071	2.17	0.61

※………線は標準規模（2園8学級、園児数320人）

※　B＝$\frac{A}{30,000人}$。Cの21.89375は園児1人当り経費。Fの$\frac{10}{100}$は標準以下、$\frac{70}{100}$は標準以上　Gの46,748はその他の教育費基財総額、H＝G130,000人・I＝単位費用の差

このように園児数に伴なう経費差を基財額に反映させるために幼稚園密度補正が行なわれます。

公立幼稚園未設置教育区は事実上経費は皆無であるべきですが、幼稚園振興を促進するために幼稚園密度補正係数を0.98とし、今後の公立幼稚園設置を保障しています。未設置教育区はその点十分理解され幼稚園振興に努力していただきたい。尚未設置教育区で、幼稚園密度補正係数が、従来の1.00から0.98になったために補正人口算出に影響し、現年度の補正人口が前年度より減少する教育区も二、三ありますが、その他の教育費の単位費用は、この点も考慮し前年度に比較しかなり増

額されていますので、総基財額が減少することはありません。

(1) 密度補正

前表の基礎に立って定めた各段階毎の補正率が次の表になります。

密度	区 分	率
94以上	94	1.00
	94〜125	0.97
	125〜200	1.00
	200	0.98
94未満	その団体の密度	1.00
	94に満たない数が19まで	0.10
	19〜44	0.10
	44〜34	0.12
	34〜64	0.11
	64〜以上	0.11

(2) 密度補正係数の求め方

　実例‥　那覇教育区

```
実人口    257,177人     a
園児数      5,606人     b
密　度         46       a
                        b
その団体の密度  46×1.00＝46
19まで       19×0.10＝1.9
19〜44       25×0.10＝2.5
44〜54        2×0.12＝0.24
                  計 50.64
```

密度補正係数 $\frac{50.64}{46}=1.101$

（※公立幼稚園未設置教育区は0.98）

二　その他の教育に関する

(1) 補正人口の求め方

補正人口＝実人口×人口段階補正係数×態容補正係数×幼稚園密度補正係数

(2) 基財額の求め方

基財額＝単位費用×補正人口

(3) 実例：

○コザ教育区

```
○実人口          55,923        a
○段階補正係数      0.879        b
○態容補正係数      1.05（2種地） c
○密度補正係数      1.111        d
```
○補正人口＝a×b×c×d＝57,343人
○その他の教育費基財額＝1.56ドル
　×57,343＝89,455ドル

以上、1970年度の交付税教育費の新設項目並びに各補正について略述しましたが、各教育区におかれてはこれらの改正点についての趣旨を十分に理解され、教育予算編成に当っても各経費項目についての標準的、むしろこれ以上の水準が維持できるよう努力され、地方教育行政の向上に寄与していただきたい。この資料が地方教育行政の円滑な運営の一助となれば幸いである。尚各補正については、1969年11月30日「公報（号外）第112号、市町村に対して交付すべき市町村交付税のうち普通交付税の額の算定に関する規則（規則第195号）」を参照されたい。

本 土 研 修 雑 感

那覇教育区立　安岡中学校

校　長　照　屋　寛　功

（配属校　静岡県富士市立富士中学校）

　1969年10月1日より2ケ月間、第5回内地派遣沖縄研究教員（学校長）として富士中学校に配属になり、研修する機会に恵まれ短期間ではあったが、本土の教育の状況を直接見聞し肌で感じとった。私は幼い頃から富士山が好きで、いつか富士の毎日眺められる土地に住んでみたいというその夢がほんとうに実現し、その雄姿を間近かにいつも望みつつ、富士の姿の中に真の日本の姿をみつけだし、また真の日本教育の進むべき方向をじっくり考え、そしてまた復帰を目前にひかえた沖縄の教育をどう推し進めたらよいかを考えつつ、2ケ月をすごした。ここにわたしのつたないメモの中から雑感を記してみたい。

富士に学ぶ富士中の子ら

　〃富士に学べ、高く強く清く〃を校訓とする富士中の子らは、ほんとうに美しく清く強く育っているという感を深くした。いつみても、きちんとした中学生らしい身なり、はきはきした応答ぶり、彼等の生活態度、朝会や全体集会における輝くあの真剣なまなざし、実に好感がもてる。また廊下などで会っても自然の姿の中に交わすあいさつや会釈、わたしは純真な素直な子どもたちの姿を、はっきりとその中に見つける。整えられた学校環境や家庭環境がそうさせたのであろうか。環境は人をつくるということばを改めてかみしめてみた。いつみても、どこからみても富士の山は美しい。が、そこに住んでいる子どもたちの心も姿もまた一段と美しい。富士中の子らよ。さらにさらに富士に学べ。

改めて富士を見なおしたあの子

　わたしは、機会あるごとに富士のすばらしさを強調し、君達こそ日本一の幸わせ者だといった。帰郷2日前、2年1組のM子さんとS君は、こんな手紙を「帰りの飛行機の中で読んで。」とソッと渡してくれた。

○先生の夢は、富士山の近くに住んでみたいというお話でしたね。日頃見なれた富士山に対して、私は今まで一度もこんなことを思ったことがありません。先生のお話を聞いて富士山を改めて仰ぎ、富士に生まれた幸福感を味わいました。この誇り高き富士山をこれから大事にして行きたいと思います。

○私たちは、今までそれとなしに富士山を見ていましたが、沖縄の校長先生のおかげで、日本一の富士山を心の底から味わうようになりました。これからも、富士山のふもとの富士中のことは忘れないでください。

近頃わたしは、富士山をじっと見ていると、それは私たち人間の喜怒哀楽を示していると思います。いつまでも富士山のような美しい心をもった校長先生でいてください。

「やるべきことをやったまで。」の話だが

（その１）　生徒会長副会長選挙風景
Ⓐ「立候補者が多すぎて困っています。しかたがないので役員会で調整して人数をしぼりました。」とは生徒会係のＢ先生の話。

Ⓑ白いたすきに自分の名前を書いて、「よろしくお願いします。」「清き一票をぜひ私に。」とは登校時の校門前での投票を２、３日にひかえた日の選挙運動風景（Ｆ中校）

Ⓒおとな顔負けの立候補あいさつの舌戦をくりひろげる立合演説会風景。或候補はつい壇上よりおりてきて、聴衆の中に入りぜひ清き一票を、との熱の入れ方だった。

（その２）

或る日の放課後、軽快なメロディーが放送されると、いつものとおり軽装した男女生徒の群れが運動場に集まる。やがて「青い山脈」の曲にかわると１年生から３年生までクラス単位で男女組んでフォークダンスがはじまる。どの子の顔も楽しそうにおどっている。恥かしがる者ひとりもいない。勿論手をとらぬ者などひとりもいない。周囲をみると、先生方は週番の先生がひとり指揮台の側に立っている。残りの先生方は職員室で何か打合わせをしておられる。ごく自然の中に行なわれているこの姿に、改めて感心している自分自身がはずかしくなり、また情けなく思った。

或る日突然

質問「先生、沖縄の中学生は教科書はどんなものを使っていますか。」
「英語の時間は多いでしょうね。」
「クラブ活動もありますか。」「どんな遊びをしていますか。」………
答「みんな君達と全く同じなんですよ。」に、今まで目を輝かしていたのが、とたんにがっかりした表情。そのようすを見てわたしもまた、がっかりした。

生徒指導ということは

生徒指導とは、生徒と学級担任とのパイプを大きくして接触を密にし人間関係をつくることにある。
このことを富士市の或校長は「教育はふれ合いである。」といった。また「生徒指導は生徒の悩みに答えてやることだ。」ともいった。またこんなこともいった。生徒指導ということも結局は教師論につきる。「生徒は先生の言うとおりには、必ずしもしない。先生のするとおりにする。」と。
わたしは、このことばを深く心に銘じたい。

忘れ得ぬことば

陣頭指揮ということばがある。校長は自分が率先してやろうと思えば、やれるのだが経営者としての校長は組織をうまく生かしてさせることだ。
あせって自分でやってしまってはならない。陣頭指揮ということは、自分が直接やるのでなしに、しっかりと方向を指示してやることである。

こんな学校でありたい

（或学校の経営書の中から）
学校を有名にすることは誰にでもできるが、ひとりひとりの子どもを育てることは骨の折れることである。
私は、特色はなくともよいから、欠点のない学校、調和のとれた学校、それが理想的な学校だと考えている。そういう学校が、ひとりひとりを育てるからである。
私は、こんな学校だったらと願っている。1 毎日の日課が計画どおり実施され変更のない学校。
　2 生徒どおし、生徒と職員、職員どおし和やかなあいさつがかわされる学校。
　3 運動場も校舎もキチンとしていて、どこの隅にも無用なものがなく、学園に花が咲いている学校。
　4 図書室が職員や生徒でいっぱいになる学校。
　5 クラブ活動が、活発な学校。
（1969年12月2日）

校長実務研修雑感

那覇教育区立神森小学校長　石　川　盛　栄

（配属校　神奈川県横浜市立稲荷台小学校）

　私は二か月間、横浜市立稲荷台小学校で校長実務研修をしてきた者でありますが、先ず最初に、「行かしてもらったこと」を感謝するものであります。研修テーマとしては「学校経営全般に関する諸問題」でしたが、行ってみて、配属校稲荷台小学校は実にすばらしい学校であることがわかりました。学校経営、学年経営、学級経営で遠近に名高い学校でした。校長先生が実に学問の深い方で、つい先頃ヨーロッパの視察旅行から帰任されたばかりだということでしたが、学校経営、学年経営、学級経営についての深い研究と豊富な体験、すばらしい実績をもっておられる方でありました。

　もちろん、その人間性豊かな人格や人柄というものが、基盤となって校内職員や校外ＰＴＡその他との暖い人間関係もじゅうぶんできたと思いますが、すべて学校運営は主体性を軸にした教師集団の分業と協業による効率化を強調しておられました。

　従ってすばらしく上ったその実績のために遠近から参観や視察研修の方々が絶えませんでした。

　私はこういうすばらしい学校に配属されて研修したのでありましたが、如何せん、私の才能のなさと学の浅いために、充分に学び取ることが出来なかったことを残念に思うものであります。

　しかしながら、稲荷台小学校を中心として、横浜市や神奈川県の教育の実態を或る程度、この目で見、この耳で聞き、この肌で感ずることができたと思っているのです。

　「それをここに示せ」といわれるとこまるのですが、今すぐ「これを見よ」と示すことはできないにしても、或いはまた、ことばや形で表わすことができないにしても、私は私なりに或る何物かを感じとって来たと自分では思っているのであります。

　二か月の研修、決して無駄ではなかったどころか、祖国復帰の見通しがはっきりしたこの時にあたり、大きなプラスになったとさえ思われて、厚く感

謝するものであります。

　研修内容の具体的報告は別の方法で別の機会になされることになっていますので、ここでは省略いたしますが、この報告書以外の観光や見学、見物、視察等についても、研修内容におとらず高く評価したいと思います。

　すなわち、六年生修学旅行に参加して日光に行ったことや、或いはPTAや学校その他の方々の世話によって鎌倉名所旧跡まわりや三浦半島めぐり、熱海箱根観光等、その他学校行事、体育行事見学等実にすばらしく有意義なものがありました。

　日本のよさを見、日本の色を味わい、日本のなつかしさを感じ、楽しみ、体験いたしました。

　それにまた、時には沖縄をぬけだして外部から沖縄をながめなおしてみることも必要だと思いますし、沖縄をはなれて沖縄を考えることも必要だと思うのです。つまり客観して大きい立場高い場所から沖縄をみることも必要だと思うのです。
そうすることによって、平素沖縄にいては気付かなかったことや、感じなかったことを気付いたり感じたりするものだということがよくわかりました。

　それで、ほんとに「行ってよかった」と思ったのであります。

　そこで、文教局や本土政府にお願いしたいことは、研究教員の制度をもっと、もっと拡充継続してくださいまして、多くの校長、教頭、教員が本土研修の機会にめぐまれますよう強く希望する次第であります。

　それからもう一つ感激し、たのもしく思いましたことは、あの大東京の中で沖縄出身の校長が14名、教頭が19名、そのほか先生方多数が一生けんめい活躍しておられるということであります。よくまあああれだけの実績を上げられたものだと感心いたしました。いろいろ苦労なさったことだと思いますが、実力によって、よくもあんなにきずきあげられたものだと頭のさがる思いがしました。

　そのほかすでに職をやめられた先輩方もいっしょになって、私たち15名の校長実務研修生のために歓迎会や交歓会をしてくださったことをたいへんうれしく思い、また感謝するものであります。

　以上、雑感として粗雑な文を書きましたが、舌足らずで不得要領で申しわけありませんが「行かしてもらったこと」に対する感謝の意味で書いたものです。

地域農業の方向を示唆する
北農のパイロットファーム

　去る11月28日名護段丘上は羽地村寄合原の農場で北部農林高校パイロットファームの落成式が挙行された。このパイロット農場は日政援助により総工費13万弗余をかけて設置されたものであるが、沖縄では中部農林高校（1967年9月設置）についで二番目のものであり、1970会計年度中には八重山農林高校にも設置される予定になっている。

　式典におけるあいさつの中で仲宗根寛校長は、近代化の進む世界の農業の趨勢、間近に控えた本土復帰という情勢の中で地域農業の方向を示唆する役割を背負ったパイロットファームの意義を強調し、また生徒代表の山城君は冷たい北風の吹く中で、「この北風の如く沖縄の農業は非常にきびしい条件の下にあるが、我々若人はその北風に向ってすすむ覚悟である」と力強く決意を述べた。

　ちなみにここで沖縄農業のおかれている地位を、国民所得の産業別構成比と産業別就業者の構成比とによってみると次表のとおりである。（1968年）

	就業者（％）	国民所得（％）
第一次産業	31.8	10.8
第二 〃	17.5	19.1
第三 〃	50.7	70.1

表で明らかなように第一次産業の所得格差が非常に大きく、しかもこの傾向

は年々鋏状格差として開きつつある。

かくして「……農業就業人口は引き続き減少傾向をたどり、前年度の13万1千人から12万7千人と4千人（3.1％）の減少を示した。その減少の殆んどが20〜39才階層の基幹労働力で、同年令階層の11.4％減少したのが特徴である。つぎに新規学卒者の就農の動向をみると、1963年度は、1,869人であったのが年々減少し、1968年度においては、882人となり著しい減少傾向を示している。後略」（企画局：沖縄経済の現状1968年度より）

このようなきびしい状勢の下で沖縄農業の活路を切り開く使命をになうパイロットファームとはどういう性格をもちどのようにして近代的な農業自営者を養成しようとするのか。北農のパイロットファーム運営計画によってその概要をみることにしよう。

○ パイロットファームの性格

パイロット農場の性格は次の三点に要約されている。
(1) 地域農業の方向を示唆するような農場であること
(2) 農業の方法、技術が合理的、近代的で地域農業に応用できること
(3) 農場環境がよく、農場全体が魅力あること

要するにパイロットファームは沖縄農業の近代化を強く指向していることがその基本的な性格といえよう。

（生徒代表山城君のあいさつ）

○ 北農パイロットファームの目標

近代的な農業自営者を養成するための具体的な目標として北部農林高校では次の10項目の目標を設定している。
(1)山地を利用した肉牛飼養のあり方
(2)草地造成の方法と有用草種の開発
(3)採草地の合理的経営と飼料の貯蔵
(4)肉牛をとり入れた甘蔗作・パイン作のあり方
(5)飼料の自給率を高めるための養豚のあり方

(6)大型農業機械に即した作物栽培のあり方(キビ・パイン・飼料作物)
(7)山地を利用した甘きつ栽培
(8)山地を利用した熱帯果樹の開発
(9)畑地灌漑のあり方(キビ・飼料作物・果樹)
(10)防風林(植樹)並びに土壌保全のあり方

○ 実 習 計 画

これらの目標達成のためのパイロットファームにおける訓練計画をみると(A)生徒対象の実習が、(1)教科内実習、(2)時間内総合実習、(3)宿泊管理実習、(4)宿泊集中実習、(5)専攻実習、(6)休暇管理実習の6計画、(B)生徒以外の研修として(1)卒業生技術研修、(2)父兄研修の2計画、合計8つの利用計画が樹てられていて施設のもつ機能をあらゆる角度から最大限に利用しようと努めている。

○ 施　　　設

前述の実習や研修が行なわれる施設で今度新設されたものは、学校内に土肥、農機実習室（244m^2）、製図・土木実習室（285m^2）、食品化学実験室（164m^2）の三施設、寄合原農場に生徒宿泊実習室（337m^2）、豚舎（164m^2）、牛舎（170m^2）の三施設であるが、更に作物園芸実習室や畜産実験室、鶏舎等の施設が未設置で今後の充足が期待されている。

弁論沖縄　中学校英語弁論大会でも

全国を制覇す

指導課　主事　中　村　洋　一

　高松宮杯第21回全日本中学校英語弁論大会（1969.11.13～15）で首里中学校3年生の百名克文君が第1位、松島中学校3年生の宮里玲子さんが第2位を獲得した。一県で1位および2位を一度に獲得するということはまさに稀有なことであり、沖縄の名誉、誇りでありまことに喜びにたえない。

　高松宮杯全日本中学校英語弁論大会は毎年読売新聞、ザ・ヨミウリ、日本学生協会の主催で東京の読売ホールで開かれ、その目的は「将来国際社会の一員として日本を背負う若い人に英語を熟達せしめるとともに広くその普及を図り、世界文化の発展ならびに国際親善に寄与すること」にある。

　この大会は、まず県単位で県大会が開かれ3位までの入賞者を決定し、その入賞者149名が全国1万2千余の中学校を代表して中央大会に参加する。中央大会では関東地区（25名）、北部日本地区（41名）、中部日本地区（38名）、南部日本地区（45名）の4部に分かれて予選決勝大会が開かれ、その中25名が最終の決勝大会で覇を競うものである。

　今回は百名君と宮里さんが、一昨年の真和志中校の長浜須和子さんについでこの難関を見事突破して沖縄に栄誉をもたらしてくれ、直接沖縄県大会を毎年主催している沖縄中学校英語教育会をはじめ関係団体は今後の英語教育の発展に大きく寄与するものであるとたいへん喜んでいる。

　次は百名君と宮里さんの入賞英語弁論の原稿である。

高松宮杯第21回全日本中学校英語弁論大会

首里中学校　　百　名　克　文

HOW TO MEET THE PRESENT PROBLEM IN OKINAWA

Honorable judges, ladies and gentlemen, and fellow students

It has been more than twenty years since Okinawa was separated from Japan and put under the control of the United States. Because of this long separation, our living conditions in Okinawa have changed from those of people on mainland Japan.

Nowadays, almost all of the Okinawan people believe that Okinawa should be returned to Japan. There have been many political activities for immediate reversion throughout my country. In the midst of the reversion movement, Okinawan people are wondering how they are going to deal with the many problems which have been caused by living in an environment different from that of Japan. Today Okinawa is said to be far behind Japan in every field.

Let us see why Okinawa has not developed as Japan has. One of the reasons for getting behind may be the Okinawans' mental attitude toward nature. They do not appear to have enough courage to conquer nature. As you know, every year we have typhoons which do great damage to our crops. In addition, Okinawa is a small island and our natural resources are scarce. Because of these reasons the Okinawan people tend to give up making an effort to develop their own country.

Japan's natural resources are also scarce. I have heard there are some regions covered with snow for six months a year on the mainland of Japan. But the Japanese people have overcome their unfavourable conditions and have developed an economy which has the second largest gross national product in the world.

Another example of man overcoming the difficulties of nature was the experience of the famous German missionary named Dr. Albert Schweitzer. Dr. Schweitzer went to Africa, where at that time the land was undeveloped and uncultivated. Because he wanted to improve the life of the African natives, he cultivated jungle areas, and built a hospital. In this way he showed the African natives the great advantages of civilization. In the present situation of Okinawa, I think what we need is some of Dr. Schweitzer's courage and his inflexible spirit.

I learned in my Okinawan History course at school that our ancestors achieved a brilliant record in the field of foreign trade. By successfully trading with many foreign countries, they developed their country into a highly prosperous society.

Nowadays, however, Okinawan people appear to have lost their ancestor's pioneer spirit. As a result, in this modern age, our culture has declined. I think we should remember our ancestor's pioneer spirit and Dr. Schweitzer's courage. We also have to learn a lot from the Japanese people who have successfully developed their country.

Today the world is making rapid progress. We have no time to hesitate. We should not shrink from others. We should do what we can as young students. Our attitude and actions will greatly influence the future of our country.

I have a firm belief that our country can develop and prosper when, we, the young people exercise our pioneer spirit and constantly apply modern knowledge.

My friends, we are young. We can overcome any difficulties that are ahead of us. Let us do our best. And let us look foward to the day when Okinawa is returned to Japan without any difficulty.

Thank you.

松島中学校　宮　里　玲　子

OSESS

Two years ago, Miss Suwako Nagahama, a girl from Mawashi Middle School, Naha, Okinawa, brought a great surprise to all the people of Okinawa. She won the first prize in the 19th Contest in Tokyo, thus bringing the Prince Takamatsu Trophy to Okinawa.

This will be a great monument to English education in Okinawa. English teachers were so deeply moved that they are trying to follow Miss Nagahama's splendid example. A society was formed in memory of her winning the Trophy, and called the Okinawa Students English Speaking Society, or OSESS in short.

In the society, there are about thirty students from various schools in Naha. Some of these students have taken part in this oratorical contest before. Some English teachers and American volunteers train us every Sunday.

We have some hard training programs and some interesting ones, such as singing English songs, making speeches, going on picnics and visiting American schools and homes. We are not supposed to speak any Japanese during these activities. Indeed, it's great fun ! We sometimes feel as though we were in a foreign country.

Now, some of the members can speak English fluently for hours without saying a word in Japanese. They were poor speakers of English a few years ago.

I've heard some people say, "The students who participate in the contest cannot carry on an English conversation or make speeches by themselves. They only memorize speeches written by their teachers, and imitate native speakers' pronunciation. The contest is nothing but repetition, a parrot contest."

By saying this, they are showing their ignorance of how to learn a foreign language.

We Japanese always speak Japanese and we think in Japanese. Since English is very different from Japanese, we find it very difficult. To overcome this, we must take every opportunity to hear, imitate and repeat native speakers' pronunciation. None of us can expect to be good English speakers without making this effort.

We must memorize short stories and written speeches as well as imitate native speakers' pronunciation in order to improve. We do this in OSESS.

We must remember that the English oratorical contest we have here planted the seed which grew into OSESS and is the mother of our society. I sincerely hope this contest will inspire many others to form societies like ours all over Japan. This will help future Japanese speak English more fluently and contribute to world peace through better understanding.

Thank you.

<教育関係法令用語シリーズ>(11)

連 合 教 育 区

総務課 法規係長 祖 慶 良 得

1 沿 革

　教育委員会法(以下「法」という。)は、地方の教育事務を処理するための特別の公共団体として教育区及び連合教育区を設定して、これに法人格を与えている。現在の連合教育区(以下連合区と略称)は、数区ないし十数区の教育区を構成教育区として全琉を6連合区の区域に分けられている。これは、1961年に中央教育委員会の助言に基づき、同年4月の第86回臨時中央教育委員会において一括認可され統合したもので、その統合のために「連合教育区統合に関する臨時措置法」が制定されてその円滑な実施が図られた。統合以前の連合区は14もあったのであるが、これは1957年の布令第165号による連合区をほとんどそのまま受け継いだ制度であった。

　布令第163号は、一層効果的な運営のため、中央委員会の認可を得て、「2以上の市町村教育区が連合して1教育区を構成することができる」と謳っていた。同布令の連合区はまた、1957年2月までの布令第66号による高等学校を設置するための法人である高等学校連合区と「教育の一層有効な指導と管理を図る目的をもって」つくられる連合区が一つにされた制度であった。

2 設 置

　連合区の設置及び解散については、任意にできるように規定している。「教育区は、教育の指導と管理を一層有効にし、教育の事務を能率的に処理し、及び高等学校その他の学校を設置するため、その協議により規約を定め、中央委員会の認可を得て、連合区を設置することができる」(法第73条)。そして解散するときは、関係教育区の協議により、中教委の認可を受ければよい(法第76条)。

　法第73条による連合区設置の目的は、「教育の指導と管理を一層有効にし、教育の事務を能率的に処理し」というのと「高等学校その他の学校を設置するため」というのと二つの目的からなっており、布令66号で別々の連合区をつくるための目的だったのが「及び」でつながれたようになっている。この二つの

目的は、現在の連合区がどうなっているかは別として、「又は」ではないから、いずれかの択一的にではなく、同時に二つの目的が充足されるべき必要条件でもあると思われる。立法当初は、高等学校を連合区立にしていたので「……教育の事務を能率的に処理し」という目的も附随的に充されるものであった。ところが、連合区が高等学校その他の学校を設置していない現在においては、附随的であったかもしれないこの目的が逆に主目的とならざるを得なくなっている。したがって、「教育の指導と管理を一層有効に」するために連合区が何をすべきかということが重要になってくる。指導主事の共同設置、予算の編成、人事選考等一応は事務の範囲として考えられるが、これを明確にするためには、規約でもって事務の範囲を定めなければならない。

規約による必要記載事項は、①連合区の名称、②連合区を組織する教育区、③連合区の共同処理する事務、④連合区の事務局の位置、⑤連合区の経費の支弁の方法の五つとなっている。（法第74条）

3 連合区の機関及び職員

連合区の行政庁として有効に意思決定できる最高の機関は連合教育区教育委員会（以下連合区委員会と略称）であり、法第133条はその権限の一部を教育長に委任し、又は臨時代理させることができるとしている。連合区委員会に教育長を置き、同委員会事務局の長とし、その下に指導主事その他必要な職員を置くことになっている。

連合区委員会の委員数は最低5人であって、また構成教育区の委員会から各1人は互選によって選出しなければならない。八重山連合区のように4教育区以下のところは人口比によって定められ、那覇教育区のように人口10万をこえるところは最低3人とされる（法第81条）。このように定数の最低限は定められているが、最高限の定めはない。

教育長は義務設置で、構成教育区の教育長を兼任させられる（法第83条2項）が、教育次長は任意設置である（法第83条3項）選任については、いずれも同じで、教育長免許状（次長の場合も同じ）の保持者について連合区委員会が、構成教育区委員会と協議して行なう。

4 若干の問題

(1) 連合区においては現に学校の設置管理の事務がないので、規約による共同処理

する事務の定めによってしか事務の範囲を明確にできない。しかし、1961年に認可された規約の上からは「法によって連合区の権限に属させられた教育事務」と謳ってあるのみで、これによっては明確でない。法と規約でもっていたちごっこをしているようなものである。

(2) 法第73条によって連合区は任意設置されるように規定しているが、既成の制度を受け継いだ関係もあり、法第83条2項で連合区の教育長が構成教育区の教育長を兼任するものとする制度は連合区の設置を想定した規定だと思われる。教育長が全構成教育区の事務について助言と推薦をすること（法第26条）についても、十数区の教育長を兼任していては、物理的に不可能ないし困難と云わなければならない。連合区が沢山あった頃はそれでもよかったかもしれないが、今日では無理な点が多い。

(3) 連合区の設置によってもとの教育区が消滅しない点は、布令時代の連合区と異なる特徴ある制度だが、実質的にはそのために教育区が無力化し、連合区偏重の傾向を生ずるとともに、こま切れ教育区の存在は人事交流の阻害や運営費の負担等マイナスの面も少なくないものとなっている。

(4) 連合区委員会の委員数の上限を定めていないため、委員数が多くなりすぎたきらいがある。

(5) 連合区は教育区と異なり、それに対応する一般行政区画がない。そのことは、教育区に関する規定が準用できない場合を生ずるので、たとえば予算の決定方法や委員の報酬額の決定等についての準拠規定がないことを意味する。

(6) 教育長、次長の給与は法第90条の規定により（政府に同種の職がないので法第360条2項によることができない）、連合区委員会規則で定めるべきであるが、現在のように教育職給料表の1等級をいずれにも適用することは、職階制の上から好ましくないと云わなければならない。

　　　あ　と　が　き

問題点はこれだけにつきるものではないが、角をためて牛を殺すようなことも私の意図するところではないので、この数例をもって復帰対策とも関連して連合区の将来について真剣に検討する契機ともなれば幸とするものである。

8,800万ドルを概算要求

1971年度文教局予算

　1971年度の文教局予算概算要求は復帰体制づくりを基本姿勢として中教委で決められた別記「主要教育施策」を実現すべく意欲的に作業が進められた。

　すなわち1971会計年度の本土なみ教育水準を維持するための文教局予算規模を生徒1人当り公教育費から **85,826,391** ドルと推計し、そのうち教育区の支出分 **18,380,816** ドルを差し引いた残り **67,445,575** ドルを必要額として出した。しかしこれはあくまでも1971会計年度だけに限った必要経費であって、戦後24年間にわたる較差を埋めるための経費が必要であるので、その較差是正分を **2,055** 万ドルと推計して加え、概算要求額は約 **8,800** 万ドルになった。これを事業費と運営費に分けさらに前年度概算要求額や当初予算額と比較すると次のとおりである。

	1971年度 概算要求	1970年度概算要求		1970年度当初予算	
		金額（万ドル）	比率（％）	金額（万ドル）	比率（％）
総　額	8,800	7,861	111.9	4,833	182.1
事業費	7,053	6,393	110.3	3,898	180.9
運営費	1,747	1,468	119.0	935	186.8

1971年度教育主要施策

1. 格差是正のための教育条件の整備充実
   (1) 文教施設および設備・備品の充実
   (2) 教職員定数の改善充実
   (3) 教職員の待遇改善ならびに福祉の向上
   (4) 後中等教育の拡充整備
   (5) 教育の機会均等
   (6) 地方教育財政の強化

2. 学力水準の向上と青少年の健全育成
   (1) 教職員の資質と指導力の向上
   (2) 生徒指導の強化
   (3) 社会教育の振興
   (4) 保健体育の振興

1969年教育関係 10大ニュース

祖国復帰「本土並み・72年返還」と決まる

4分の1世紀をこえる異民族支配に終止符を打ち、沖縄県民の悲願が達成される運命の日、1969年11月19～21日の3日間にわたる日米首脳会談の結果沖縄の「本土並み・72年返還」が決せられた。22日に発表された日米共同声明に対する県民の反応はさまざまであるが、すでにサイは投ぜられたのであり、72年の返還が真の意味で県民の福祉につながるよう関係機関や県民1人1人の努力が要求されている。

風疹聴覚障害児の指導本確化

聴能訓練を中心とした一連の風疹障害児に対する指導が3月と8月の長期休暇中に日政技術援助による指導団によって本格化した。指導の対象は風疹児の母子だけでなく、沖縄における指導者の指導も兼ね、講師団は八面六臂の大活躍であった。この講習会によって音とコトバを失なっていたこどもたちに希望が開け、1969年の教育界はある意味では風疹児旋風に見舞われた感があった。

学生運動の激化

1969年は基地公害・反戦一基地撤去運動や祖国復帰運動の熾烈化等一連の民族運動の高まりの中で学生運動も激しくなり、ヘルメット・ゲバ棒はおろか火えんビンによる交番所への放火さえなされた。更に高校生の中にも反戦連合なる組織ができ高校教育の面でも新しい問題を投げかけた。

定通制教育・造形教育全国大会 沖縄で開催

夏季休暇中の8月上旬、第22回全国造形教育研究大会（1～3日）と第20回全国高等学校定通制教育振興会大会（4～6日）がそれぞれ「造形教育を風土の中でどのように生かすか」・「高等学校定通制教育の普及振興」を大会テーマに王城ゆかりの地、首里の琉大体育館と博物館で開催された。

公立学校職員共済組合法の施行

公立学校職員共済組合法と同法施行法が7月1日から施行され、教職員待望の給付業務を早急に開始すべく事務局職員一同鋭意努力中であったが、9月には早くも短期給付第1号を給付し12月までに86件、長期給付も12月中に106人が初回の支給を受けることになっており、教職員の福祉事業はいよい

よ戦後20余年の長い空白を経てすべり出すことになった。

小学校学習指導要領の改訂

本土では1968年7月11日に新しい小学校学習指導要領の告示がなされ、昭和45年度から施行されることになった。したがって「日本国民の育成」をめざす沖縄の教育課程も本土に準じて改善されるべく、1968年6月から審議を行ない、1969年4月12日に新しい小学校学習指導要領と移行措置について告示がなされた。

1970学年より産業技術学校を工業高校へ移行

12月9日の中教委において中学校卒業後すぐ就職する者のため短期修業で技能教育を行なう機関であった産業技術学校は後期中等教育の整備拡充計画の一環として工業高校へ移行することが決定された。

この結果1966学年度から発足した産業技術学校は現在の在学生の卒業によってなくなることになった。

名護の集団赤痢

異常な長つゆの続いた6月21日の晩から名護小学校の児童200人余が下痢腹痛を訴え、診察の結果赤痢であることが判明し関係者にショックを与えた。しかも患者数は日毎に増え26日には500人をこす蔓延ぶりに患者の大部分を出した名護小学校ではついに6月25日～7月9日にわたって学校閉鎖をするという騒ぎになった。

中央高校ボクシングチームの優勝
―インターハイ・国体―

1969年の沖縄スポーツ界で最大の話題は中央高校ボクシングチームの活躍であった。仲本監督のもとに1年計画で苦しい練習を続けてきた中央高校チームは主将の上原君を中心にインターハイでは団体・個人の部で優勝をかちとり、更に勢いをかって秋の国体でも優勝するという快挙をなしとげた。まさに沖縄スポーツ界に輝しい記録を打ちたてたものといえよう。

全国のトップレベルに上つた沖縄水産専攻科

沖縄水産高校の専攻科は1963年4月に設立されて以来毎年行なわれる海技試験（国家試験）で優秀な成績をおさめてきたが特に1969年度の試験では卒業生26人中24人が受験し23人が合格するというすばらしい成績をあげた。合格者の中には甲種船長2人同機関長3人が含まれており、沖縄水産高校専攻科師弟一体の努力が高く評価された。

1970年1月23日印刷 1970年1月25日発行 　文　　教　　時　　報　　（118） 　　　　　　非　売　品 発行所　琉球政府文教局総務部調査計画課 印刷所　大同印刷工業株式会社　ＴＥＬ２―7890 　　　　　　　　　　　　　　　　　　　４―1451

文教時報　一一八号（第十九巻　第三号）　一九七〇年一月　琉球政府文教局

フォートニュース

二つの卒業式

▶ 開南中学校の卒業証書授与式

式後のホームルームで、学級主任より
▼ 卒業証書を授与……小禄高校

(1) 今年の高等学校の卒業式は、懸念された反戦高連等の妨害行為も最悪事態を招くにはいたらなたが、式の簡略化、卒業生答辞の内容等、学校によってある程度ニュアンスの差はあったとはい全般的に従来とはかなり趣の異なるものとなった。

(2) 一方3月29日、那覇市松尾の教育会館ホールでは、〝君が代〟斉唱にはじまるオーソドックス卒業証書授与式が40才年配の方々を対象に挙行された。
　沖縄戦の激化―敗戦で卒業式ができなかった私立開南中学校の第5・6期の卒業式である。卒は両期合わせて235名であるが、60余名が戦争の犠牲となっており、戦後いまだ終らずの感深い式であった。

入 学 式

今年も21,972人の新入児童が、小学校第1学年に入学した。入学の当日は、喜び・緊張・不安の入りまじった新入児や、子どもの一挙一動に敏感な反応を示す父兄との応対に担任教師も汗だくのはりきりようであった。
　子らよ、すこやかに伸びよ！

▶ 入学式の日のホームルーム……与儀小学校

文教時報

No. 119　'70 / 6

〈写真ページ〉
○二つの卒業式
○小学校1年生

教育職員免許法の一部改正について
　　　　　　　前田　功…… 1

沖縄のへき地教育
　　　　　　　編　集　部……13

共済組合法の施行にあたって〔4〕
　　　　　　　安村昌享……27

本土復帰と地方教育行財政〔1〕
　本土交付税を適用した場合
　沖縄の地方教育委員会の行政費はどうなるか
　　　　　　　新城久雄………30

(第5回学校放送教育賞・受賞論文)
学校教材センターの構想
　21世紀に生きるこどもをめざして
　　　　　　　嘉数正一………41

父兄が支出した教育費の調査結果
　　　　　　　調査計画課……… 49

教育委員会の職務権限
　　　　　　　祖慶良得………58

教育財政参考資料
文部省所管国庫補助金一覧
　　　　　　　復帰対策室……………61

出版物案内……裏表紙裏
卒業後の進路状況推移……裏表紙

表紙……サクラ

教育職員免許法の一部改正について

義務教育課長　前田　功

1. はじめに

　1972年の施政権返還に伴う復帰体制づくりの一環として、教育職員免許法と同法施行法の一部改正の立法案（政府参考案）が去る3月の第42回定例議会で提案され、文教社会委員会で慎重な審議が行われ、3月28日の本会議で原案通り可決されました。法案は直ちに行政府に送られ、3月31日に主席の署名がなされ、即日公布され4月1日から施行されました。

　戦後における教育職員の免許制度は1954年の民政府布令134号による「教員、校長及び教育長免許令」に始まっています。その後1958年に民立法による「教育職員免許法」及び「同法施行法」が布令にとってかわり制定されましたが、この立法も今日まで数回に亘り一部改正が行われてまいりました。これらの一部改正によって沖縄の教職員の免許制度は漸次本土のそれに内容的に同一化の方向へ歩んできましたが今回の改正は、基本的には、いままでの一部改正と同じく本土法に準ずるという点では変りはありませんが、沖縄において教職員の免許制度が法制化されて以来ずっと維持されてきた校長、教育長、指導主事、社会教育主事等のいわゆる行政職の免許制度を廃止するという抜本的な改正内容を含むものであっただけに、文教局、中央教育委員会、立法院においても十分な討議がなされ、この間、教育長協会、教職員会学校長協会等の教育関係機関、団体、現場の声なども広く聴取し、今回の立法の運びとなったのであります。

　教職員の免許制度は教職員の身分にかかわる極めて重要な要素であることは申すに及びません。従って、免許制度の改正についても当然教職員の皆さんの関心事の一つであると考えられます。この意味で本稿では、今回改正になりました免許制度のあらましについて解説し、あわせて、法改正に伴う規則の改正内容や行政運用の面などについてもご紹介し、ご理解をいただきたい。

2. 改正の内容について

　今回の改正は次の5つの内容がその

おもなものとなっています。この外に法文整備のための表の整理や用語の変更等も含まれていますが、これらはそれ程重要な意味をもちませんので割愛し、改正内容面を中心とし、免許法の一部改正に伴う他法改正で、教育委員会法、学校教育法、社会教育法等の一部改正も行なわれていますので、これらについても関連する内容の中で取り上げて5つの項目の順を追って説明してまいります。

その5つの内容とは

① 校長免許状、教育長免許状、指導主事免許状、社会教育主事免許状の廃止

② 高等学校の教科中、柔道、剣道、計算実務についての高等学校教諭免許状制度の新設

③ 大学における教職に関する専門科目の単位数の軽減

④ 二級普通免許状取得後15年勤務したものについて、無単位で一級普通免許状へ更新できる制度の新設

⑤ 小学校の専科教員制度の新設

となっています。

(1) 行政職員免許制度の廃止

校長、教育長、指導主事、社会教育主事は一般教諭とちがって直接児童生徒の教育指導には当っておらず、業務の内容も教諭のそれと可成りの相違があり、普通これらの職務を教育行政職とよんでいます。これらの職務については、教諭としての資格の上に更に行政職として必要な行財政や教育課程、学校管理、教育法規等についても基礎的な知識と教養を身につけておかなければならないという考え方に立って、教諭の一級普通免許状を基礎資格として何年かの教職経験年数と前記の教科についての何単位かの単位の習得を条件とする行政職免許制度が作り出されて今日に至っておりました。本土においては1949年（昭和24年）に教育職員免許法が制定された当時は、沖縄と同様にこのような行政職にかかる免許制度が実施されておりましたが、1954年（昭和29年）の実施わずか5年後にこの制度が廃止されて今日に至っています。

沖縄で民立法による免許制度ができましたのが前にも述べましたように、1958年でありまして、本土の行政職免許状が廃止された時点より4年もあとであります。この民立法制定の際、本土で既に廃止されている教育行政職免許制度を、あえて布令の流れとして

そのまま現存させたかについては、いささか疑問の残る点でありますが、仄聞するところによりますと、①布令から民立法への移行にあたっては当時の状勢として布令と大幅な変革を行なうについての民政府との調整に困難があったこと　②必ずしも、本土制度と同一化することより、優れている制度はそのまゝ残しておいた方がよいという考え方があったこと　③当時の沖縄の教職員の人的組織、特に行政職につくものについて、戦後の新らしい教育制度に対応してその職務を果していくために、制度化された現職教育の必要性が極めて高かったことなどがその要因となっていたようです。従いまして、その後民立法は2～3年に一回の割合いで一部改正が行なわれておりますが、その都度、この行政職免許制度の改廃が話題に上りながら、なおかつ、前述②、③の理由等もあり今日まで引きのばされて来たのであります。もとよりこの制度は考え方としては正しく、本土でも一部教育行政担当者や学者の間にも、このような免許制度を廃止したことに対する問題点の指摘もあり、復活すべきであるという意見も聞かれているとのことであり、沖縄において、

これまで、この制度の教育振興に果した役割も極めて大きいものがあったことは申すまでもありません。では、何故このような行政職免許状の廃止に踏み切ったかについての局として考え方は一つには本土復帰を目前にして復帰業務をよりスムーズに行なうためと、あと一つには、従来単位をとれば、これらの行政職免許状が得られ、校長、教育長等に任用するためにはこれらの免許状が必要とされる制度下では、真の意味での適材適所への人材登用が制限されるので、このような免許制度を廃止することにより、より広い角度からその職に適する人材を登用することが教育の推進をもたらすものであるという観点に比重を置こうという考え方に立っております。もちろん、この制度の廃止についても問題点があります。一つには、人材登用の幅が拡がることは一方では任用の際の選考の困難性が必然的に伴ってきます。条件がゆるければ現在の教育委員会制度ではセクショナリズムに陥入って、「おらが村のあの人を是非校長に」と、客観性のかける人事行政が行なわれる可能性もなきにしもあらずであります。しかしながら、現在の教委制度では教委の任命権

は教育専門家である教育長の推せんがあってはじめて行使されるようになっており、事務上の多少の困難性は伴うにせよ、究極的に一方的な人事行政が行なわれることはないと考えられます。また、人事行政をより客観的、公正に行なうために各地域の実情に即した人事任用基準を行政の運用の面で活用することにより、問題の多くを解決することもできると思います。

次に、行政職としての基礎的な知識の習得について、単位習得の必要がなければ必然的にその面が弱くなるのではないかとの意見もあります。この点については現在の現職教育のあり方そのものとも関連することがらでありまして、現在本土政府の援助によりまして毎年夏季に多数の本土大学講師を招へいして夏季認定講習を実施しています。この認定講習は1953年から開始されておりまして、この講習を受講した者の数は延べで5万人を越しております。この講習は現職者が受講することにより資質の向上をはかるとともに、単位を与えることにより免許法に基づき、上級の免許状へ更新する道を開いたものであります。もちろん、この講習の中には校長等の行政職免許状取得

のための必要科目も講座に入れられておりまして、1969年12月現在行政職免許状を有している現職教員の数は下表のように多数に上っています。

(表) 行政職免許状取得状況

		小学校	中学校	高 校	計
校　長	一　普	119	58	33	210
	二　普	283	101	38	422
	計	412	169	71	552
教育長	一　普	52	16	9	77
	二　普	23	7	2	32
	計	75	23	11	109
指導主事	一　普	14	5	3	22
	二　普	20	7	2	29
	計	34	12	5	51
社会教育主事	一　普	20	2	－	22
	二　普	2	1	－	3
	計	22	3	－	25

注：表の横欄の学校種別は当該免許状を有している者の所属する学校を示す。

今までの制度では、校長、教育長に選任される者は、すべて一定の単位を習得せねばならなかったのでありますが、今回の改正でそれを廃止し、選考については免許資格から任用資格に改めたのであります。行政というものは単に書物の上での知識の習得のみでは十分にこれを運用することは不可能であり、多分に持って生れた行政的感覚とか手腕が大きく物をいうといわれて

います。このような立場に立って幅広い分野から適材を選考し、任用した後、集中的に実際の経験の中から取り出された問題点を講習会等で原理面や実際問題の面から研修していくのが、より効率的な現職教育のあり方ではないかと考えるところであります。従って、いままでの認定講習も今後大きく改められていかねばならない訳でありまして、いわゆる無単位の講習会研修会がこれにとって変るようになりましょう。事実、1970学年度の本土講師団による夏季講習については、一部の認定講習を除いて、新らしい方法に基づく現職教育のための運用が考えられていると聞いております。

では、校長、教育長等の免許制度が廃止され、それに伴なう措置はどのようになされているかについて述べてまいりましょう。まず、校長については、学校教育法第9条、校長、教員の資格の条項を「校長及び教員（教育職員免許法の適用を受ける者を除く。）の資格に関する事項は別に立法で定めるもののほか、中央委員会規則で定める」と改正されました。この条項により、校長の資格については中央委員会規則に委任されることになりまして、

この立法に基づき、学校教育法施行規則の一部改正が去る3月30日の中央教育委員会会議で議決され、法と同じ時点の4月1日から施行されました。すなわち、施行規則第6条の2では「校長（学長を除く。）の資格は、教育職員免許法による教諭の一級普通免許状を有しかつ、5年以上、次の各号に掲げる職（以下、「教育に関する職」という。）にあったこととする。」として次の7つの職が規定されています。

①学校教育法第1条に規定する学校又は政府立各種学校の校長の職

②学校教育法等1条に規定する学校又は政府立各種学校の教授、助教授、教諭、助教諭、養護教諭、養護助教諭及び講師の職

③学校教育法第1条に規定する学校又は政府立各種学校の事務職員の職

④外国の学校における第1号から前号までに掲げる者に準ずる職

⑤少年院法による少年院又は児童福祉法による教護院において教育を担当する者の職

⑥政府又は地方教育区において教育事務又は教育を担当する政府公務員又は地方教育区教育委員会事務局の職員の職

⑦外国官公庁における前号に準ずる者の職

すなわち、政府立、公立、私立の幼稚園、小学校、中学校、高等学校、大学及び政府立各種学校の教員、事務職員、並びに政府、地方教育区の教育関係職員の職を5年以上経験しており、しかも、一級普通免許状を持っている者は校長としての資格者となるのであります。この場合、一級普通免許状の所持条件と5年以上の経験年数は並列条件でありますから、一級免許状を所持してから5年の教育に関する職に従事するということではないのでありまして、最終的に両者の条件が満ちている者は校長として任用される資格を有すると解釈されます。

さらに同法施行規則第6条の3では私立学校の設置者は、前条の規定により難い特別の事情のある場合には、5年以上教育に関する職又は教育学術に関する業務に従事し、かつ、教育に関し高い識見を有する者を校長として採用することができるような特別規定も設けられています。

このように、校長の任用資格は極めて広範囲に拡げられてまいりましたので、この規定では、おそらく、現在教職にある者の半数以上が該当するものと予想されるのであります。従いまして、各任命権者では、この法規をふまえた上で、実質的な選考を容易ならしめるため更に一定の枠をはめた任用条件を定めることも十分に考えられることであり、また、その方が望ましいと言えるかと思います。現に、政府立学校の任命権者である中央教育委員会では更に別に規則を設け、校長、教頭の昇任基準を定めてあり、これに基づいて、校長、教頭を任用しているのが実情であります。公立小中学校は任命権がそれぞれの区教委にありますが、同じ公立学校の管理職任用について、地域の特殊性があるからといって、余りにもかけはなれた任用基準がそれぞれの教育区で定められることは人事の広域交流の立場からも好ましくないことでありますので、中央教育委員会としても将来何らかの形で公立学校の校長教頭の昇任についての基準を助言する必要があるのではないかと考えられているところであります。

次に、教育長（次長を含む以下同じ）の任用資格については教育委員会法の一部改正が行なわれ、同法第83条第4項で、教育長は教員の免許状を有する

者でなければならないことを規定し、更に、実際の任用に関し必要な事項は中央委員会規則で定めることとされています。（教委法第83条5項）

この法を受けて「教育長の選任に関する規則の一部を改正する規則」が制定されました。この規則の第3条では教育長の資格は、教育に関し高い識見を有し、免許法による教諭の一級普通免許状を有した後、学校の校長、教授助教授、教諭、講師の職並びに政府又は地方教育区で教育を担当する者の職にあったこととされています。この規定は前述の校長の任用資格よりは、はるかに厳しいものとなってはいますが、それでも、この規定による資格者の数は従来の免許制度による免許状所持者の数の十数倍に達することと思われます。

社会教育主事の任用資格については社会教育法の一部が改正され同法第13条は社会教育主事及び社会教育主事補の資格に関することは中央委員会規則で定めるよう規定されています。この立法に基づき、社会教育法施行規則の一部を改正する規則が定められました。この規則によりますと、社会教育主事の資格としては

①大学に2年以上在学して、62単位以上を修得し、かつ、3年以上社会教育主事補の職又は社会教育関係団体において社会教育に関係のある職にあった者で、文部大臣の定める社会教育主事の講習を修了した者

②教諭の普通免許状を持ち、かつ、5年以上教育に関する職にあった者で文部大臣の定める社会教育主事の講習を修了した者

③大学に2年以上在学して62単位以上を修得し、かつ、大学において文部大臣の定める社会教育に関する科目の単位を修得した者で、1年以上社会教育主事補の職にあった者

④文部大臣の定める講習を修了した者で社会教育に関する専門的事項について前各号に掲げる者に相当する教養と経験があると中央委員会が認定した者となっています。社会教育主事補の任用資格については

①教諭の普通免許状を持っている者

②大学に2年以上在学し62単位以上を修得した者

③高校卒業者又はこれと同等以上の学力を有するものと文教局長が認めた者で、政府又は教育区で、図書館長、司書、公民館長、児童福祉司、社会福祉主事又は社会教育関係団体の役職員

で本業として当該団体の事業に関する企画実施に当った者並びに視聴覚教育に関する業務又は農業改良事業に関する業務に従事した職員で5年以上その職にあった者

となっています。このように社会教育主事、主事補の任用資格は従来の免許資格とかなり異ったものとなっており、一面ではかえって厳しいところもありますが、復帰の時点では当然このような任用条件で選考しなければならないことになりますので、復帰までにそのような体制づくりをすることこそ、長い目でみた沖縄の社会教育振興のための歩むべき道であるという観点で、この規則が制定されたのです。この規則によりますと従来は教員免許状を持っている者でなければ社会教育主事や主事補になれなかったですが、今回の改正で、必ずしも教員免許状を所持してなくても社会教育主事へ任用できる道が開かれたことも大きく変った点であります。なお、この規則施行の際、現に社会教育主事又は主事補の職にある者又は改正前の規定によって社会教育主事の資格を得ていた者は、新らしい規則の規定にかかわらず、社会教育主事の資格を有するものとみなすという経過措置がなされています。

最後に、指導主事の任用資格についてですが、これについては特段の規定を設けてありません。本土では「地方教育行政の組織及び運営に関する法律」の中で、「指導主事は、教育に関し識見を有し、かつ、学校における教育課程、学習指導その他の学校教育に関する専門的事項について教養と経験があるものでなければならない。」と任用条件が条文化されていますが、これは一種の精神規定のようなものでありますので、復帰までは行政運用の面で処置していけばよいという考えによるものであります。

(2) 柔道、剣道、計算実務に関する高等学校教諭免許制度の新設

高等学校教諭の免許状について従来規定されているもののほか、これらの教科の技能にかかる事項で中央委員会の定めるものについて免許状が授与できるよう新たに規定されました。具体的には施行規則（免許法）に、これらがなになにであるかを規定しなければならない訳ですが、免許法改正に伴う施行規則の改正がまだなされておりません（5月予定）ので現段階ではまだ明文化されていませんが、本土に準じ

て改正する建前から、現行本土施行規則に規定されている柔道、剣道、計算実務について免許制度が新設される予定となっています。柔剣道は体育の一分野、計算実務は商業の一分野であることはよくご承知のことと思いますが高等学校教育の内容が近年かなり充実してまいりまして、特に、教科の中の技能分野では、高度に専門化、分化してたため、すべての分野について実際指導が十分できないというのが現状となってまいりました。例えば、体育の普通免許状を持っている教師で、柔道も、剣道も生徒に対して自ら手をとって技能を磨き上げさせることのできる実技能力を持っている者は極めて少なく、従って殆んどの高校では、これらの技能指導に対しては外部から非常勤や嘱託の形で講師を雇って指導を行なわせているのが実情となっております。反面、高等学校教育の立場からみますと、単に技能だけを授けるための教育は真の学校教育とは言われません。これらの技能教育も高等学校教育の一環として正式な指導者（免許状を有した）の下に実施されてはじめて意義が生ずるのであります。このような現実の矛盾を解決するために、技能にかかる事項を指導する者に対する免許制度が今回新たに設けられた理由となっています。

なお、この免許状は一級、二級の区別はありませんで、しかも、免許状取得の方法についても他の教科の場合と異って特定の資格試験に合格することによって授与されるようになっております。沖縄では、これらの免許状授与の方法としては、当分の間、文部省の実施する資格試験に合格した者に授与するようになっています。因みに、文部省の実施する試験は毎年１回行なわれており、筆記試験として一般教養、教職教養（大学卒又は高等学校の普通免許状を有している者はその全部又は一部が免除される）、それに当該技能にかかる実技試験が行なわれております。

(3) 大学における教職に関する専門科目の単位数の軽減

普通免許状の授与は一定の基礎資格を有し、かつ、大学又は中央委員会の指定する養護教諭養成機関で法において定められた単位数を修得した者、又は、教育職員検定に合格した者に授与されるようになっています。前者の場合が大学卒の取扱いであり、後者の場合は主として現職にあって免許を取得

若しくは上進する取扱いとなっています。前者の大学卒の免許状授与条件として法で定められた単位数について教職に関する専門科目のそれが本土より4～6単位多く要求されていましたが今回の改正で本土法なみに改正し、実質的な同一化をはかりました。具体的な一例を示しますと中学校教諭普通免許状を取得するため大学において修得しなければならない教職に関する専門科目（現場ではこれを普通P単位とよんでいます）の単位数は、本土法では14単位でありますが、沖縄では18単位となっております。沖縄には、多数の本土大学卒の教職員がおりますが、この人たちは本土の免許法により本土の免許状の授与を受け、沖縄の法に基づく検定により、ストレートで沖縄の免許状に切替えております。沖縄の大学を出たものが本土で教職につくときも全く同じ方法で切替えが行なわれており、いわば本土、沖縄間の免許制度は形式上は別個のものであるが、実質的には一つの立法（法律）で運用されているとみてもよいかと思います。このような状況下にあって沖縄内の大学卒と本土大学卒の必要修得単位数に違いがあることは好ましくないことであり

ますので、全面的に本土法なみにこれを修正したのであります。なお、細かい単位の修得方法については免許法施行規則で規定されますが、必修科目に若干のくい違いがありますので一定期間の経過措置をとって処置できるよう沖縄内大学当局と調整中であります。

(4) 二級普通免許状取得後15年勤務したものについて、無単位で一級普通免許状が授与される制度の新設

現職の教員が免許を二普から一普に上進するためには、一定の勤務年数と単位数が要求されます。例えば小二普を小一普に上進するには5年と45単位が要求されています。この単位数は勤務年度が5年を越える1年毎に5単位づつ軽減され最高11年で15単位まで軽減されるようになっていますが、それ以上は軽減できませんでした。すなわち、どんなに長く勤務しても最低15単位を修得しなければ免許状の上進ができない仕組みであった訳です。これが今回の改正で二普をとってから15年以上勤務した者は無単位で一普に上進できる道が開かれることになりました。

(5) 小学校の専科教員制度の新設

免許法では、教育職員はこの立法で授与された各相当の免許状を有する者

でなければならないと規定されています。すなわち、小学校の教員になるためには小学校教諭の免許状がなければならないことになっています。従って中学校教諭免許状を有している者が小学校に勤務する場合には、小学校教諭の臨時免許状の交付を受けなければならず、身分も助教諭でしか発令できません。ところで、小学校の学習内容が近年著しく進展充実してまいりまして全科担任制を建前とする現行の指導組織制度では、特に上級学年などにおける技能教科の指導にじゅうぶんな力が注がれないという現状と鑑み、先程の相当学校種別の免許制度に特例を設けようとするものであります。すなわち、音楽、美術、保健体育、家庭のいわゆる技能教科の中学校教諭免許状を持っている者は、それぞれの免許状にかかる教科に相当する教科を指導する教諭又は講師となることができるよう新たに規定が加えられたのであります。例えば中学校音楽の教諭免許状を有しているものは小学校音楽を担当する、いわば、専科教員として採用する場合に限り、教諭としての身分で小学校の授業を担当することができるということであります。これは従来教員数の多い学校などで実施している専科教員とはいささか内容が異っています。従来の場合は小学校教諭免許状を持っている教員の中で、特意の教科を一人で担当するという、いわば校務分掌の分担の一部変更にすぎません。今度の改正はもっと積極的な意味を持っていまして教科の専門の教師の配置が可能になったということであります。このような専科教員の配置が法的に可能になったとしても実質的に教員定数が増さなければ、現状と変らないじゃないかとの意見もありますが、もっとものことであります。教職員定数については、小学校の教職員の配置率（学級数に対応する教員数の割合い）の改善を免許法一部改正と同時に提案した義務教育者学校の学級偏制及び教職員定職の基準に関する立法の一部改正で70学年度を初年次とする4カ年計画で漸次改善している予定であります。なお、現行の教職員定職の基準では20学級の学数に対しては教員が24人配置されることになります。24人のうち、校長、教頭を除いた2人がいわゆるフリー教員で、この教員の使い方は学校によってまちまちのようで、休んでいる教員の補欠にまわったり、教務として学校事務をと

ったり、甚だしいのは学校給食の経理事務を担当しているなど千差万別のように見受けられます。もちろん、そのようにせねばならなくなったのにはそれぞれの事情があると考えられます。病休教員の補充については、局としてもできるだけ多く定数を確保して、これに対応したいと努力を続けているところですが、学校現場においても、特に、学校事務の簡素化、能率化に格段留意を払われ、このようなフリー教員が実質的な専科教員として活かされるよう、今後のご検討をお願いするところであります。

3 むすび

今度の改正で免許法は2、3点を除いて、殆んど本土法と内容的に同じとなってきました。

改正によってもなおかつ本土法と異る主な点は、一つには現職教員が検定により上級免許状に上進する場合の勤務年数について幼と小、小と中、中と高の間が通算できるような特例措置が設けられていること、二つには幼稚園教育振興の趣旨から1963年以降は幼稚園に準ずる規模を持つ幼児教育施設に勤務する教員について、その者が大学又は認定講習において取得した単位を免許状取得もしくは上進のための単位として認めるという特例措置、三つには政府立各種学校の勤務年数を高等学校の勤務年数とみなす措置等となっています。復帰の暁には、沖縄の法令はすべて消滅し、本土法が適用されることになりますが、免許法についても直ちに全面的に適用しても殆んど問題を生じないと考えていますが、いくつかの内容については経過措置が必要なものもあり、根本的には沖縄の復帰前の法令によって授与された免許状は、本土のそれに基いて授与されたと見做す」という移行措置も必要とされており、これらの事柄については後帰対策の一環として今後、文部省とも十分に調整し、万全を期したいと考えています。

以上、教育職員免許法の一部改正について、その内容と復帰に伴う必要措置等について解説してまいりました。

ご参考までに、改正立法並びに関連規則については1970年3月31日の公報号外24号、26号に登載されておりますので、各自ご研究になり、一層の理解を深めていただくよう希望いたします。

沖縄のへき地教育

編 集 部

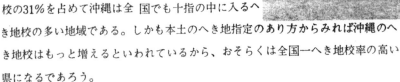

はじめに

へき地指定校小中併わせて121校、公立小中校390校の31％を占めて沖縄は全国でも十指の中に入るへき地校の多い地域である。しかも本土のへき地指定のあり方からみれば沖縄のへき地校はもっと増えるといわれているから、おそらくは全国一へき地校率の高い県になるであろう。

したがって沖縄の教育を考える場合、へき地校の問題をぬきにしては考えられない。へき地教育の問題は全沖縄の教育関係者の問題なのである。

本号では、沖縄へき地教育についてその現状を紹介するとともに、去る1月中部地区で開催された第2回へき地教育研究大会のもようや大会参加の感想を、東村高江小中学校の玉城勝郎教諭と竹富町網取小中学校長川平永賢先生（現在は八重山連合区庶務課長）に書いていただいた。

I へき地教育の現状

1. 学校概要

1969年5月1日現在でへき地校に指定されている学校は小学校69校、中学校52校で、全沖縄公立小中学校の中でそれぞれ28.9％、34.4％を占めている。

これは全国小中学校の中に占めるへき地校率22.4％、18.8％に比べると高い比率である。

児童生徒数について同様な視点からみると小学校10.1％、中学校10.5％で本土の4.7％、4.6％と比べかなり高い比率を占めている。

沖縄のへき地校の概要を第1表に、本土のへき地校の多い道県の資料を第2表にあげておく。

第1表　へき地の学校概要　　1969. 5. 1

	小学校					中学校				
	学校数	児童数	学級数	教員数	職員数	学校数	生徒数	学級数	教員数	職員数
計	69	13,838	475	633	121	52	7,860	234	507	70
1級地	16	4,890	148	185	—	11	2,791	77	150	—
2 〃 〃	17	4,391	152	205	—	14	2,625	79	158	—
3 〃 〃	12	1,575	63	88	—	10	985	36	82	—
4 〃 〃	16	1,992	78	106	—	12	1,052	37	83	—
5 〃 〃	8	990	34	49	—	5	407	14	34	—
全体に占める比率	28.9%	10.0	12.4	13.2	12.0	34.4%	10.5	12.3	14.9	14.7

第2表　本土におけるへき地校の多い道県

	小学校				中学校			
	学校数		児童数		学校数		生徒数	
	実数	比率	実数	比率	実数	比率	実数	比率
全国	5,541	22.4	439,452	4.7	1,997	18.8	213,279	4.6
北海道	1,170	54.2	74,243	14.3	522	48.3	37,342	13.5
愛媛	176	37.0	16,956	12.1	66	29.2	8,899	11.4
高知	209	48.9	10,737	15.2	84	43.1	5,578	15.4
長崎	197	40.6	40,317	21.6	97	42.4	22,173	21.2
大分	173	38.7	15,646	13.6	52	29.4	7,962	11.6
鹿児島	207	31.9	42,417	20.3	123	36.7	24,295	18.8

2. 収容人員別学級数

　へき地の特性の一つに小規模校、小規模学級ということがあげられるが、その実態を第3表および第1図によってみることにしよう。

第3表　　収容人員別学級数　　　1969. 5. 1

			単式	複式	単級	特殊	計	構成比	全沖縄の構成比
小学校	1 ～ 15人		21	23	3	4	51	10.7	6.0
	16 ～ 20		41	15	—	—	56	11.8	2.3
	21 ～ 25		31	17	—	—	48	10.1	3.0
	26 ～ 30		90	—	—	—	90	18.9	6.9
	31 ～ 35		72	—	—	—	72	15.2	12.8
	36 ～ 40		89	—	—	—	89	18.7	31.0
	41 ～ 45		67	—	—	—	67	14.1	35.0
	46		1	—	—	—	1	0.2	1.7
	47		1	—	—	—	1	0.2	0.6
	計		413	55	3	4	475	100.0	…
	1学級あたり平均児童数						29.1		36.2
中学校	1 ～ 15人		16	4	5	2	23	9.5	3.4
	16 ～ 20		15	1	1	—	20	8.2	1.6
	21 ～ 25		12	1	1	—	14	5.8	1.3
	26 ～ 30		35	—	—	—	36	14.8	4.0
	31 ～ 35		26	—	—	—	26	10.7	4.9
	36 ～ 40		43	—	—	—	41	16.9	19.4
	41 ～ 45		78	—	—	—	78	32.1	58.2
	46		2	—	—	—	2	0.8	2.6
	47		0	—	—	—	0	0.0	1.6
	48		1	—	—	—	1	0.4	1.2
	計		228	6	7	2	243	100.0	…
	1学級あたり平均生徒数						32.3		39.6

第1図　収容人員別学級数

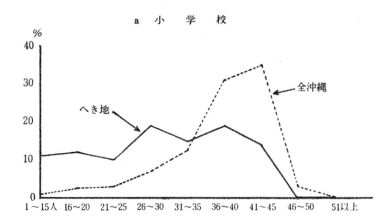

a　小　学　校

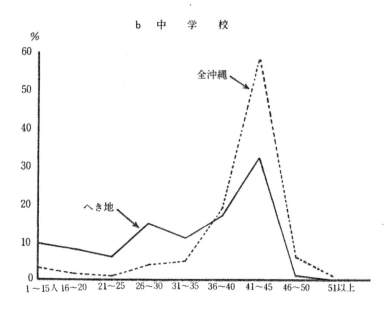

b　中　学　校

この表及び図によると、へき地における1学級あたりの児童生徒数は小学校で29.1人、中学校で32.3人となっており、これを1969学年度全沖縄の1学級あたり平均児童生徒数と比べると小学校36.2人、中学校39.6人で、へき地校の学級規模が小さいことを示している。

3．転出入者数

へき地における学校規模、学級規模が小さいということは交通の不便さやその他いわゆるへき地性にもとずくことが大であるが、一面人口流出による過疎化現象によることも見逃せない。

同一教育区における移動を除いて、沖縄内と沖縄外へ（から）の児童生徒の転出入状況をへき地についてまとめてみたのが第4表である。

第4表　へき地における転出入者数　1969.5.1

学校別 区分	小学校		中学校	
	転入	転出	転入	転出
沖縄内から	107 人	365 人	50 人	218 人
沖縄外から	3	7	0	5
計	110	372	50	223
在籍に対する比率	0.8 %	2.7 %	0.6 %	2.8 %
全沖縄の転出入者数 （同一教育内を除く）	2,472 人	2,483 人	1,128 人	1,043 人

4．教員の年令別性別構成

へき地における教育振興のためには教育条件の整備は勿論のことながら、教員の構成についてもその適正配置が必要であるが、その実態はどうであろうか。教員関係の資料がいまのところ不充分なので、ここでは1969年年度の学校基本調査から年令別、性別の教員

構成についてへき地と全沖縄を一枚の　う。
図にプロフィルを描いて対比してみよ

第2図　教員の年令別・性別構成

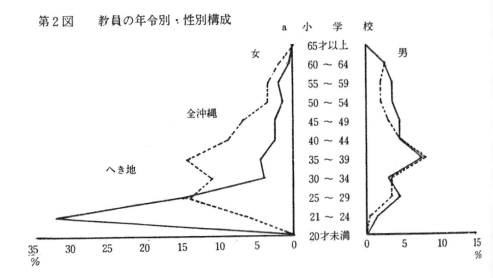

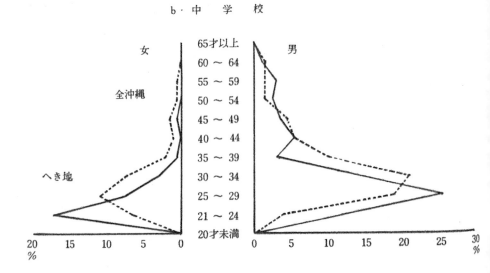

まず教員全体での性別構成にはとくにへき地の特異性は認められない。しかし年令別にみると小学校20～24才の年令層における女教師の極端に大きな割合と、逆に30才以上の年令層の少なさにやはりへき地における教員組織のアンバランスが如実にあらわれている。中学校では小学校ほど極端な差異はみられないが、教員全体を通して教員年令の若年化は顕著な事実である。

5．へき地教員の養成

前述のようにへき地における教員構成はその他の地域に比べてかなりのひずみをもっているが、もっと深刻な問題は教員の確保ということである。（もっともここ1、2年は事情が幾分ちがうが、へき地校赴任希望者が皆無に近い状態では現在でもこの問題は解決されたとはいいがたい。）
へき地校へ教員が進んで赴任できるような条件整備が強く要望され、文教当局もそれなりの努力をはらっているがさしあたって教員確保のためにへき地教員奨学生を養成して、過去16年間（1954年～1969年）に371人の教員をへき地に配置してきた。

6．へき地手当補助金

へき地教育振興法第6条の規定により、へき地教育振興法規則第2条でへき地校に指定された公立小中学校の教職員に対して、へき地の級地区分に応じて給料の8％から25％のへき地手当を支給している。1970会計年度におけるへき地手当補助金は第5表のとおりであるが、この級地別の支給率は本土の現行支給率と同一である。

第5表　へき地手当支給状況

		校数	支給率	補助額
小学校	1級地	16	給料の8％	21,981ドル
	2 〃	17	12	36,453
	3 〃	12	16	17,382
	4 〃	16	20	27,295
	5 〃	8	25	12,887
中学校	1級地	11	8	18,104ドル
	2 〃	14	12	26,002
	3 〃	10	16	18,013
	4 〃	12	20	20,905
	5 〃	5	25	12,073
計		121	—	211,095ドル

7．へき地住宅料補助金と教員住宅

へき地教員住宅の建築状況は第6表に示すとおりであるが、1969年5月現在の必要棟数に対する保有率は26％で

まだ低い実情にある。そのためへき地赴任教師の大部分は借家住いを余儀なくされているので、へき地教育振興法施行規則第8条によって借家している教職員に住宅料を支給している。その内容は教職員1人の場合月額5ドル以内（2人以上が同一世帯に属する場合は1人当月額3ドル50以内）を支給していて総額では小中校合わせて30,600ドルとなっている。（1970会計年度）

第6表　へき地教員住宅建築状況

区 分	必要棟数	保　有		保有率
		棟数	収容人員	
北　部	135	24	38人	18%
中　部	61	11	24	18
那　覇	102	19	41	19
南　部	60	21	43	35
宮　古	95	17	34	18
八重山	140	66	117	47
計	593	158	297	26

8．へき地教育環境整備備品
　　　　　（へき地文化備品）

　へき地教育振興法施行規則第3条により、へき地校の教材、教具等を整備し学習指導の強化を図るため、1960年度から補助を行っている。補助の比率は原則としてその経費の5分の4で残り5分の1は区教育委員会負担となっている。また補助は普通補助と特別補助の2種類があり、普通補助についてはへき地教育振興補助金交付に関する規則第5条の算定方法によって各教育区に交付される。1970会計年度では小学校14,490ドル、中学校15,600ドルが計上されている。特別補助は1969年度14校に発電機を補助した。

9．学校統合補助

　学校教育の充実発展、効果的な学習指導の推進、さらに予算の効率的な運用という点から学校の分離統合は主要な教育施策となっているが、へき地の場合は学校統合によって児童生徒の通学が困難になる場合、通学条件の改善を図って、寄宿舎に入舎している場合は、住居費として1人当月額8ドル炊事婦給与として1人当月額　45ドル、
　下宿者には下宿料として1人当月額10ドル、バス通学者にはその実費を支給している。

II 第二回へき地教育研究大会より

第二回へき地教育研究大会に参加して

宮城中学校　玉城勝郎

　1月22日、23日、24日、伊計小中学校、宮城小中学校を部会場、中部連合教育区教育委員会ホールを全体会場として、第2回へき地教育研究大会が開催された。そこに参加をしたので感想を述べてみたい。

　本校は学校長の方針で1部の者が研修してもへき地の教育の取り組みはできないという立場から全教職員参加することになって、21日午後から2台の車に分乗して屋ケ名まで、そこから全員伊計島に渡り、その日のうちに島の特徴をとらえるよう職員は努力した。私たち中学校職員4名は、早速く伊計小中学校を訪問して、島のこと、学校のことをいろいろ尋ねてみた。特に教員組織のことについては、へき地らしい悩みのあることがすぐ察せられた。学校の位置としては大変安定して、さすが体育の研究校だけあって、遊び道具とグランドが整備されていた。ただ気になったことは学校近くにある製糖工場からの煙であった。翌日部会場が分れているため校長以下4名は午前9時30分に宮城島へクリ舟で渡っていった。宮城小中学校は、へき地離島であるが各学年2クラス編成で規模からして想像していたより大きく、本島北部の普通学校の感をした。しかも小中校が少し離れた敷地にあるし独立校の感じがしてうらやましくなった。

　研究テーマは「学校教育目標の学級実現化」現在、真剣に検討しなければいけない大事なテーマであったので関心がもたれた。その証拠に研究参加予定者が100名余りもオーバーしたことでもおよその想像がつく。

　研究は全教育活動のなかでテーマの実現化を計るように進められていたが、特に教育組織等から社会科の学習を通

して目標を達成させるように進め社会科学習のなかでは 必ず学校目標や学級目標をなんらかのかたちで結びつけて、その深化を計ろうとした努力が研究会でうかがえた。大きなとらえにくいテーマであるので今後の研究の成果に期待したい。

23日全体会の午前中に「シート学習について」兼城中学校教諭の大城輝吉氏、「へき地教育指導者講習に参加して」座間味小中校長江洲正仁氏、「私の学校経営」高江小中学校長平識善福氏が研究発表を行ない参加者に深い感銘を与えた。

大城先生の「シート学習」について実に年間忍耐強くあらゆる障害をのり越え、それに取り組んだことがユーモラスに生々と報告された。そのなかで

も私生活ではシートづくりで忙しいため洗濯等がまにあわず体温で服を乾かし登校したり諸会合（宴会等）後、午前2時3時までかかってシートを仕上げたことなど、教育評論家はどう評家しようと1個の人間教師として立派でありその熱意と努力に頭が下がる思いであった。

江洲先生の報告は、本土では全教師がへき地教育に真剣に取り組んでいる。ということであった。

平識先生は赴任当初から沖縄の教育を発展させるにはへき地教育のとりくみからだと強い決意で学校経営にあたり、開拓する人間というものがいかに価値あるか強調された。

それにはいつまでたってもへき地性

座間味中（現在兼城中）大城教諭の発表

を持った子どもたちではその精神をうけつけることができないということで、へき地性の打破をうちだした。へき地性の大きな要因になっている環境から整備しなければいけないと思いたち、谷間にある学校を風光明媚な山頂に移す。すなわち校地移転に全力を傾注し、それが2ケ年10月の才月でとうとう実現することができたとのことである。平識先生のへき地教育にとりくむ姿勢は強烈で熱がこもっていた。また誠意でぶつかれば多くの問題は必ず解決できることを教えられた。

　以上の3氏の研究内容を全体のものにするためまた、へき地教育発展のため討議時間がもっと欲しかった。

　文教局の島元先生の「新しい学力と学校図書館の役割」の講義は、先生の流暢な話術で図書利用の大事さを深く印象づけた。特にへき地の子どもたちが主体的に学習に取り組むための図書利用は本質をずばりついている感じで大変いい勉強になった。

　午後の日程は「へき地の学校における学校経営ならびに学習指導の改善について」の討議主題を
（ア）効率的な校内研修のあり方
（イ）主体的に学習させるにはどのようにすればよいか。
（ウ）少人数の利点を生かしたより効果的な学習指導をするにはどのようにすればよいか、の視点から討議が進められた。

　ここで各面にふれて述べることはできないが、総括してみると、各学校ともへき地の問題を多く抱えている反面その解決のためそうとうのエネルギーを注いでいることや、各教師は自己の課題だという立場からそれこそ真剣に学校経営ならびに学習指導の改善のため努力をしていることがよくわかった。日程の都合上充分な討議ができなかったことが残念であった。

　24日（大会最後）は現場から政府へ提出されたへき地教育のための質問に対する施策説明会であったが名の通り説明会に終ってしまった。もっと深くつっこんだ懇談がほしかった。しかし政府の熱意がうかがえたのでよかったと思った。

　最後の日程の情報交換会も大変なごやかであったと聞いているが、私は身体の具合が悪く席をはずしていたのではっきりその様子をとらえることはできなかった。しかし、昨年から察して

多くの方々とじかに話し合いができ情報が交換できるので大変意義があると思うので来年も是非日程にもり込んでほしい。

最後に教育を携わる人々はへき地教育の経験が必要と思う。たえずへき地教育は全教師で考えるべきだと言ったところで、経験しない者ではそのとらえ方や感覚がちがい興味のうすいことである。広い視野から教育を唱えるならば経験することが必ずプラスになることを信じている。

また、へき地に現に勤めている者がまっ先になって問題解決に努力すべきであって、それをそのままほっておくことは、いつまでたっても前進しないことを意味し、敬遠する材料を積み上げていくようなものであると思う。

特にへき地教育で思うことは、その地域なりの教育をすべきであることであるがややもするとへき地の小規模でありながら平担地のマンモス校のような教育目標を掲げ、生徒が想像も及ばないような活動を要求し生徒だけでなく教師までがあせりを感じることも考えられる。いいかえるとへき地は、へき地校として主体性を持つべきだと思うわけです。

我々が成すべきことは、その地域の子どもたちの個性をのばすことであって、平均化し、比較することではないと思う。

このへき地大会に東区教育委員の伊集氏も全日程に参加し現場教師と共々に研修したことをつけくわえておきたい。へき地教育の発展を祈りつつ。

へき地教育研究大会に参加して

綱取小中学校長　川平永賢

へき地における学校経営、ならびに学習指導上の諸問題について研究することと、情報交換を通してへき地教育の現状を把握し、へき地教育の振興をはかるという趣旨で、文教局主催の第2回全琉へき地教育研究大会が1月22日から3日間、中部連合区を中心に催された。指定参加の機会を得たので、3日間の大会を通して特に感じた点を述べてみたい。

第1日目は与那城教育区の宮城小中学校と伊計小中校の両部会場で、公開

授業や研究発表がなされた。
「小規模学校における体育学習」をテーマにしているが伊計小中学校にもいささか心はひかれたが、しかしへき地における学校経営を研究したいということと「教育目標の学級実現化」という目あたらしい研究テーマにひかれて、宮城小中学校の部会へ出席することにした。

同校の研究は、学校の教育目標を設定し、更に学年、学級の目標を設定、そして4領域への縦横の連携を考慮しながら目標達成のための実践をしていくという研究のとりくみ方である。

学校教育目標を設定し、その目標を学年や学級までおろしていくというだけでも困難なことであるが、更にその目標達成するための具体的な計画の実践となると、実に至難な研究である。

学校のかかげる目標が単なる飾り文句だとか、1片の作文、標語だと指摘されるのも、目標達成の研究実践までもっていかないからだと思われる。今日の学校現場の盲点ではないだろうか

へき地の悪条件を克服しながら現場の盲点を指摘していただいた宮城小中学校のご研究に対し心から敬意を表したい。

大会初日は300有余名の会員が参加して、たいへんもりあがりが感じられたところが2日目の会場は空席がめだち、淋しさと、むなしさを感じた。「やっぱりへき地の研究会だ」という会場でのささやきが、いやに頭にのこる。

予算の関係で全琉40校（40名）の参加指定となったと思うが、100余のへき地校をかかえているのだから、もっと指定校や参加人員をふやしてもらいたいものである。

開会式は2日目におこなわれた。あいさつ、祝辞と、すべて型どおり、へき地問題の困難さと、へき地教育にたずさわる教師への同情と激励であった。同情と激励。へき地教育はあるいはそれによってささえられているかもしれない。しかし単なる同情や激励のみではとてもやりきれない。深刻な問題がいくらでもころがっている。3日目の質疑応答の時間には、その切実な問題が質問となり、強い訴えとなって次々とだされた。大会で最も期待をかけるのはこの時間である。文教局の施策説明に期待をかける時間であり、また日頃の不平不満を訴え、そして何らかの解決策に一るの望みをかけているからである。ところがその期待ははずれ、

物たりなさと、焦燥感さえいだくことがある。これもへき地問題の複雑さや困難さからくるものと思われる。しかし検討しましよう。考慮しようという時間でなく、では、どうすればよいかという解決策まで話しあえる余裕のある時間にしたいものである。

この時間で特に印象に残り、そして考えさせられたのは次の質問である。「さて我が子をへき地にやるとなると、マッタをかけるのが現実ではないでしょうか。

自分のむすこや娘を進んでへき地に派遣できるような施策のできる上層部の人々が生れない限り、真のへき地振興は不可能と考えるがどうでしょうか」。

実にきびしい、切実な質問（訴え）である。

「へき地教育をぬきにしては、沖縄教育の振興はありえない」と、最近ようやくへき地に対する関心がたかまりつつある。ところが教育行政にも限界がある。

電気、水道、医療問題、通信、交通、過疎対策等とあげてくると、どうしても、より広範なより高度な施策が必要になってくる。

へき地解消は何といっても為政者の前むきの姿勢にかかっているといえる。特に期待したいのである。

現場の教師は、へき地に諸問題を、教育行政や為政者の施策に期待して、供手傍観しているということではない。

へき地教育に対する無限の可能性を信じ、つねに現時点を重視しつつ現時点に立脚した教育をおしすすめつつある。

２日目の体験発表や研究討議にはその尊い姿をはっきりとみることができた。

大城輝吉教諭のシート学習にかける意欲と情熱、不眠不休でシート作りに精魂をうちこむ尊い体験発表、「教育にへき地があってはならない」との固い信念と、情熱たぎる平識全福校長の学校経営実践、それに同校職員のへき地教育に対する卓越した意見、主張等、実に深い感銘と身のひきしまる思いがした。

きびしい現実にあっても、そこに生活のよろこびを見いだしたい。また見い出そうと努力し、へき地教育を軌道にのせようと、ひたすらな気持で研究実践にとりくんでいる。紙面の制約で研究討議の内容や要請事項、文教局の施策等にふれることができなかったがこの次にゆずりたい。

公立学校職員共済組合法の施行にあたって (4)

所属所長の任務

公立学校職員共済組合
事務局長　安　村　昌　享

I　各機関の任務の分担

　公立学校職員共済組合の発足以来、組合では組合員証の確認、発送、掛金及び負担金の徴収に全力をあげると同時に、組合員から請求のあった短期給付である育児手当金、災害見舞金、傷病手当金、家族弔慰金、長期給付の退職年金、退職一時金の支給にも、すみやかに組合員の手許に届くべく努力を続けてきました。これらのことがスムーズに運ぶようにするためには、関係機関が、その任務について十分理解し、その責任を果すことが大切であると思うので、今回は、任命権者、所属所長（主として学校長）及び給与支払い機関の行なうべき事務について書いていくことにします。

　共済組合法施行規則第二十二条は機関の任務の分担について記されたものである。

　政府等の報告　政府等の長（法八十六条第四項の職員団体を含む。）は他の規則で定めるところにより、次に掲げる事務を行なうものとする。

1，組合員の数及び被扶養者の数を組合に報告すること。

2，組合員の資格の取得及び喪失に関する事項を組合に報告すること。

3，組合員の給料の総額及び掛金に関する事項を組合に報告すること。

4，組合員の昇給及び昇任その他給料の異動に関する事項を組合に報告すること。

5，年金である給付の額の改定の基礎となるべき組合員であった者に係る給料に関する事項を組合に報告すること。

6，組合員（組合員であった者を含む。）又はその遺族から給付に関する請求その他書面を受理し、これ

を証明し、及びこれを組合に送付すること。

7，組合員の履歴書を証明すること。

以上政府等の任務について書いてきたが、この任務は一律に同じではなく、機関によって任務が分担されている。

例えば履歴書の証明事項に関することは、任命権者の長が証明をするといふふうに。

Ⅱ 所属所長及び所属所

これまで政府等の長という言葉を使ってきたが、この長とは一体何であり、誰が長となり、誰が任命し、任務は何かについて、公立学校職員共済組合定款から見ると、その第十一条に

所属所には、所属所長を置き、運営規則で定めるものをもって充てる者のほか、理事長がこれを任命する。

(2) 所属所長は、理事長の命を受け、所属所の事務をつかさどる。

(3) 所属所の所掌する事務の範囲に関しては、運営規則で定める。

1　所属所とは何か

公立学校職員共済組合運営規則により組合に置く所属所とは次のものをいう。

(1) 政府及び地方教育区が設置する学校

(2) 政府が設置する特殊学校

(3) 文教局及び文教局の附属機関

(4) 琉球大学

(5) 私立大学委員会の事務局

(6) 地方教育区事務局（連合教育区事務局及び教育区事務局）

(7) 公立学校職員共済組合事務局

以上あげてきた機関に属するものをいい、また、所属所の事情いかんによっては、理事長が所属所長との会議の上、一つの所属所を二つ以上の所属所に分割し、又は二つ以上の所属所を一つの所属所に統合ができるようになっている。

2　誰が所属所長になるか

(1) 本部の所属所長は、理事長が任命するものをもってあてる。

(2) 本部以外の所属所長は、それぞれの所属する機関の長の職にある者（規定により所属所を分割、又は統合する場合には理事長の定める者。）をもってそれぞれ充てる。

3　所属所の所掌事務

(1) 組合員の資格の得喪の証明その他組合員に関する事項

(2) 被扶養者の証明に関する事項

(3) 貸金の返還金の収納に関すること

(4) 資産の管理その他財務に関すること（本部所属）
(5) その他理事長の定める事項

4　所属所長の任務

所属所長の任務を具体的に列挙すれば下記の通りである。

(1) 組合員の異動報告書を理事長に提出すること。
(2) 組合員の資格取得届書を理事長に提出すること。
(3) 組合員証の記載事項の変更（異動後の所属所長を経由）
(4) 組合員証等に関する手続

運営規則第二章に規定するもののほか、施行細則第三章の規定により、組合員又は理事長が行なう組合員証その他証票、及び関係書類の提出、返納、交付及び返付は所属所長を経て行なう。

(5) 組合員の転入、転出の届け
(6) 請求書等の証明及び請求

公立学校職員共済組合法施行細則第百四十四条及び運営規則第三章により、長期、短期の給付請求の証明及び請求は所属所長が行なわなければならない。

Ⅲ　おわりに

所属所長がその任務を十分に知り速やかに事務を処理することは、自分の管理下にある組合員の権利をたいせつにすることであり、ひいては組合の発展につながるものである。ともすると所属所長としての任務を知らないために、又は事務が煩雑なために責任が果されていない例もあるが、今後は共済組合法やその他関係法令を熟読吟味されて、組合の発展と組合員ひとり一人の生活の安定と福祉の向上のために御努力と御協力を願って本稿をおわります。

本土復帰と地方教育行財政

はじめに

　米国施政下の重圧の下で「日本国民の教育」を明示した教育基本法の民立法により沖縄の教育の目的や内容は本土と何らかわることなく推進されてきた。このことは沖縄の教育関係者だけでなく、おしつけの布令にかわる民意による立法を根強くかちとった全住民の誇りとするところである。過去25年間異民族の支配を受けながら沖縄のわれわれが精神的な面で本土との一体感をもち得たのはまさにこの同一教育目標と教育内容をもち続けて来たところにあると言える。したがって72年本土復帰が決っても教育の目標や内容面ではこれまでと変わるところはない。復帰に対する楽歓ムードが教育界にほのみえるのはこのような点に根ざしていると思われる。しかし、教育を支える外的条件、例えば、教育行政制度、教育財政制度等は現行の本土の制度と同一の面を多分にもっているとはいえかなり大きな変化をよぎなくされよう。勿論その変化は経過措置や特別措置等によって急変による混乱や摩擦を最少限にくいとめるような方途を講じなければならないであろうが、いずれにしても本土法や制度の中に同一化していくことになるのであるから、復帰を2年余の間近にひかえた今日、ただ心の準備だけでなく「本土復帰が実現したら沖縄の教育はどうなるか」ということを真剣に検討し対策を講ずることが焦眉の急務である。本誌では地方教育区の行財政を中心に「本土復帰と地方教育行財政」という統一テーマを掲げ、各号において具体的なテーマをしぼって解説を続けたいと思う。いささかとっつきにくい感じもしないではないが、教育関係者が大きな変換期を乗り切るための参考資料として役立つことができれば幸いである。

本土交付税を適用した場合沖縄の地方教育委員会の行政費はどうなるか。

調査計画課　新城久雄

1. 地方教育費の財源

本土における地方教育費の財源を大きく二つに分けると、国庫補助金、県支出金、地方債、公費にくみ入れられた寄附金等のようにその使途が限定若しくは決定された所謂「ひもつき財源」しての特定財源と、市町村支出金やPTA寄附金、その他の寄附金等のように市町村（教育区）が独自に使用できる一般財源から成っている。市町村はこれらの財源によって教育予算を編成し地方教育の行政、管理、指導を行っている。

(イ) 財源の種類

公私別	公	費		私費	
財源別	特定財源	一般財源	特定財源	一般財源	
財源区分	国庫補助金	地方債、外公費 / 支出金都道府県 / 支出金市町村	寄附金	地方債	公費にくみ入れられた寄附金 / 公費にくみ入れられない寄附金 PTA寄附金 / その他の寄附金

(ロ) 財源の経路（事務経路ではない）

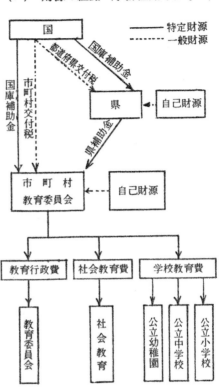

2. 教育費特定財源

国庫補助金については、地方財政法に示されているように、「地方公共団体又は地方公共団体の機関が法令に基づいて実施しなければならない事務であって、国と地方公共団体相互の利害に関係がある事務のうち…国がその経費の全部又は一部を負担する」、「国はその施策を行うため特別の必要があ

ると認めるとき又は地方公共団体の財政上の特別の必要があると認めるときに限り……補助金を交付することができる」となっており、地方教育費に対する設置者負担の原則が明示されている。

　昭和45年度に国が支出している補助金関係事項は別表の参考資料「文部省所管国庫補助金表」のとおりである。その補助率については、「義務教育国庫負担法による教職員給与」及び「公立学校医……の公務災害補助金」等のように国がその½、県が残りの½を負担する項目もあるが、他の殆んどの項目は、国の補助以外の対応比分については設置者が自己財源（一般財源）によって負担することになる。県によっては、市町村の負担を軽減するために財政補助を行っているところもあるが、その項目及び額は僅少で殆んど設置者の負担となっている。つまり国の補助額を差引いた残りの行政に要する経費については、県立の教育機関に対してはこれを県が負担し、市町村立教育機関に対しては市町村が負担するのである。従って本土復帰後、教育の質、量を拡充整備していく上において国が支出する標準的な補助金や、交付税教育費の標準基財額の他に、市町村がどれだけそれを上廻って負担できるかという教育投資への市町村の財政能力が重大な課題となってくる。

3. 教育費一般財源

（1）交付税教育費の役割り。

　地方教育費の一般財源には、市町村支出金や私費教育費があるが、市町村支出金がその大部分を占め、更にこの市町村支出金は交付税教育費の基準額によって基礎づけられている。交付税教育費の行政項目は、小中学校、幼稚園、教育委員会、学校図書館、保健体育、社会教育等で、内容的には、地方教育における補助金以外の行政に要する人件費、運営費等である。特に教育委員会費については、行政運営に関する補助金は皆無であるので、<u>この交付税教育費の基準額の多少が大きく教育行政の規模や内容を左右することになる。</u>勿論教育計画の樹立に当って教育財政は形式的には第二義的なもので、教育行政の規模と内容とが決定されてから教育財政の規模が決定されるであろうが、実質的には教育財政の規模によって教育行政の規模と内容が決定されていくからである。特に沖縄のように交付税への依存率80％以上の市町村が全

市町村の76％を占めているような貧困な地域では、国の交付税基財額に無関係に、行政の規模や内容を策定し、基準以上の教育を進めることは、たとえこれが目標とすべきことではあっても、現実的には何等かの措置を構じない限り不可能なことのように思える。

(2) 教育委員会の行政費

地方教育区の交付税を含めた一般財源は、地方自治の本旨に基づいて地方教育区が自からの意志、自からの創意と工夫によって効率的に運用し得る財源である。従って地方教育区は予算編成に当っても自からの主要施策に則って重点的に編成を行っている。しかしながら重点的とはいっても、全面的な地方教育区の恣意を意味するものではない。地方交付税法は、このことについて「地方団体は交付税の交付を受けると否とにかゝわらずその行政についての合理的且妥当及水準を維持するように努め少なくとも法律又はこれに基づく政令によって義務づけられた規模と内容を備えるようにしなければならない」と規定している。特に沖縄のように基財額並みの負担金しか得られない貧困な地域では、基財額並み教育費総額の枠内で、ある特定項目を伸ば

すということは、他の項目の水準を引き下げることを意味し、ひいては父兄負担を増大せしめる結果となる。従って一応基準財政需要額を基準として各項目（小中学校幼稚園、教育委員会、社教、保体、学図）毎に基準額を算出し、そ内容を分折し、「その範囲で行政は可能か」「市町村負担分はどうなるか」「どのような行財政面の改革改善が必要か」等、今後の問題として再検討していく必要がある。

ちなみに、沖縄の地方教育費の一般財源を本土のそれと比較すると

基準額及び実質額本土比較

昭44：1970（万ドル）

	基準財政需要額		実　質　額		
	基財額	水準	基財額に対する市町村負担率	実質額	水準
本土	912	% 100	1.58	1,441	% 100
沖縄	695	76.2	1.08	746	52

（市町村負担率は全国平均昭42年152.昭44年は推計）

○沖縄の市町村の当該教育区に対する市町村教育費負担金（基財額＋市町村負担分）の基財額に対する負担率は1.08（那覇区を除く）で、沖縄の地方教育行政は基準を維持するのに精一杯である。

○1970年度の沖縄の基財額は本土水

準の76.2％で、更に本土の実質上（標準額＋市町村負担分）の総行政費に対する水準は52％程度である。（事業費補正で多少異動がある）

○戦後20余年の教育諸条件の較差は別として、現段階で本土の実質的財政水準を保つのにおよそ 700万ドルが必要であり、現時点で本土交付税方式を適用し、本土水準の100％、つまり912万ドルを基財額に充てるとしても、実質的水準を保つのに市町村は少なくとも 500万ドル負担しなければならないことになる。勿論、これは交付税関係の地方教育の一般財源のみであり、その他の国庫補助や県補助等の対応費、又は独自の教育計画に基づく負担は別である。

（ア）標準規模及び諸経費

1人当り経費の算定に当っては、教育行政に要する経費が特に割高割安になっていない、又特に大規模又は小規模の行政を行っていない通常の団体を想定し、これを基礎として行政の範囲や人員配置を行ない諸経費を積算して基準額を客観的に算出することになっている。経費が割高割安になったり、行政の質や量が通常の程度以上又はそれ以下の団体については各種の補正を適用し同一水準の行政が行なえるようになっている。

表1　標準規模（小中学校）

区分	学校数	学級数	児生数	雇用人		
					給食、事補用人	
小学校	1	18	810	4	1	1
中学校	1	15	675	1.5	1	1

○小中学校の標準規模は現行沖縄の交付税のそれと同一である。本土法を適用すれば経費は現在の1.20程度となる。

表2　標準規模（その他の教育）

区分	行政規模人口	公民館数	図書館数	幼稚園数	幼稚園教員数	教育委員数	教育長	教職吏員	雇用人
	10万人								
教育委員会						4	1	12	4
社会教育		8						8	5
学校図書館			1					3	
保健体育								3	2
幼稚園				4	18			―	4

○本土の人口10万規模に対し沖縄は3万規模であるので特に教育委員会幼稚園教育費が問題となる。

表3　経費（給与）

下記の経費は標準規模（人口10万）における標準的経費である。

教育委員会負担職員給料（昭44）（単位ドル）

		種別	給料月額
人件費	小中学校	用務員	84.91
		内科	83.33（年）
		歯科	83.33（年）
		眼科	83.33（年）
		事務補	61.74
		給食従事員	56.99
		薬剤師	41.67（年）
	教育委員会	教育委員長	38.89
		教育委員	30.56
		教育長	437.25（含諸手当金）
		吏員（教委）	223.75（含諸手当）
		雇用人（教委）	146.08（含諸手当）
		職員（教委）	41.67（含諸手当）
	社会教育	吏員（社教）	223.75（含諸手当）
		雇用人	146.08（含諸手当）
	図書館	吏員	223.75（含諸手当）
		雇用人	146.08（含諸手当）
	保健体育	吏員	223.75（含諸手当）
		雇用人	146.08（含諸手当）
	幼稚園	園長	168.75
		教頭	109.75
		教員	94.54
		雇用人	54.92
		校医	83.33

表4　教育委員報酬

下表は沖縄及び本土の昭和44年の標準規模における標準額である。人口規模が異なるので、沖縄の規模を本土並み10万規模にすれば教育委員で標準18弗程度となる。

交付税標準給与（1970：昭44）　ドル

区分	沖縄（人口3万）		本土（人口10万）	
	報酬月額	期末手当	報酬月額	期末手当
委員長	60.00	300/100	38.87	なし
教委員	55.00	300/100	30.56	なし

表5　人口段階別教育委員報酬実態。

下表は沖縄と長崎県の地方教育委員の報酬月額比較である。

人口段階別教育委員報酬比較表　ドル

人口段階	長崎県		沖縄	
	委員長	委員	委員長	委員
15万〜50万	56〜69	42〜56	100	100
5万〜15万	27〜49	22〜27	93	93
3万〜5万	22〜28	16〜22	88	81
1万5千〜3万	17〜22	15〜17	70	62
8千〜1万5千	11〜15	8〜11	58	51
5千〜8千	5〜7	5〜7	52	46
2千5百〜5千	4〜6	4〜6	48	42

表6　備品費

下表は小中学校の1校、1学級、児童生徒1人当り額を示す。正確には人口急増補正、態容補正後の数値×1人当り（1級、1校）額となるが、それぞれの額を児童生徒、学級、学校数、の実数に乗じて概算程度に理解してもらいたい。

小中学校備品費　（年額昭44年）

	種別	1校当り	1学級当り	児童生徒数1人当り
小学校	消耗品的備品	83.33		
	放送施設	55.56		
	体育施設	47.78		
	衛生　〃	33.33		
	給食　〃	50.83		
	理科　〃	95.00		
	その他	277.78		
	建物修繕費		143.61	
	運動場修理費		13.88	
	教材用図書備品		31.82	
	その他の備品		21.83	
	教師用教科書		2.22	
	教材用図書備品			0.71
	その他の備品			1.19
	要保護準要保護			
	学用品費			6.61
	通学用品費			1.47
	給食費			20.32
	治療費			1.98
	修学旅行			4.72
中学校	消耗品的備品	83.33		
	放送施設	55.56		
	体育　〃	78.89		
	衛生　〃	33.33		
	給食　〃	36.94		
	理科　〃	126.00		
	技術　〃	83.33		
	その他の備品	388.89		

建物維持修繕費	122.60	
運動場修理費	18.87	
教材用図書備品	40.31	
その他の備品	30.27	
教師用教科書	1.92	
教材用図書備品		0.80
その他の備品		1.22
要保護準要保護		
学用品		14.97
通学用品		147
給食費		443
治療費		214
修学旅行		15.00

表7　その他の教育関係備品及び投資的経費

○備品費（その他の教育）昭和44　ドル

	種別	人口1人当り		種別	人口1人当り
教委	学校環境整備	0.00183	幼稚園	幼児図書 教員用図書 技用備品	
社教	図書事業用器具	0.00347		積木等教材 机、椅子	
				事務用机、椅子	0.255
図館	図書レコード購入	0.03		戸棚 黒板	
保体	体育器具備品	0.00277		オルガン ピアノ 遊戯施設 その他	

算出：補正人口×1人当り額

○投資的経費　　　　昭44　ドル

種別	事項	1人当り	種別	事項	1人当り
小学校	校舎改築事業	1学級当り 123.44	社会教育	公民館、図書館建設費	0.0167
	既設建設分に係る元利償還相当額	61.11			
中学校	〃	129.60	教委、図書館、保体		—
	〃	61.13			
幼稚園	幼稚園建築費	0.277			
	初度調弁費	0.0375			

(イ) 教育委員会の段階別標準人員配置

下記は「その他の教育費」の標準団体人口10万規模を基礎にして各人口段階毎の基準財政需要額を算定するための人員配置表である。

教育委員会についてみると、人口10万人の標準団体では吏員12人、雇用人4人となっているが、沖縄の場合は平均して1万2千人の段階に該当する（沖縄は1万2千以下の教育委員会が全教育区の71％を占める）。従って、職員数は2人～3人となる。勿論この本土交付税方式は本土の地

段階別標準財政需要額算定内択　　　（昭和43年）

人口段階	教育委員会			社会教育			図書館			保健体育			幼稚園			
	吏員	雇用人	計	吏員	雇用人	計	吏員	雇用人	計	吏員	吏員	計	園数	教員数	雇用人	計
4千	1	—	1	1	—	1	—	—	—	—	—	—	0.5	1	—	1.0
8千	—	2	2	1	1	2	—	0.5	0.5	—	0.5	0.5	0.5	1.5	0.5	2
1万2千	1	2	3	2	1	3	—	0.5	0.5	—	0.5	0.5	0.5	2	0.5	2.5
1万6千	2	2	4	2	1	3	—	1	1	—	0.5	0.5	1	3	0.5	3.5
2万	2	2	4	3	1	4	—	1	1	0.5	0.5	1	1	3.5	0.5	1.0
3万	3.5	2	5.5	3.5	2	5.5	1	—	1	0.5	1	1.5	1.5	6	1	7.0
4万	4.5	3	7.5	4.5	2.5	7	1	—	1	1	1.5	2.5	2	7	1	8.0
6万	7	4	11	7	1	8	2	—	2	2	1	3	2.5	11	1.5	12.5
10万	12	4	16	7	5	12	3	1	4	3	2	5	4	17	2	19.0
15万	12	12	24	10	4	14	4	2	6	3	3	6	6	26	3	29.0
25万	20	15	35	13	5	18	6	4	10	5	3	8	10	43	5	48.0
40万	27	24	51	19	8	27	9	6	15	7	5	12	16	68	8	76.0
130万	95	60	155	53	38	91	24	25	49	23	14	37	52	221	26	247.0

教行法に基づき、沖縄の現行連合区教育委員会による地方教育の指導及び管理行政は区教育委員会によって行うということを前提としているので、仮に連合区が廃止されるものとすればこの標準配置職員2人～3人の他に教育長、指導及び管理関係職員を配置しなければならないことになる、そのときの経費の負担は設置者である。

ウ　委員会の行政費

本土交付税方式によって財源保障される教育委員会の規模や人員配置について申し上げたが、次表はこれらの規模を基礎にして算出された人口1人当り経費（単位費用）を沖縄の教育委員に適用した場合の各教育区の行政費である。人口段階補正、態容補正、幼稚園密度補正については資料の都合で昭和43年度分を適用したが、例年の伸びからして多少の異動はあろうが大差はないと思われる。アウトラインをつかむ程度に理解していただきたい。

要するに本土交付税方式でみた沖縄の地方教育委員会の行政費は教育委員会に対する単位費用の差や小規模委員会が多いこと等に原因して、現行沖縄の交付税教育委員費の80％程度に止まるということである。

現在沖縄の教育委員会は平均して委員5人、会計1人、書記1人の小規模委員会で、指導管理行政については連合区が全面担当している。しかもこれら連合区職員の給与、その他の経費は行政補助金として全額政府負担となってこり、唯連合区負担職員の人件費及び運営費の一部が教育区の分担金によって賄なわれているにすぎない。これらの経費も多かれ少なかれ教育委員会の負担となるであろうし、更に本土との較差分、特定財源の対応費分、特定事業等の財政上の諸問題を考え合すれば、沖縄の教育諸条件の水準向上のために今後の教育委員会のあり方について更に関心を高め、早急にしかも円滑に本土復帰ができるようその体制をとゝのえることが急務である。

本土方式を適用した場合の教育委員会の基準財政需要額

(係数昭43年)
単位費用44年

教育区	本土交付税方式による教育委員会基財額（昭和44年）			沖縄交付税	(A)/(B)
	補正人口 (実人口×人段補係 ×能補係×幼密係)	基準財正需 要額 (A)		教育委員会 基財額 1970 予算 (B)	
国　　　頭	14,955	8,225.00		11,360.00	72.40%
大　宜　味	10,254	5,640.00		8,524.00	66.17
東	6,468	3,557.00		6,041.00	58.88
羽　　　地	13,966	7,681.00		10,805.00	71.09
屋　我　地	7,308	4,019.00		6,593.00	60.96
今　帰　仁	18,906	10,398.00		13,577.00	76.59
上　本　部	9,205	5,063.00		7,797.00	64.94
本　　　部	21,595	11,877.00		15,271.00	77.77
屋　　　部	8,640	4,752.00		7,463.00	63.67
名　　　護	39,446	21,695.00		21,875.00	99.18
久　　　志	10,766	5,921.00		8,859.00	66.84
宜　野　座	8,478	4,163.00		7,209.00	57.75
金　　　武	22,407	12,324.00		13,075.00	94.26
伊　　　江	17,894	9,842.00		11,109.00	88.59
伊　平　屋	6,952	3,824.00		6,359.00	60.14
伊　是　名	8,698	4,784.00		7,501.00	63.78
計					
恩　　　納	13,236	7,280.00		10,419.00	60.87
石　　　川	33,783	18,581.00		18,706.00	99.33
美　　　里	30,161	16,589.00		20,944.00	79.21
与　那　城	21,546	11,850.00		15,230.00	77.81
勝　　連	26,210	14,416.00		14,908.00	96.70
具　志　川	44,829	24,656.00		31,164.00	79.12
コ　　　ザ	94,771	52,124.00		51,838.00	100.55
読　　　谷	42,998	23,649.00		22,755.00	103.93
嘉　手　納	32,597	17,928.00		17,687.00	101.36
北　　　谷	26,502	14,576.00		14,620.00	99.70
北　中　城	15,231	8,377.00		11,151.00	75.12
中　　　城	16,036	8,820.00		11,953.00	73.79
宜　野　湾	49,337	27,135.00		31,165.00	87.07
西　　　原	75,109	8,310.00		11,444.00	72.61
計					
浦　　　添	41,681	22,925.00		27,995.00	81.89
那　　　覇	352,489	193,869.00		218,089.00	88.89
久　志　川	14,719	8,095.00		9,763.00	82.92
仲　　　里	13,956	7,676.00		10,775.00	71.24
北　大　東	6,610	3,636.00		5,361.00	67.82

南大東			6,752	3,714.00	6,228.00	59.63
豊見城			17,235	9,479.00	12,616.00	75.13
糸満			45,787	25,183.00	29,572.00	85.16
東風平			15,326	8,429.00	11,617.00	72.56
具志頭			10,837	5,960.00	9,539.00	62.48
玉城			15,370	8,454.00	11,586.00	72.97
知念			10,541	5,798.00	8,708.00	66.58
佐敷			13,527	7,440.00	10,567.00	70.41
与那原			14,875	8,181.00	11,439.00	71.52
大里			11,882	6,535.00	9,591.00	68.14
南風原			15,830	8,707.00	11,838.00	73.55
渡嘉敷			4,219	2,320.00	4,566.00	50.81
座間味			4,739	2,606.00	4,907.00	53.11
粟国			5,519	3,035.00	5,418.00	56.02
渡名喜			4,497	2,473.00	4,748.00	52.09
計						
平良			49,349	27,142.00	29,796.00	91.09
城辺			29,410	16,176.00	16,507.00	97.99
下地			9,792	5,386.00	8,219.00	65.53
上野			8,983	4,941.00	7,691.00	64.24
伊良部			27,435	15,089.00	14,651.00	102.99
多良間			9,391	5,165.00	6,786.00	76.11
計						
石垣			69,022	37,962.00	38,167.00	99.46
竹富			12,228	6,725.00	9,816.00	68.51
与那国			12,919	7,105.00	8,278.00	85.83
計						

文 部 省
Ｎ Ｈ Ｋ　　　　主催　第5回学校放送教育賞・受賞論文
日本放送教育協会

学校教材センターの構想

― 21世紀に生きるこどもをめざして ―

指導課　嘉　数　正　一

　学校放送が開始されて33年、沖縄地域においてラジオ学校放送実施以来4年経過した今日、学校放送の利用については、多大の紙面を費して、数多くの学者、教師、研究者等によって論ぜられ、活字で流され、放送でとりあげられてきた。にもかかわらず、学校集団社会における学校放送の受容態勢はかならずしも満足すべきものでなく、きわめて遠まわりで、時間の浪費、予算のむだ使いとさえ思われる場合がしばしばであった。その歩みは着実であるとはいえ、かけた歳月の割には効果はあがっていないといえるのではないか。全国的にみて、今なおテレビ・ラジオの学校放送番組の1つさえ利用しない教師が何10万といるし、全く利用しない学校も、なお多く存在する現状である。多くの中、高校および大学では、依然として、教科書・板書・発問の非近代的な教授形態がとられている。この実状にたって考察をすすめてみたとき、次の問題点がうかんできた。

(1)　ラジオ・テレビの学校放送を最高度に利用できる方策はないか。

(2)　特に、難視聴地域学校（沖縄では、20近くの学校が視聴困難）の児童生徒に良質の番組を視聴させることはできないか。

(3)　映写機・録音機等のかなり重量のある視聴覚教材を移動運搬することなしに利用することはできないか。

(4)　数万ドルの資金を投じて設置した文教局（県教委）・連合教育区（郡相当）のＡＶＬの映写教材の大部分が利用されぬままになっているがどう活用させたらよいか。

(5) 学校AVL、その他のAVLからの視聴覚教材借用返却のための教師の時間的ロスを解消できないか。

(6) 学校保有のすべての視聴覚教材の一元的集中管理ができないか。教師は利用しているが点検・手入れ・小修理はほとんどやっていない。

(7) 少ない予算で最大の利用ができないか。「安もの買いの銭失い」にならぬように、すぐれた教材をそれぞれ一台ずつ設備すればよいようにできないか。

(8) 自作スライド・八ミリ教材・録音教材の製作意欲をたかめる方策はないか。

(9) 校内放送施設は急速にデラックス化しつつあるが依然として校内伝達・拡声的機能しか果たしていない。その真骨頂たる、こどもの文化活動、情操教育に、最高の機能を果たすようにしむけることはできないか。

以上の問題点が過去4年2か月、学校放送担当指導主事として、63の小・中・高・の全教師対象の研修会をすすめてきて、強く刻みこまれている点である。

沖縄では、1964年10月にラジオ学校放送をNHKからの提供で始め、1965年12月、テレビ放送を開始し、今では、ラジオ小学校向け4帯週23番組、中学校2帯13番組、高校1帯6番組、教師向け1番組、テレビ小学校向け3帯18番組、中学校1帯4番組、教師向け2番組を、年間4万7千ドル（約1千七百万円）を計上し、琉球政府文教局の責任で実施している。外国取り扱いであるため、きめ細かな契約書に基づきNHKに提供料を支払い、地元民放に多大な電波使用料を支払って放送している。これに必要な業務はすべて私の担当職務でなされていて、教育行政機関が直接学校放送をするという変則的な方法をとっている。貧しい琉球政府の予算の枠内では、再放送、再々放送は思いもよらず、最近では夏のテレビクラブの実施をとり止め、要望のある幼稚園、特殊学校、高校向けテレビ放送が実施できぬままになっている。

これまで、数回の番組改訂を重ね、当初ラジオ30番組（小校18、中校6、高校6）から出発して、今ではラジオ43番組、テレビ24番組にようやくこぎつけた。沖縄の学校放送をすすめるには施政権の厚い壁がのしかかり、いばらの道を歩む思いがする。ことに、沖縄においては、当時公共放送機関がなかったので、スポンサーのつかない学校放送を民放ルートで流すことは容易ならぬことであった。1つの番組帯を移動するだけでも再三交歩を重ね、3か月後ようやく実現をみた。利用率が高まるにつれて、学校現場から

の要望もいろいろふえ、4百余の学校とNHK、4つの地元放送業者を相手にして、そのうえ琉球政府部内からの指示、立法院対策、マスコミ機関の急速に発達変遷する巨大な組織の中に身を張る思いでひとりでやり抜くことは、なみたいていではない。時には悄然としている自分を、NHK沖縄総局の方々や、幾人かの民放の人たちがあたたかくはげましてくれ、ようやくここまで至った。沖縄本島北部のテレビ受信困難な9校の電界強度測定、受信可能地点の調査、共同受信施設の相談等で10日の日数をかけ、私の軽四輪車に必要機材を満載して、ベトコン部落といわれるジャングル地帯の山道をくぐりぬけて調査にいったこともある。宮古・八重山の地域ではラジオの受信が十分でない。文教局配布の10石トランジスターラジオで、学校放送を受信するにはどうしたらよいかを考えぬいたあげく、

(1) 鉄筋がはいっているコンクリート柱にラジオを密着させると音量が増大する。
(2) 指向性があるので、ラジオ受信機の位置、方向をかえて音量の最大のところできく。
(3) できるだけ屋外で、アンテナをL字型にはり、アースをとる。
(4) アースは短く、しめったところに、
(5) 1・3ボルト以下の容量に低い電池は使用しない。
(6) 微電界級、音声出力9百ミリワット以上のトランジスターラジオが学校用としてはよい。
(7) 外部スピーカーを接続して聞かせるとなおよい。
(8) 比較的良好に受信できる地点が学校の近くにあるので、そこで19秒／Sで受信録音し、テレビの受信機のスピーカからだすといっそうよい。

このようなくふうは何も難聴地域学校に限ったことではなく、都市の学校やコンクリート造りの校舎内での受信にも適用されるものである。たびたび、学校訪問をして気がつくことは、一般に教師は音をたいせつにしていないということである。SoundでなくてNoiseとなっている場合がかなり多い。そのため昨年から「よい音を得るこつ」として、次の事について特に技術的な面から説明し、実習する研修会をもつようにしている。

1 より早いテープスピードで。
2 マイクロホンと口との間隔。

3　マイクシールド線はなるべく短く。
4　マイクロホンのクッション。
5　マイクロホンをたいせつに。
6　よいマイクロホンで—よいマイクとは—
7　入力バランスについて—入力計の見方—
8　周囲の雑音をいれないように。
9　よい録音機で—よい録音機の条件は—
10　録音テープは消磁して—新しいテープの取り扱い—

　その他10か条あわせて、音をたいせつにする教師のための20か条を40分かけて説明すると十分理解できるようになる。このことは、学校放送の利用だけでなく録音機の使用、映写機の操作、校内放送装置の取り扱いにも広く適用できるものである。考えてみれば、音声教材をとり扱うチャンスは、毎日あらゆる場においてみつけられるものである。それだけに、教師は音に対してもっときめ細かな注意を払うようにしてほしいと思う。特に生まれると同時にテレビ・ラジオ・録音機等の音をだす機械に接している今のこどもたちをあずかる学校の教師は、学校できく音に対して、いっそうの心づかいをするようにしたいものである。

　家庭では、テレビ・ラジオを視聴し、電蓄やステレオ、録音機から音楽がながれ、町へいけば映画がみられる今日の社会において、学校の門をくぐればそのようなものがない—というのでは、もはや「学校は社会より一歩おくれ」どころか、10年以上も前の社会の再現としかいえない。このようなことで急速な発展をとげつつある30～40年後の社会のにない手となるべき私たちのよき後継者を養成できるかどうか。急速に世界が狭くなっていく今日の社会、はげしい交流がより広い範囲にわたってなされつつある現状から推測してみて、学校教育の課題はおのずから発見されるものである。

　さて、有余曲折をへて、ことし5月23日に、宮古平良第1小学校に配布した親子テレビ施設がどのように利用されているかを調査する機会をもった。この学校は、交教局から16台のテレビ受像機が配布され、のこり25台は80周年記念事業として学区域の人たちによびかけて整えたものである。

　この施設をみて、今までの問題点が大部分解消されるのではないかと思うようになっ

てきた。そして、21世紀の学校放送の施設はこうあるべきだという構想を、その晩まとめあげてみた。

　学習指導の近代化をめざす学校教材センター、これは閉回路式教授用テレビ（親子テレビ）を利用して、各教師が必要とする教材を適時各教室に搬送提供し、学習指導の能率をあげようとするものである。

　親子テレビ方式がすぐれている点として、
(1)　共同受信アンテナで学校放送を受信し、同時に各教室のテレビへ搬送できる。
(2)　学年別・学級別に2～3元の多元放送ができる。
(3)　自主番組を制作して、校内テレビ放送ができる。
(4)　ラジオ学校放送をテレビのスピーカーから聴取させることができる。
(5)　学校経営の立場から集中管理が容易。
(6)　施設費が各個式にくらべ少し安くつく。
(7)　盗難の問題がすくなくてすむ―各家庭では使用不能でその発見もしやすい。

学校教材センターの活動としては、次のことがあげられる。
(1)　テレビ学校放送を受信し、搬送する。
(2)　テレビ学校放送をＶＴＲで収録する。
(3)　テレビ学校放送教師向け番組を収録し、適時全教室へ送る。
(4)　ラジオ学校放送を録音、適時音声搬送する。この際映像を止めるが、テロップで番組名をだす。
(5)　スライド・8ミリ・・16ミリフィルムを必要に応じて映写し、テレビカメラでとらえて搬送する。このため提供を申し込んだ教師は指導案に使用時刻を記入し、そのコピーを一部教材センターの係へ渡しておく。
(6)　毎月1回～2回「学校映写会」を開催し、テレビで全児童生徒とその父兄（希望者）にみせる。小学校では、低・中・高学年別に計画するとよい。
(7)　「わたしのアイデア」を学期1回程度開催して児童生徒の自身による作品紹介、研究発表などを紹介する。
(8)　校内テレビ放送を、毎昼食時間、または特設時間中に実施する。
(9)　「テレビ学芸会」を学期1回開催し、全児童生徒および父兄にみせる。これはな

るべく事前にＶＴＲで収録編成しておくとよい。
(10) 写真資料、フィルム資料、Ｔ・Ｐ資料等の収集・保管・借用。
(11) 教材センター保有機材の点検・手入れ。

以上がおもな活動であるが、実施上の留意点としては
(1) 活動の繁雑さを少なくするためにテレビ・ラジオの学校放送は、なるべく同時中継搬送とし、日課時限はテレビ同時中継視聴が可能になるように作成する。
(2) 「わたしのアイデア」「校内テレビ放送」「テレビ学芸会」は、あらかじめＶＴＲで収録しておく。
(3) 学校内の要所要所に構内電話をおく。
(4) 学校教材センターの担当者は大規模校の場合は教師、小規模校は図書、または事務職員をあてる。
(5) この学校教材センターが最高の機能を発揮するには次の事項の整備充実に努める必要がある。

　ア　資料センターとしての学校図書館の整備充実
　イ　写真資料、Ｔ・Ｐ資料、新聞資料、図表等の収集、整備、保管
　ウ　図工道具の整備
　エ　テープライブラリーの設置
　オ　児童生徒の作品の収集整理等

なお、この施設は総合視聴覚センターともいうべきものであるので、学校教師集団として、組織的、計画的、継続的な高度の活動が要求されるであろう。それはあたかも、今日の最も進んだ会社のようなものになるかもしれない。すなわち、今日の学校から脱皮して、いっそう近代化されたプログラムのもとに、むだな時間をなくして、整然と各種の視聴覚教材が即座に提供されるであろう。

この学校教材センター設置運営によってもたらされる教育効果を次のように予想している。
(1) ラジオ・テレビの学校放送の利用が最も効果的になされる。
(2) 視聴覚教材利用上の困難性がほとんど解消する。つまり、借用・返却のための運搬に費やされる労力の解消、関係諸帳簿記入や機械操作上のわずらわしさ、各教

室の電気的障害の減少。
(3) テレビは最高の教材である。―このことが如実に示される。人間をだし、各種教材を提示し、学校にあるありとあらゆるものが活用されるようになる。
(4) 特に児童生徒の発表活動がさかんになり、いきた学力が身につく。学校放送から豊かなアイデアを得、感動を与えられ、校内放送で実践される。
(5) 学校として保有すべき視聴覚教材は各種1台あればよい。予備的なものを含めてせいぜい二台程度保有すればたりる。
(6) 学校教師、児童生徒、父兄が真に1体となり共通の広場がつくられる。今の時代に最も必要なものは、いかにして多くの対話の場をもつかということである。
(7) 視聴覚教材の集中管理がなされる。これまで弱かった点検・手入れが可能になる。
(8) 視聴覚センターと地域視聴覚ライブラリーの整備充実が要求されると同時に整備された教材が活用される。
(9) 年間を通して、いつでも、どこでも、視聴覚的教育活動がなされる。
(10) 学校のすべての教師によって視聴覚教材の利用がなされる。
(11) 受動的学習と能動的学習のバランスがとれる。
(12) 映写に必要な暗幕・スクリーン等が不要になる。つまり学校予算の効率的運用がなされる。
(13) 教師向け番組が全教師に視聴され、その資質の向上は期して待つべき面が多い。
(14) 児童生徒の文化的活動が年間にわたって計画的、継続的になされる。
(15) ラジオ学校放送の致命的な問題である音質・音量ともに劣弱であるということがテレビなみに良好な音声で聴取させることができる。
(16) 児童生徒の発表力が日増しに高まり、ことばの純化に効果が高い。

以上のように、これまでの分散的、個別的利用上の問題をほとんど解決し得ると同時に、これまでに得られない教育効果が期待されるのであるが、留意すべき問題点として、次のことがあげられよう。
(1) 初年度は1時に相当の予算が必要である。
(2) ドリル的学習・個人的学習には搬送提供方式によらずに、これまでのように教室にもっていって使用したほうがよい。

(3) 教材センターに設置されるスクリーンは反射式がよいか、透視式がよいか研究する必要がある。
(4) 8ミリ・16ミリ映画の場合かなり映像が薄くなるので解明する必要がある。
(5) VTRは、学校教材センターが狭い場合は、その設置場所は、学校図書館等がスタジオとして転用できれば、そこにおいたほうがよい。沖縄では併用式がある。
(6) 学校内のどの教室からでも1定電圧（100V）がえられるようにしておく必要がある。

この学校教材センターの設置は、時期的にみてかなり機運が熟してきていると思われる。大部分の学校がこれから本格的な視聴覚の整備にとっくむので、早く21世紀の学校の視聴覚教育に必要な施設設備の青写真を作成しておく必要があるのではないかと考えてきた。一方、これまでの放送教育のひずみを是正する方向づけが必要である。つまりNHKは、質量ともに世界にすぐれた学校放送として、そのレベルを保持しているにもかかわらず、学校現場の利用は必ずしもこれに呼応するものとはいえない。英知を結集して制作された学校放送は誠意をつくしてその活用に努めねばならないと思う。

次の世紀は、「映像文化」のさきにおう時代になることは疑う余地がないほどに現実的動向となってきた。わたしたちは勇気をもって次の世紀へ移る準備をし、真に児童生徒のための学習が、楽しく、自発的にすすめられるような配慮のもとに努力していきたいものである。

父兄が支出した教育費の調査結果

調査計画課

　子どもを公立の小・中・高校に通学させる父兄が1年間にどのくらいの教育費を支出しているか、いわゆる父兄支出の学校教育費調査を、1968年4月から1969年3月までの1年間、調査対象校、児童生徒を抽出して実施した。その結果の1部（小学校の分）については本誌117号に中間報告の形で発表したが、この度全体の集計を完了したのでその概要を紹介する。詳細については別に発行される報告書をごらんいただきたい。

I　調査の概要

1. 調査の対象と期間

　全琉の小中高校から89（延96）校を地域類型別（小中校）、学科別（高校）に抽出し、それぞれの学校では各学年から2～6人（市街地の中校だけは12人）の児童生徒を学校で選定して調査対象を決定した。調査対象に選定されて調査の完了まで協力した児童生徒数は1,612人である。

　調査の期間は1968年4月1日から1969年3月卒業、修業式前日までの1年間で調査期間としては非常に長期のものである。調査内容の複雑さも関係してか、当初調査対象に選定された学校数、児童生徒数のうち最終的に残った数は次表のとおりである。

	抽出数		調査終了時		比率
	学校数	児童生徒数	学校数	児童生徒数	(児童生徒数)
小学校	32	876	27	699	79.8%
中学校	32	585	27	501	85.6
高校全日	33	384	27	310	80.7
高校定時	8	104	8	102	98.1
計	105	1,949	89	1,612	82.7

　学校が調査対象となる児童生徒を選定するにあたっては次の諸点に留意した。

　ア、調査対象となる児童生徒の家庭の収入、職業、父兄の学歴等が学

年の中で片寄らないようにする。
イ、小中校では、男女の数がほぼ同数になるようにする。
ウ、「学費記録簿」の記録を継続的に行なうことのできる能力のある者、あるいは協力を期待できる家庭を選ぶ
エ、要保護家庭、準要保護家庭は除く。
オ、単級、複式学級の児童生徒は除く。
カ、下宿や寄宿舎から通学する生徒は除く。

2. 調査した教育費の範囲

この調査では、父兄が児童、生徒に学校教育を受けさせるために支出した経費を調査した。（前回1961学年度の調査では家庭教育費についても調査した）

その内訳は次のとおりである。
(1)児童生徒に学校教育を受けさせるため直接父兄が支出した経費。
(2)父兄が児童生徒のために、学校教育関係団体に納付あるいは寄付した経費。
(3)通学のために必要な経費。

以上のとおりであるが、これらの経

費はすべて教育目的をもって支出された経費であって、児童生徒が通学するために支出した経費であっても、生活費としての衣食住の経費は除いた。これにはたとえば、制服、制帽、通学服その他の衣類、通学くつ、レインコート、家庭から持参する昼食代等が考えられるが、これらの経費は生活費とみなして、この調査では除外した。ただし、衣食住費のうちでも、次に指定するものは、特に調査する経費の範囲に

含めた。
（a）学校給食費、（b）学校教育を受けるために学校だけで着用する衣類（体育用の衣類等）（c）学校教育を受けるために、実習材料として使用する衣食類。以上のほか、直接、調査対象児童生徒のために消費されない預金、貯金は含めなかった。

また、家庭において行なわれる予習、復習、補習教育のために使われた経費もこの調査から除いた。

3．調査の目的

前述のように調査内容もこみいったものであり、しかも調査期間も長期にわたり、調査対象の負担が大きいこの調査は次のような目的をもっている。すなわち、女子を公立小中学校、政府立高校に通学させる父兄が、学校教育を受けさせるためにどれくらいの教育費を支出しているかを明らかにして、

(1)、父兄が支出する教育費のうち、一部を公費で負担することを検討し、父兄負担の軽減に資することを考える場合の資料とする。

(2)、教育扶助金および育英資金の合理的な算定に必要な資料とする。

なお、この調査の基礎となる「学費記録簿」の教育的利用も、副次的目的として考えられる。

4．調査の集計方法

まず、調査対象に選ばれた児童生徒もしくはその父兄が学費記録簿に支出経費を記録し、担当教師もしくは生徒がその経費を所定の項目に分類して月々の報告書をまとめて文教局に提出する。さらに1年間の分を総まとめして年額表を作成し提出する。文教局では月々報告された月額表と、調査の最後に報告された年額表を点検、集計、分析して全体をまとめた報告書を作成、公表する。この間、調査対象たる児童生徒、直接指導にある教師、側面から協力する父兄や連合区のチームワークによって本調査は完結をみたものである。

II 調査結果の解説

1．1968学年度の父兄支出学校教育費

父兄はその子弟に学校教育を受けさせるのに年間どのくらいの教育費を支出しているであろうか。学校種類別に父兄支出学校教育費をみると次表のとおりである。

父兄が支出した教育費の調査結果

	教育費総額	比率	直接支出金	比率	間接支出金	比率
	ドル		ドル		ドル	
小学校	34.69	100.0	18.36	52.9	16.33	47.1
中学校	52.85	100.0	31.52	59.6	21.33	40.4
高校・全日	103.66	100.0	58.95	56.9	44.71	43.1
高校・定時	73.72	100.0	39.05	53.0	34.67	47.0

学校教育費は小学校から高校へと次第に高くなってゆき、小学校を100とした場合、高校は298.8になり、おおよそ3倍の学校教育費を支出している。また各学校種類とも直接支出金が間接支出金よりも大きな比重を占めている。

次に学年別の学校教育費を図示すると次のとおりである。

学校種別・学年別の父兄支出教育費

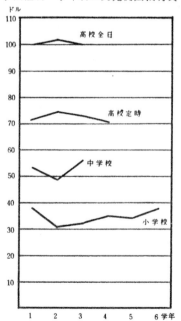

小中学校では最高学年の6・3学年と新入生である1学年の支出が多く、高校では全日、定時とも第2学年の支出が多い。小中学校の場合、修学旅行や臨海学校の出費、あるいは卒業時出費が多くかかっていると見られる。また、1学年については入学時にいろいろな出費がかさなるためと考えられる。高等学校で第2学年の出費が多いのはおおかたの学校が2年生中心に修学旅行を実施しているためと考えられる。

ここでそれぞれの学校種類において入学から卒業までどのくらいの教育費を要するかを学年別の教育費の合計額によってみると、小学校208.12ドル、中学校158.81ドル、高校全日311.07ドル、高校定時294.95ドルである。また小学校から高校全日までの教育費は678.00ドルである。勿論この数字はあくまでも試算であり、しかも単一年度の数字をもとに試算してあるので実際とはかならずしも一致しないものである。

2. 公費と父兄支出学校教育費

公立学校や政府立学校における教育活動は、政府や市町村が支出する経費（公費）と父兄が支出する経費とによ

って維持されている。

そこで公費と父兄支出の学校教育費の負担割合をみると次のとおりである

1968学年、父兄支出学校教育費と生徒1人あたり公教育費

	父兄支出学校教育費	比率	生徒1人あたり公費	比率
	ドル			
小学校	34.69	20.0%	139.03	80.0%
中学校	52.85	23.0	177.28	77.0
高校全日	103.66	37.6	172.01	62.4
高校定時	73.72	38.1	119.68	61.9

注1. 公費は財政調査報告書の生徒1人あたり公費の額から授業料、入学金検定料、学校安全会共済掛金等を差引いて算出した額である。

2. 更に会計年度と学年度が一致しないため1968会計年度1、1969会計年度3の比重で加重平均をし、学校教育費と公費を比較できるように修正した。

表によると公立、政府立学校における全教育費のうち、父兄支出の学校教育費の占める割合は、義務教育の小中校では20%、23.0%、高等学校の全日では37.6%、同定時では38.1%となっている。

前回の調査結果をみると父兄支出の学校教育費の占める割合は、小学校37.9%、中学校34.5%、高校全日47.3%、同定時51.7%となっていて全般的に父兄支出の学校教育費の比率が大幅に減少しているが、とくに義務教育学校である小中校の減少は著しい。

3 地域類型別、学科別の学校教育費

本調査の対象となる学校、児童生徒を拙出するにあたっては、小中学校については児童生徒が通学する区域を市街地、小都市、農村（農村の中でへき地を再掲）の地域類型に区分して対象校および児童生徒を選定し、高等学校については学科別に対象校および対象生徒を選定して調査を実施した。

小中学校の地域類型別の児童生徒の1人あたり父兄支出学校教育費は次の通りである。

	小学校		中学校	
	金額	指数	金額	指数
市街地	45.17	130.2	65.44	123.8
小都市	36.25	104.5	52.43	99.2
農村	29.06	83.8	44.39	84.0
へき地(再)	21.25	61.2	—	—
平均	34.69	100.0	52.85	100.0

父兄支出の学校教育費は小中校とも市街地→農村と次第に少なくなっている。これを指数で比較してみると、平均を100とした場合、小学校では市街地130.2に対し、小都市104.5農村83.8、

農村の中のへき地は61.2とかなりの較差がある。中学校でも市街地123.8、小都市99.2、農村84.0でやはり較差は大きい。この地域差の原因は、小学校では主として間接支出金の給食費や、寄付金等の差によるもので完全給食の普及状況によるものである。中学校では直接支出金の通学用品費や間接支出金の給食費の差が地域差の原因となっている。

高校における学科別の父兄支出教育費は次のとおりである。なお、全日制の水産科、及び定時制は調査対象人数が少ないので学科別の教育費については省略する。

	平均	普通	農業	工業	商業	家庭
金額	103.66	93.48	122.29	123.53	103.93	112.44
指数	100.0	90.2	118.0	119.2	100.3	108.5

他学科に比べて父兄支出教育費の多い学科は職業関係学科の工業科、農業科それに家庭科である。工業科と農業科の場合は交通費と学用品、実験実習材料費の支出が大きく、家庭科の場合は、学用品、実験実習材料費の支出が大きいのが他学科に比べて父兄支出の学校教育費を多額なものにしている。

III 他県との比較

1968学年度の本土における父兄支出学校教育費調査の結果をまだ入手していないが、島根県の資料が、島根県教育委員会発行の「教育広報」（1970・1中下）に掲載されているので、沖縄と島根県の父兄支出の学校教育費について比較してみよう。

1. 年間生徒1人あたりの学校教育費

年間生徒1人あたりの父兄支出の学校教育費を比較すると次の表及び図に示すとおりである。

沖縄と島根県の
生徒1人あたり学校教育費

		教育費総額	直接支出金	間接支出金
小学校	沖縄	34.69ドル (64.9)	18.36ドル (74.9)	16.33ドル (56.4)
	島根	53.44	24.50	28.94
中学校	沖縄	52.85 (71.9)	31.52 (80.1)	21.33 (62.4)
	島根	73.53	39.35	34.18
高校全日	沖縄	103.66 (71.6)	58.95 (82.8)	44.71 (60.7)
	島根	144.86	71.17	73.69

※（ ）内の数字は島根県を100とした場合の沖縄の比率である。

沖縄と島根県の生徒1人あたり学校教育費

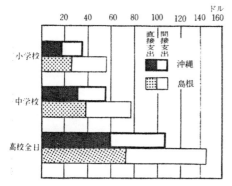

表及び図で明らかなように、沖縄の父兄支出学校教育費は島根県と比べてかなり低く、小学校で約65％、中学校で約72％である。大支出項目別にみると特に間接支出金の支出に大きなへだたりがある。

2. 小支出項目別の比較

小支出項目別にみて、島根県と沖縄とはどのどうな差異があるかを次に表示する。

まず小学校では、直接支出金の通学用品費と間接支出金の給食費に著しい差がある。ただ、給食費の場合、完全給食の普及状況によって金額がかなりちがってくるので、島根の完全給食普及率が不明のままで両者を比較するのは無理があることを留意しなければならない。

中学校では、交通費と給食費、旅行費が島根と比べてかなり低い。

高校全日では、通学用品費、その他の直接支出金、授業料、クラブ費等において大きな差が認められる特に授業料は、年間1人あたり15.74ドルも低い状態にある。

小支出項目別の比較

支出項目			小学校 沖縄 $	小学校 沖縄 ¢	小学校 島根 $	小学校 島根 ¢	中学校 沖縄 $	中学校 沖縄 ¢	中学校 島根 $	中学校 島根 ¢	高校全日 沖縄 $	高校全日 沖縄 ¢	高校全日 島根 $	高校全日 島根 ¢
A 直接支出金	1 教科学習費	a 教科書費						93			5	89	4	14
		b 教科書以外の図書費	3	53	2	83	4	40	4	24	4	85	4	98
		c 学用品、実験実習材料費	10	42	10	94	13	22	13	15	17	22	18	11
	2 教科外活動費			63		78	1	74	2	65	2	07	3	58
	3 保健衛生費			15	1	39		20	1	04		41	1	02
	4 通学費	a 交通費		74	1	57	3	60	10	40	22	33	24	46
		b 通学用品費	1	98	5	86	3	89	4	72	1	26	7	64
	5 その他の直接支出金			91	1	13	4	47	2	22	4	92	7	24
	計		18	36	24	50	31	52	39	35	58	95	71	17
B 間接支出金	1 学校納付金	a 授業料									10	93	26	67
		b 給食費	9	94	21	15	9	87	18	02				
		c 旅行費		26	1	61	2	55	8	31	7	91	7	42
		d クラブ費		8		7		15		79		81	5	32
		e 見学費、補習費、安全会費等		39		36		59		59	2	66	2	29
		f 学級費等		98	1	65		82	1	04	1	77	3	90
		g PTA会費	3	00	2	70	4	42	3	08	9	86	11	99
		h 児童会・生徒会費		9		10		97		93	3	23	4	12
	2 寄付金	a 学校教具のための寄付金		72		63		91		34	2	25	5	19
		b その他の寄付金		87		67	1	05	1	08	5	29	6	79
	計		16	33	28	94	21	33	34	18	44	71	73	69
合計			34	69	53	44	52	85	73	53	103	66	144	86

3. 公費と父兄支出の学校教育費

公費と父兄支出の教育費の割合は次のとおりである。

中学校と高校全日の場合、沖縄と島根にほとんど差はないが、小学校では沖縄の方がいくぶん負担割合は高くなっている。

公費と父兄支出の学校教育費の実額及び比率

		実額			比率		
		合計	公費	父兄支出	合計	公費	父兄支出
小学校	沖縄	173.72	139.03	34.69	100.0	80.0	20.0
	島根	300.72	247.28	53.44	100.0	82.2	17.8
中学校	沖縄	230.13	177.28	52.85	100.0	77.0	23.0
	島根	317.56	244.03	73.53	100.0	76.8	23.2
高校全日	沖縄	275.67	172.01	103.66	100.0	62.4	37.6
	島根	389.15	244.29	144.86	100.0	62.8	37.2

教育委員会の職務権限

総務課 法規係長 祖慶良得

はじめに

本紙の発行回数も少なくなり、このシリーズもいつまで続けられるのか予想もつかないが、1972年には復帰することになったので、従来の方針として沖縄に特殊な用語の解説をしてきたこともやがて歴史的な記録になってしまいそうである。そこで今回は、教育委員会制度の初歩に戻って、沖縄の教育委員会の事務処理について本土のそれと対比しながら紙面の許すかぎりで、比較検討してみて、現行法の運用上疑問な点などとりあげてみることにする。

1. 法体系及び組織の相違と事務の定め方

連合教育区の事務については規約で定めることになっており、これについては本紙 118号（38頁）で述べたので、ここでは、教育区の委員会及び、中央教育委員会について、それぞれ本土の市町村及び県教育委員会と対比して検討する。

教育委員会法（1958年立法第2号）の体系としては、地方制度と中央の制度は編を分けて規定しており、職務権限についても別に規定を設けている。これに対し、本土の地方教育行政の組織及び運営に関する法律は、市町村及び県の教育委員会について原則として一元的に規定する。このような相違は、沖縄の場合市町村段階に教育区を設置して、教育行政を一般行政から全く分離してあるが、中央では行政委員会として政府の一般行政の中にあること並びに琉球政府は本土の国家事務及び県事務の両方を処理している形になっているなどの点からきているものと思われる。

教育委員会におかれる教育長は、教育委員会の処理するすべての教育事務をつかさどることをもって職務とするのであり（委員会法85条1項、124条1項）委員会と教育長とが一組になってはじめて具体的に事務の執行が可能となる。ところが文教局長にあっては、行政主席の補助機関でもあって、委員会の職務とは別に政府行政組織法には

文教局の事務を掲げている。それ故に文教局長は二重性格をもつとされるが二重というよりむしろ明確なつながりが規定されていないために性格をあいまいにしているのではないか。教育委員会法の場合、政府については、行政組織法や財政法等との関連を解決せず、市町村段階では、自治法や市町村財政法等との関連を規定しない等強引に委員会法で横の関連を断ち切ったようなところがあり、これが法の運営上少なからぬ支障をきたしている点がある。

2. 職務権限の種類

上に述べたように、区教委と中教委の事務は二元的に規定されている（委員会法23条、111条）。この中には、地教行法第25条の委員会の職務権限について二重に規定したものが多いわけであるが、本土法とは若干表現に差があったり、全く異なった事務もある。文化財の保護やユネスコ活動のように、地教行法にはあるが、委員会法には全く規定のないものもある。前者は沖縄の場合教育委員会の所管でないためであるが、後者は教育事務の中に入る。さらにまた、地教行法にあるものが、中教委にはあるが、区教委にはないもの

の、逆に区教委に規定し、中教委にないものもある。本土法にないが、中教委の事務の中に「文教局長の任免について行政主席に推せん又は勧告すること」というような規定がある。これは教育事務ではなく、特殊な権限（局長の助言不要な事項）として別に条文を設けるべきものが事務の中に加えられているのである。本土法では教科書の採択は他の法律との関連で運用されるが、区教委の場合「中央委員会の設定した教科用図書目録から教科用図書を採択すること」として、採択の方法まで事務の中に規定している。このような規定の仕方は「文教局長の認可を得て、その管轄する学校の教育課程の制定及び教科内容に関すること」（25条9号）にも表われておる。これなどは事務というにはその意味があいまいだし、文法上の間違いもあってかんしんしない。なお、「職員の任免その他の人事に関すること」のように本土法と表現は同じであるが本土で他の法律との関連で運用されるべきものが、沖縄では他法がなく、その内容に大きな相違のあるものがある。教育委員会の職務権限について本土法との相違を一言でいえば、沖縄の場合は、地方教育行政

区が独立しているために、その管理機関として立法的、行政的、監察的機能を全面的に営んできたということである。その例外として市町村負担教育費とひき換に市町村議会に予算の決定権を渡し、予算を伴う規則規程の制定及び改正並びに教育区債について議会の承認を得るものとしたことである。他の条文、他の法令による権限の比較は省略。

3. 運用上の若干の問題

第一に、もっとも困るのは委員会がその職務でないことを行なう場合である。例えば、学校職員の親族の死亡公告その他奇妙な広告を出すために予算を使うとか、ストを行なった職員の賃金カットはしてくれるなというように違法なことを陳情したりすることである。

次に、第六条の委任の禁止の規定との関係でうまくいかない。委員長にも代表権を与えてないわけであり、委員会の意思決定は会議を通じてのみ行なえというのが法の趣旨であるから、学校行事などで挨拶することも公務としてはできないわけで、個人の資格においてするということになる。委員会にとって都合の悪い議会答弁などは、これがあるからやらないでもよいわけである。さらに視察等の旅行もそういうことで委員会がやるべきことではないというのが趣旨であろう。そういうことがあって困るから本土法では委員長に代表権を与えるように改正されたのである。次に委員会制度の本家であるアメリカでは、委員は無報酬を原則とするのに対し、沖縄では報酬額が本土に比べても倍以上と高いので、そのせいかどうか、委員が仕事をやりたがって、事務の委任及び臨時代理の規定（第133条）が活かされていない。そういったことはただでさえ経費の高くつく委員会制度に一層冗費を生ぜしめることになる。

その他政府の教育行政機関について文保委を含めて四つも行政委員会があるため、政府の統一政策の決定が困難な点などがあるが、長くなるのでこれくらいにする。

文部省所管国庫補助金一覧

教育財政参考資料　昭和四十五年四月

事項	補助率	補助対象	関係法令	備考
1. 給与費・手当関係				
(1)公立義務教育諸学校教職員給与費（共済組合長期給付を含む）	1/2	県	義務教育費国庫負担法第2条	○改正標準法の年次計画（第2年次分） ①教職員の増 ②昇給（25%） ③暫定手当の本俸繰入れ（定額の⅓） ④旅費単価の引き上げ ⑤共済費の増 ⑥宿日直手当の減
(2)養護学校教職員給与費（共済を含む）	1/2	県	公立養護学校整備特別措置法	○校長,教頭,主事 5% その他 7%
(3)公立高等学校の定時制通信教育手当	1/3	県市町村	高等学校の定時制教育及び通信教育振興法	派遣人数 500人 期間 1か月 @ 50万円
(4)教職員研修海外派遣	定	県		
2. 教材・設備費関係				
(1)公立義務教育諸学校教材費	1/2	県市町村	義務教育費国庫負担法第3条	○教材基準に基づく年次計画（10年計画の第4年次分） 学級単価 小27,470円 中348,000円 肢体不自由 76,190円 精神薄弱 53,330円 病弱 49,220円
(2)公立養護学校教材費	1/2	県市町村	公立養護学校整備特別措置法	
(3)定時制高等学校設備費	1/2～1/3	県市町村	高等学校の定時制教育及び通信教育振興法	○理科教育設備（1/2）一般教科教育設備（1/3）7年計画の第5年次
(4)理科教育等設備費	1/2	県市町村	理科教育振興法第9条	○小中高校多様化設備助成 改訂基準の70%まで整備 高校養護学校理科・教学設備の整備
(5)数学教育設備費	定			○教材設備基準以外の設備 10年計画

事項	補助率	補助対象	関係法令	備考
(6)高等学校普通科等家庭科設備費	1/3	県市町村	○産業教育振興法	○普通科商業科の家庭科設備 10か年計画の第5年次
(7)特殊教育設備			○公立養護学校整備特別措置法	
(イ)養護学校設備	1/2	県市町村		○新設学校設備 5か年計画の2年次分
(ロ)特殊学級	1/2	市町村		○48年度までに都道府県立の未設置解消
(ハ)盲学校設備	1/2	県		○感覚訓練設備 5か年計画の初年度分14枚
(ニ)ろう学校設備	1/2	〃		○集団補聴設備 5か年計画の3年次分100学級 20枚
(ホ)特殊教育学校スクールバス	1/2	市		○機能力訓練設備 〃
(ヘ)重複障害教育設備	1/2	県		○台数12台 盲学校、ろう学校、養護学校
(ト)寄宿舎設備	1/2	〃		○50学級 最終年次(5か年計画)
(8)特殊教育学校職業教育費	1/2	県市		○37舎 7か年計画の3年次
(9)高等学校視聴覚教材設備費	1/3	県市		
(10)幼稚園教具等設備費	1/3	県市		○新設 260園 学級増 300学級
(11)高等学校通信教育運営費	全	県	○高等学校の定時制教育及び通信教育振興法	
(12)通信教育教科書学習給与費				
(13)義務教育教科書購入費				○義務教育諸学校の全児童生徒に対する教科書無償給与の実施
3.就学奨励費関係				
(1)要保護・準要保護児童生徒就学援助費			○就学困難な児童生徒に係る就学奨励法	○対象率 要保護3% 準要保護7%
(イ)教科書	1/2	市町村		○小中学校準要保護 小校 2,580円 中校 5,830円
(ロ)学用品費	1/2	〃		○小6, 中3の要保護、準要保護対象
(ハ)修学旅行費	1/2	〃		○小中校寄宿舎 食費、日用品費、寝具等
(ニ)寄宿舎居住費	1/2	〃		(徴収免除を行なう市町村に対する補助)
(ホ)通学費	1/2	〃		○小校4km、中校6km以上

事　項	補助率	補助対象	関　係　法　令	備　考
(2)特殊教育学校就学奨励費	1/2	県	○盲学校・ろう学校及び養護学校への就学奨励に関する法律	○幼稚部の学用品購入費、通学用品購入費高等部の交通費に職場実習交通費を加算
(3)要・準要保護医療費	1/2	市町村	○学校保健法第17条	
(4)要・準要保護給食費	1/2	市町村	○学校給食法第7条2項	
(5)通信教育定時制教育振興費	1/2	県市町村		○通信教育教科学習費学習給与費単価 1科目 380円 1人 3科目
(6)高等学校等進学奨励費	2/3	県市町村		○単価 1人当 1,500円～2,000円
(7)遠距離通学費補助	1/2	市町村		○小校 4km、中校 6km以上の通学費（補助を行なっている市町村に対する補助）
4.へき地教育振興費関係			○へき地教育振興法	
(1)へき地学校設備整備費	1/2	市町村		
(イ)スクールバス、ボート購入費				○90台（隻）単価 200万円 ジープ25台 単価 100万円
(ロ)テレビ受像機設置費	定			
(2)へき地小中学校教員宿舎建設費	1/2	市町村		
(3)へき地集会室等新増設費	1/2	"		
(4)へき地学校保健管理費	1/2	"		○医師・歯科医師・眼科医および薬剤師等派遣
(5)へき地学校給食振興費	1/2	"		
(6)公立小中高等学校宿舎居住費補助	1/2	"		
5.産業教育振興費			○産業教育振興法	
(1)高等学校産業教育施設設備		県市町村		
(イ)一般設備費	1/3			○産振法に基づく基準による10か年計画の5年次分
(ロ)設備更新費	1/3	"		○昭和27～29年度に整備した設備の更新6か年計画の4年次分

事項	補助率	補助対象	関係法令	備考 (単価)
(ハ) 一般施設費	1/3	県市町村		○10か年計画の5年次分 R 34,100円 S 28,800円 W 23,900円
(ニ) 農業専攻科施設設備費	1/3	〃		○4科分 (設備) 1科 426万7千円 (施設) R 34,100円
(ホ) 衛生看護科施設設備費	1/3	〃		
(ヘ) 分校施設設備費	1/3	〃		
(ト) 共同実習所施設設備費	1/3	県		○新設商業教育共同実習所設置 (最終年度)
(2)高等学校産業教育実習船建造費	1/3	県市町村		○大型 (200トン) 3隻 9000万円
(3)産業等学校農業近代化促進費	1/3	〃		
(4)自営者養成農業高校拡充整備費	1/3	〃		○(設備) A類型 1校 (施設) A実習実習施設 B類型 3校 B寄宿舎
(5)中学校産業教育設備費	1/3	〃		○45年度改訂 2年計画の初年度分
6.公立文教施設整備費関係				○昭和34～48年 2次に亘る5か年計画 昭和44年度新整備計画
(1)校舎の新増築事業整備費関係				
(イ) 小学校	1/2～1/3	市町村	○義務教育諸学校施設費国庫負担法第2条	構造比率 R: 85 S: 10 W: 5
(ロ) 中学校	1/3	〃		R: 80 S: 10 W: 10
(2)屋内運動場新増築事業費				
(イ) 小学校	1/2～1/3	市町村		構造比率 R: 15 S: 85 W: 0
(ロ) 中学校	1/3	〃		
(3)へき地集会室新増設費	1/2	〃		
(4)小中学校統合校舎等の新増築事業費	1/2	市町村		前掲
(5)義務制諸学校危険建物改築費	1/3	〃		構造比率 R: 85 S: 15 W: 0
(6)特殊学級建物増築費	1/2	〃		R: 85 S: 15 W: 0
(7)幼稚園園舎新増改築費	1/3	〃		R: 65 S: 35 W: 0
(8)定時制高等学校改築費	1/3	〃		R: 10 S: 25 W: 65
(9)高等学校危険建物改築費	1/3	県	○公立高等学校危険建物改築促進臨時措置法	R: 65 S: 15 W: 20
				R: 95 S: 5 W: 0

事項	補助率	補助対象	関係法令	備考
(10)高等学校寄宿舎整備費	1/3	県		○R: 50 S: 50
(11)都道府県事務費交付金	定	県		
(12)公立文教施設災害復旧費	2/3	市町村	○公立学校施設災害復旧費国庫負担法	
7. 社会教育費関係				
(1)同和地区集会所設置費	1/2	市町村		
(2)巡回文庫図書購入費	2/3～1/2	県	○社会教育法	
(3)社会通信教育振興費	〃	〃		
(4)社会教育施設整備費				
(イ)公民館整備費	1/4	市町村		
(ロ)公立図書館整備費	1/2～1/4	県市町村		
10. 文化財保存事業関係				
(1)文化財保存修理費	定	県市町村	○文化財保護法	
(2)文化財防災施設費	定	〃		
(3)無形文化財	定	〃		
(4)文化財保護事務費支付金	定	県		
(5)公立博物館				
11. その他				
(1)都道府県教育研修センター設置費	定	県		○1県当り3,000万円 7県分
(2)都道府県教育団体教育研究費	1/2	県		○52県市(指定都市を加える) @525万円
(3)農場及び演習林所在市町村交付金	定	市町村		
(4)国有資産所在市町村交付金	定	〃		
(5)新規採用教員研修費	1/2	県		○研修期間4月(6日間) 8月(10日間)の2回 会場46県

出版物案内

那覇教育研究所研究紀要

38号　○道徳性検査に関する報告
　　　○本土類似都市と那覇市の
　　　　教育事情の比較調査
　　　　　……………1970.2……………

39号　研究報告書（第11集）
　　　　○特設時間における交通安全
　　　　○文章題を解く力をのばすにはどのような
　　　　　指導をすればよいか
　　　　○中学校英語科における新、現行指導要領
　　　　　の比較
　　　　　……………1970.3……………

40号　学校教育目標に関する調査報告
　　　　……………1970.3……………

那覇教育研究所　研究所報

　第25号　○新春教育座談会
　　　　　　―那覇市における社会教育の課題―
　　　　　○特別教育活動における部・クラブ活動
　　　　　　について

　　　　　……………1970.2……………

1970年6月8日印刷
1970年6月10日発行

　　文　教　時　報　　（119）
　　　　　　非　売　品
　発行所　琉球政府文教局総務部調査計画課
　印刷所　大同印刷工業株式会社　TEL 2-7890
　　　　　　　　　　　　　　　　　　　4-1451

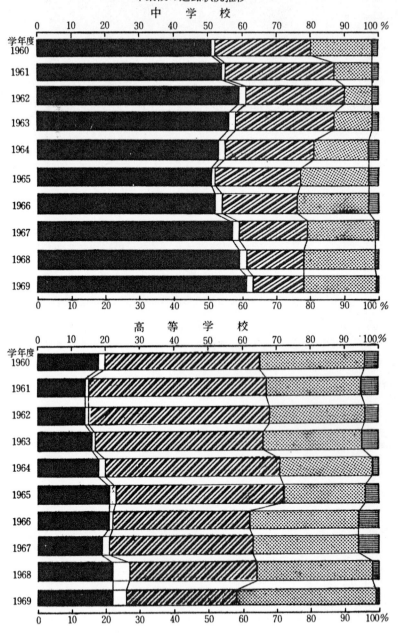

卒業後の進路状況推移

文教時報

120

120 　京都市・文教局総務部調査計画課

写真日誌

▲女子高校生刺傷事件抗議県民大会（6月6日）
　5月30日下校途中の前原高校女生徒が米軍兵によって刺され、瀕死の重傷を負うというショッキングな事件が生発した。米軍人による同種事件が最近頻発し、屋良主席からも弁務官に対し軍紀を正すよう申し入れをしばしば行っている矢先のこととて、沖縄中が怒りの渦に巻き込まれた。
　（写真上は高校生も参加しての抗議県民大会、上右は抗議文を読み上げる前原高校生徒会長の〇〇君円内は同じく砂川校長）

▼全沖縄小中学校長研修大会（6月3日～5日）
　「70年代の日本教育の動向を見きわめ、沖縄の教育体制を確立し、その振興を期す」というテーマをかかげて第11回全沖縄小中学校長研修大会が那覇連合区教育委員会ホールを主会場に開催された。最終日の全体会では、高橋恒三文部省企画室長（現在は大臣官房人事課長）が「70年代の日本教育の展望と問題点」と題して講演を行なった。（写真右）

▼糸満青年の家起工式（6月15日）

待望の糸満青年の家は去る6月15日梅雨のそぼ降る中、中山局長をはじめ関係多数出席のもとに起工式を行ない、建設の鍬が入れられた。慶良間の島々をはるかに望む、糸満町嘉数部落に位置して青少年育成の場にふさわしくその完成が期待される。
（写真上；のりとを奏上する波上宮上原宮司、上右；鍬入れを行なう中山局長）

▼学童検診終る（6月）

1966年から中部連合区をかわきりに、本土からの医師団によって行なわれてきた学童検診は去る5〜6月の南部連合区における検診で全沖縄6連合区についてそのすべてを終った。

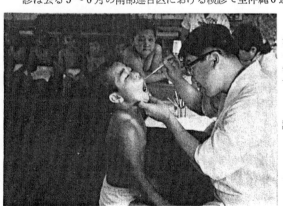

この大がかりな事業の結果、沖縄における小中学校児童生徒の健康の実態が掌握され今後の学校保健に指針を与えたばかりでなく県民の衛生思想の高揚にも大きな役割りを果した。
（写真は在敷小学校における検診風景6月19日）

▼高校生刺殺事件（6月30日）

　学園における暴力行為が増加の傾向にあり、文教局一学校現場とも生徒指導に力を入れていた折も折、6月30日名護高校において授業中の生徒が同校生徒によって刺殺されるという、沖縄教育界を根底からゆさぶる事件が発生した。
　事件発生の原因や背景、場所や時間、状況等沖縄の教育関係者が猛省すべき要素を含んでおり、今後二度とこのような不祥事が起らないよう念ずるとともに、亡くなった稲嶺君の冥福を祈る。（写真は生徒指導に関する臨時高校長会）

▼第7回沖縄県高校定通制陸上競技大会（7月6日）
　台風2号オルガが通過して好天に恵まれた7月6日名護陸上競技場で第7回全沖縄高等学校定通制陸上競技大会が6年ぶりに開催された。
　昼は職場、夜は学校という勤労学徒が、このような全県的大会をもつことはかなりの困難をともなうものであるが、さすがは若者たち、トラックやフィルドで元気いっぱいに走り、飛び、投げて好記録の続出であった。

▲学 校 全 景

▼舶 用 機 関 実 習

▲結索実習

▲帆走訓練

▼寮の内部

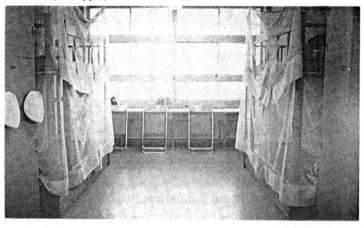

もくじ

〈写真日誌〉
- 女子高校生刺傷事件抗議県民大会
- 小中校長研修大会
- 糸満青年の家起工式
- 学童検診終る
- 高校生刺殺事件
- 高校定通制陸上競技大会

本土復帰と地方教育行財政〔2〕
本土と沖縄の教育委員会制度の相違点
　　　　　安 里 原 二……………1

小中学校における学校
　　規模の適正化について
　　　　　新 垣 盛 俊……………7

〈研究報告〉
葉の細胞　―郷土に適した素材の研究―
　　　　　石 原 末 子……………15

1971年度　教育研修センターの
　　運営方針及び事業実施計画………28

〈学校紹介〉
琉球政府立　沖縄海員学校を訪ねて…31

ずいそう
慶良間は見えるが……糸満青年の家
　　　　　　　起工式によせて
　　　　　松 田 州 弘……………33

〈教育財政資料〉
交付税算定資料と財政力指数……34

政府立博物館　名品紹介
沖縄外就職者の産業別就職状況……裏表紙

文 教 時 報

No.120　'70/10

表紙………守礼之門

既製品への警戒

中山 興真

○インスタントラーメンというのがあって、怠け者たちに喜ばれている。簡単で時間がかからないからである。

○市場や商店街にいくと、男子用、女子用、子ども向きの既製衣服専門店がいっぱいしている。てっとり早く、安値で経済的だからである。僕は既製品型だといばる紳士さまも現われるほど。

○建材、家具材もその用途や設計者の趣味やし好に応じて、難なく組合わせられるように、商店では用意されている。

○そうなると、われわれの暮しの世界では、将来すべてが既製品で間に合う時代が来るかもわからない。それを超文化の時代といってよいものか。

○便利さと気軽さは増すであろうが、くふう、思考、うでみがきなどという苦労も働きも消え、枯渇してしまうばかりでなく、人間性も個性も薄れ、画一化された、うるおいのないものになりはしないか。

○そんなことは、生活上の便利ということわりをつけて何とかがまんもできよう。そんなら教育の分野ではどうだろうか。

○教育計画やその実践を反省し改善し教育効果を確かめるためというりっぱな口実のもとに、ここにも既製のテスト類出版物がはんらんしている。まことに便利なものではあるが、そのままでは初期の目的達成のためにも、教師としての自力向上のためにも必ずしも重宝な既製品とは思われない。

　（市販のテストブック類も使い方にもよろうが、今一度評価の本質にもどり反省をしたい。）

○教師は、ひとりひとりの子どもの能力、性格をよく理解し、それに即した指導のために創意とくふうが必要である。それは教師の責任であり、使命である。そのために教師は、教育基本法にある教育の目的、学校教育法にある学校種別の目的、目標をしっかりは握してその達成のために絶えず研修に励まなければならない。使命観の確立を切に願うのである。

（文教局長）

本土復帰と地方教育行財政（2）

本土と沖縄の教育委員会制度の相違点

復帰対策室　　安　里　原　二

はじめに

1972年の沖縄の施政権返還が正式に決まった。

琉球政府各局ともそれぞれの復帰対策協議会を中心に、現行の沖縄の法制度をどのようなかたちで本土法へ移行していくかについて検討をすすめているようであるが文教局においても各課を中心にその作業がすすめられつつある。

制度の移行であるため、いろいろと問題点が指摘されており、ことに教育委員会制度は本土とはその沿革、組織等においても大きな相違点がみられ、教育界にとってはその移行措置は大事業になりそうである。

地方教育行政は本土においては「地方教育行政の組織と運営に関する法律」（昭和31年法律第162号、以下「地教行法」と略称する）、沖縄においては「教育委員会法」（1958年立法第2号）にもとづいて、それぞれ行なわれているが、この全く異なった二つの法律をどのように一本化していくか、或いは又、沖縄の現制度を復帰後も存続するとすれば、どのようなかたちで、それが可能であるかなどについては、大きな課題であり、いずれにしても、それ相当の学究的論理が要求されると思うのである。

そこで本土地教行法と沖縄の教育委員会法を対比しながら、沿革や組織、権限の面でどのような相違点があり、同時にどの辺にその問題点が所在しているかについて検討を試みてみた。

1　教育委員会制度の沿革について

㈦　本　土

本土の教育委員会制度は昭和21年3月米国の教育使節団の勧告に端を発し、この勧告を実現するための具体策を企画立案するため教育刷新委員会が設けられ、そしてこの答申により現行の地教行法の前身である旧教育委員会法の政府案が作成

され国会で一部修正後昭和23年7月15日法律第170号をもって公布施行されたのがそのはじまりである。

ところが実施2年後には、はやくも委員会の設置単位、委員の選任方法、地方公共団体の長との関係等の問題が論議されるようになってきた。

即ち、小規模市町村にも教育委員会の設置の必要性ありや否やの問題、教育委員の公選制の問題、予算その他の議会議決事項との関連においての長と教育委員会の地位の問題等であった。

これらのうち設置単位の問題は、昭和27年11月1日を期して市町村に全面設置となり、町村合併の進展等もあって問題の重要性はうすらいだようであるが、委員の選任方法、長と教育委員会の地位の問題、県教委と市町村教委の権限の問題、地方と国との関係、文部大臣の地方教育行政に対する責任の明確化というような諸問題が論議の中心として表面化してきたのである。

そこで文部省は、これらの問題を中心に改革の具体的研究をすすめ、各種の審議会の答申を経て現行法、即ち地方教育行政の組織と運営に関する法律の実現をみたわけである。

これが現在の本土における地方教育行政の根本をなしているのである。

(イ) 沖縄

本土において旧教育委員会法が制定された翌1949年12月9日沖縄では戦後初の教育行政に関する法令であるところの教育委員会規程ができた。これはわずか12か条からなるものであったが、教育行政の民主化と地方分権化をその第1条に規定し、戦後の沖縄の教育行政の方向を示すものとして注目される。しかしこれは暫定規程であり、1951年3月31日制定された沖縄群島教育委員会条例が沖縄教育の基本を明確にしたものとしては、あげられよう。

この沖縄群島教育委員会条例によって中央教育委員会を設置する等の重要事項が法の規定によって裏づけられるようになったのである。

その後、臨時中央政府が設立され、1952年2月28日、布令第66号「琉球教育法」が発布され、いわゆる布令教育行政時代となるのであるが、これは後の1957年布令第165号「教育法」と合わせて6年の長きにわたって沖縄教育の基本をなすようになったのである。

琉球教育法では文教局に中央教育委員会と文教局長を教育行政の最高の執行機関として設置、地方には一般行政から分離した市町村の区域と同一地域に独立法人たる教育区を設置し教育税を徴収する等の内容が規定されていた。

このような布令による教育行政も1958年1月10日現行の教育委員会法の民立法によって終りを告げることになったのであるが、現行教育委員会法も、その体系や文章表現等からみて、本土の旧教育委員会法と布令教育法を参考に立法されたものと思われる部分が多分に見受けられる。

ところでここで妙に感じるのは、沖縄の教育委員会法が制定される2年前には本土においては、すでに地教行法が立法されていたにもかかわらず、なぜ旧法が参考にされたかということである。

思うに、これは本土が地教行法にふみきった前述のような一連の動きというものが、少なくとも沖縄においては論議されず、むしろそれよりは布令との調整が重要な課題であったのであろう。

このように、本土と沖縄の教育委員会制度の沿革を対比してみてきたのであるが、要するに本土も沖縄も終戦直後は少なからぬ占領教育行政の影響を受けていたという共通点は見出し得ても、本土においては自からの手で教育委員会法の草案を作成し、正式に国会の手続きを経て立法されたのに対し、沖縄の場合は、長きにわたって施政権者の発した布令で教育行政が行なわれていたという点は注目されなければならない。さらに今一つは、教育区の独立法人格制や教育税制度についても本土の戦後教育史にはみられないということである。これは米国の学区制の影響を強く受けたものと思われ、ここにも本土とは異なった沖縄教育行政の沿革上の特色がある。

2 教育委員会の設置、委員及び会議について

(ア) 設置単位

教育委員会の設置については、本土においては、都道府県、市町村、教育事務組合に設置することにしている（地教行法2条）が、沖縄の場合は政府、連合区、教育区におくようになっている。

教育委員会は本土では地方公共団体の純然たる一執行機関として教育事務を行なう（地方自治法180条の5）のであるが、沖縄の場合は地方公共団体とは別の独立法人たる教育区に教育委員会があるわけである。

教育区が地方公共団体と同じように法人格を有するのであれば、そこに必要な機関は、なければならないのであるが、教育区の場合は、教育予算の議決は別法人の市町村議会が行なうのであるから本土法とは、全くその性格を異にしている。

従って沖縄の場合、常に長や議会との関係において教育委員会の法的地位が問題となり運用上支障をきたすこともないでもない。

教育事務組合とは、市町村が教育一部事務組合をつくり、その組合に教育委員会をおいて教育事務を共同処理させることであるが、沖縄の教育委員会法にはそのような規定はない。

教育委員会を個々の市町村に設置することについては、本土では旧教育委員会法制定当初から大いに議論のあったことは前にも述べたとおりであるが教育行政の運営の円滑化という観点から、とくに小規模市町村の多い沖縄においては復帰を契機に本格的に検討してみる必要があろう。なお組合設置については、各市町村に自主的に選択せしめている。（地方自治法284条）

(イ) 委員の数

本土においては委員の定数は5人で例外として条例の定めるところにより3人とすることができる。（地教行法3条）

旧教育委員会法では、都道府県の委員は7人、市町村の委員は5人とされていた。これを地教行法では少なくし都道府県と市町村とに差もつけていない。これは、教育委員会は合議制の執行機関であり、その機能の保持と能率化を図ること、また具体的事務の執行はいずれも事務局で行なわれるので、そこに差をつけるべきでないという考えからのようである。

沖縄では、琉球教育法のころは中教委が9人、区教委5人であったのが、教育法では中教委7人、区教委は人口10万人以上の教育区にあたっては7人、それ以外は5人となり、現在は区教委については布令教育法

のころと同じだが、中教委は11人で著しく増えており、本土に比して委員数が多いのも特色の一つである。

(ウ) 委員の選任方法

本土においては、地方公共団体の長の被選挙権を有するもののうちから地方公共団体の長が議会の同意を得て任命するようになっている。（地教行法4条）委員の選任方法については制定当初も大いに論議されたところであるが、教育の政治的中立性の保持と安定性という観点からこのようになったようである。これは本法の基本的理念の一つでもあり、この理念が法全体を貫いているといえる。

沖縄においては区教委は公選制をとっており、本土においても旧教育委員会法のころは同様であった。

しかし中教委と連合区教委の選任方法については特色がある。即ち中教委は住民の直接選挙ではなく、選挙権は区教育委員だけにある。連合区教委は区教委の委員の中から区教委において各々1人を選挙するのである。

琉球教育法のころは、中教委は9人のうち8人は主席が立法院の承認を得て任命し、他の1人は立法院の文教委員会の委員長が中教委の有職委員となっていた。区教委は5人のうち4人は住民の直接選挙で、そのうち1人は必ず婦人委員が含まれることになっており、他の1人は市町村長で構成されていた。

このように委員の選任方法についても本土と沖縄では、歴史的にも大部ちがいがみられるのである。

(エ) 委員の兼職禁止

本土法では、教育委員は、議員・長・地方公共団体に執行機関として置かれる委員会の委員若しくは委員または地方公共団体の常勤職員と兼ねることを禁じている。（地教行法6条）

沖縄の教育委員会法においても、議員・長・常勤職員との兼職を禁止しているのは本土法と同じであるが、就任について立法院または議会の選挙・議決また同意を必要としない地方労働委員会の委員・農業委員会の委員等の兼職までは禁止していないのである。

もっとも、現在沖縄には、これらの委員がおかれていないので問題はないのであるが、本土法が教育行政

の安定と自主性を保持する見地からすべての委員との兼職を禁止しているのとは若干異なっている。

さらに本土の地方自治法では、委員の請負等を禁じているが（地方自治法180条の5の6項）、沖縄の教育委員会法には、このような規定がないので、全く自由である。

ところで沖縄の市町村自治法第115条の5第4項の規定は本土自治法と全く同規定であり、本土では教育委員も委員の範ちゅうに含めているのに対し、沖縄はそうはしていないのである。これは立法論からもいささか疑問であるが、仮に本土法と同じように規定しても市町村自治法は教育区には適用されないのであるから実益がなく全く空文となってしまう。というのは、本土においては、地方自治法と地教行法とは、一般法と特別法との関係にあり、解釈、運用上は、地教行法が優先されることになるが、（特別法優先の原則）、地教行法に規定のない場合は地方自治法が適用されるのである。

しかし、沖縄の市町村自治法と教育委員会法とは、このような関係になく、全く法の領域を異にした対等な法体系をなしているのである。委員の請負等の禁止規定が、委員としてその職務を果す妨げにならないように教育行政の安定と自主性を保持することがその法意であることから、教育委員会法にこのような規定がないということは、法の不備といわざるを得ないのである。

（次号へつづく）

小・中学校における学校規模の適正化について

義務教育課　新　垣　盛　俊

1、過疎・過密現象と学校規模

　人口の都市集中に伴ない、沖縄本島北部や離島地域における過疎現象、都市地域における過密現象は以前から大きな問題となっている。

　人口の過疎過密現象は防災・保健・交通等の面にいろんな影響を与えているのであるが、教育の面では、学校の小規模化あるいは逆に大規模化とこれに伴なう教育効果の問題が重要課題となっている。

2、小規模学校の問題点

　全琉の公立小・中学校の児童生徒数は、小学校が1961年・中学校が1965年をピークとしてその後は出生率の低下に伴ない年々減少の一途をたどっている。従って人口の過疎現象のみられる地域においては、出生率の低下に伴なう児童生徒数の自然減の上に、更に過疎現象による社会減が加わり、かなり高い減少率で児童生徒が減少してきた。このため多くの学校で学級数が減少し、なかには複式学級、単式学級を編成しなければならない学校も多い（表1）。

　小規模学校においては、適正規模校に比べて1学級当り設備費基準が割高になっていること（表2）、教職員の研修の機会がとりにくいこと、教科担任制がとられている中学校においては専門以外の多教科を担当する教員が多く、教員の負担過重を余儀なくされていること、特に複式や単式学級においては1人の教師が発達段階を異にする学年の児童生徒を一時に指導するのであるから単式学級に比べて教育効果がありにくいこと、又小規模学校の児童生徒は一般的に視野がせまく、閉鎖的であること………等多くの問題をかかえている。

表1 複式学級をもつ学校・学級数

年度 区分		1968		1969		1970	
		学校数	学級数	学校数	学級数	学校数	学級数
小学校	2個学年複式	28	35	32	43	37	47
	3 〃		16		19		16
	4 〃		0		0		2
	5 〃		1		0		1
	単級		3		2		1
	計		55		64		67
中学校	2個学年複式	14	9	14	7	13	7
	単級		5		7		6
	計		14		14		13

表2 教材基準と1学級当り単価の学校規模別比較

a．教材　　　　　　　　　　　　　　　　　　　　　(1969年度以降)

学校別	学級数	基準額(未補正)	1学級当り単価	指数
小学校	5	1,109ドル	221.80ドル	183
	12	1,771	147.59	121
	18	2,182	121.21	100
中学校	5	1,228	245.59	161
	9	1,676	186.27	122
	15	2,285	152.32	100

b. 理科 (1969年度以降)

学校別	規模	基準額	1学級当り単価	指数
小学校	I（5学級）	2,648ドル	529.60ドル	333
	II（23学級）	3,656	158.96	100
中学校	I（5学級）	5,611	1,122.20	298
	II（17学級）	6,410	377.06	100

　このような小規模学校のもつマイナス面は、小規模になればなるほど大きくなると考えられるので、過疎地域における学校の小規模化に伴なう教育水準の低下にどのように対処し、教育水準の向上、教職員・児童生徒の福利厚生を図っていくかが当面する大きな問題である。

3、大規模学校の問題点

　農村離島における人口の自然減・社会減に伴ない、小規模学校が増加する反面、都市地域においては大規模学校が増加している。（表3）

　大規模校における問題点として次のことがあげられる。

(1) 生徒相互・生徒と教師・教師間の人間的なふれあいの機会が少ないため生徒指導や学習指導が徹底しがたい。
(2) 施設設備が学校規模に見あうだけの整備が困難で効率的授業が行なわれないこと、また新しく施設を作ろうにも敷地がない。
(3) 児童生徒が活動する運動会や学習発表会等にひとりびとりの参加する回数や機会が制限されるので、個々の児童生徒を満足させるだけの行事活動をさせることが困難である。
(4) 大規模学校では児童生徒相互の接触する機会が、限られた自分の学級・学年内にとどまりがちであるので、ともすると連帯感が希薄になりやすい。
(5) 大集団のかげにかくれて、自分の位置を見失ない、個性能力がうすれ問題傾向児のグループが発生しやすい。
(6) 教職員の数が多いため、生徒指導上の諸問題に関する共通理解がむつかしい。特に教科担任制の中学校においては職員室の分散等も手伝って意志の統一を欠き易く、セクト主義に陥りやすい。

表3 規模別学校数の推移

(学校基本調査)

年度 規模	1966学年度 小学校	1966学年度 中学校	1967学年度 小学校	1967学年度 中学校	1968学年度 小学校	1968学年度 中学校	1969学年度 小学校	1969学年度 中学校	1970学年度 小学校	1970学年度 中学校
小学校(中学校) 6学級(3学級)以下	79	47	79	46	77	46	79	47	78	47
7(4) ～ 11(11)	27	50	28	49	32	45	36	44	37	44
12(12) ～ 18(18)	52	19	51	19	43	22	39	22	39	24
19(19) ～ 30(24)	48	13	46	12	48	12	48	13	49	9
31(25)学級以上	31	22	33	25	37	26	37	25	37	26
計	237	151	237	151	237	151	239※	151	240	150

※2校分離

4、小規模校・大規模校の問題点の対処策

上記の弊害をなくすためには、小規模校を統合し、大規模校を分離して適正規模にもっていくことである。

小中学校を適正に配置し、適正規模を保つことは学校教育におけるすべての教育活動を効果的に実施していくために必要なことであるばかりでなく、財政上からみて限られた経費を効果的に使用するためにも必要である。

5、分離統合の現状と政府の助成策

文教局においてはすでに1964年に「学校統合計画案」を作成し、今日までこの計画に基づいてその推進を図ってきたが、いざ実施の段階になると、経費の問題・地域住民の感情・通学の安全性・校地の選定・教職員に関連した問題等があり、計画通りにはいかず、実施されたのは1970年7月現在わずか12校である。(表4)

これら統合校に対して政府は次のような補助を行なっている。

(1) 学校統合に伴なう遠距離通学児童生徒に対する通学費補助(実費補助)

(2) 学校統合に伴なう寄宿舎居住費(月額8ドル)、下宿料(月額10ドル)補助、寄宿舎炊婦給与(月額45ドル)補助

(3) 学校統合に伴なうバス通学困難な教育区にスクールバス補助

学校分離はこれまで主として地方教育委員会が中心となってすすめられてきたが、問題の困難性からあまり効果はあがっていない。(表5)

6、今後の課題

現代行なわれている「学校規模適正化施策」は以上のとおりであるが、この問

表4 1970年現在統合済み学校

教育区	統合前		統合後	統合年度
石垣	川平中	吉原中	川平中	1954
多良間	多良間中	水納中	多良間中	1962
石垣	伊原間小	明石小	明石小	1963
〃	平久保小中 明石小中 伊原間小中	野底小中 伊野田小中	伊原間中 （中学校統合）	1963
竹富	大原中 古見小中	上地小中 由布小中	大原中 （中学校統合）	1963
金武	嘉芸中	金武中	金武中	1964
石垣	大浜中	川原中（一部）	大浜中	1964
〃	石垣中（一部） 川原中（一部）		新設 石垣第二中	1964
竹富	船浦小中	上原小中	小は上原 中は船浦	1965
伊是名	伊是名中	具志川島中	伊是名中	1967
羽地	羽地中	源河中	羽地中	1970
伊是名	伊是名小	具志川島分校	伊是名小	1970

題が緊急かつ重要な問題であることから、政策としては1964年度作成した計画に反省検討を加え、より綿密な分離統合案の作成のため、去る1969年10月、「公立小中学校における学校規模の適正化企画委員会」を作り、分離統合に対する政府の基本方針、具体的方針、政府の助成策等を盛りこんだ「小中学校における学校規模の適正化実施要項」と「学校統合年次計画」「学校分離実施計画」（案）をを作成し、1970年1月の中央教育委員会の議題に付し、文教の重点施策として大きく打ち出し、その推進を図っている。

しかしながら、地理的条件等から学校統合が困難な学校も多い。このため前記のような学校統合が円滑に行なえるような助成案を講ずる一方、統合が困難な小

表5　　1960年以後の新設校

教育区	新設校	新設前の関係校	新設年度
那覇	識名小学校	松川小・真和志小	1960
コザ	越来中学校	コザ中から分離	〃
那覇	神原中学校	那覇中・上山中・寄宮中	1961
名護	大宮小学校	名護小から分離	〃
那覇	安岡中学校	安謝小中の中校独立、真和志中	1962
コザ	山内中学校	島袋中、コザ中、北谷中	〃
具志川	安ヶ名中学校	具志川中の一部、天願小中川崎小中・金武湾小中の中学校統合	〃
那覇	古蔵中学校	上山中・那覇中・寄宮中	1963
〃	真嘉比小学校	大道小・松川小	〃
浦添	神森小学校	仲西小からの分離	1964
読谷	古堅中学校	古堅小中から独立	〃
那覇	石田中学校	真和志中・寄宮中	1965
〃	天妃小学校	若狭小・久茂地小・開南小	1966
美里	宮里小学校	美里小からの分離	1969
宜野湾	普天間第二小	普天間小からの分離	〃
那覇	城東小学校	城北小・城西小・城南小	1970
石垣	新川小学校	石垣小からの分離	〃

規模学校については、その教育水準の向上をはかるため、小規模学校の学級編制基準の改善を行なっている。

すなわち、単級学校を2～3学級の学校にし、4個学年以上の複式を廃止し、複式編制の学級を単式学級にする等、児童生徒数は変らなくても望ましい姿に一歩近づけるわけである。

この学級編制の基準の改善は「公立義務教育諸学校の学級編制及び教職員定数の標準に関する法律」を改正し（「新法」と呼んでいる）、1970学年度以降本土と同一歩調で学級編制基準の改善が進められ1973年度で完結することになっている

7、終りに

このように「学校規模適正化」に関しては、各種のきめ細かな施策が講じられているが、なにしろこの問題は学校設置者である区教育委員会が主体となるべきものであり、区教育委員会は長期的見地

に立って地域住民の意志を尊重する一方、その趣旨（教育効果・財政の効率的運用等）を十分理解させ、教育的配慮の下に全体的立場で、連合区、文教局ともタイアップしてこの問題ととっくんでいただくことを念じている。

付 1.「小中学校における学校規模の適正化」実施要項

基本方針

1. 学校の適正規模は小・中学校ともに「学校教育法施行規則」に示す通り「12学級以上～18学級以下」が適当であるが、沖縄の場合、離島を多くかかえ、北部の山間地は交通不便のため一律にこの規模に近づけることはむつかしいので小学校では複式学級にならない6学級を、中学校では教科担任制からくる教科指導上望ましい最低の規模の9学級を下限とする。
   なお小学校においては34学級以下、中学校においては29学級以下がのぞましい。
2. 区教育委員会は学校規模の適正化をはかるための分離統合にあたっては、長期的見地に立って、地域住民の意志を尊重する一方、その主旨を十分理解させ、教育的配慮の下に全体的立場で統合的に判断し決定する。特に分離については、人口増加地域で分離後に将来引き続き適正規模が維持できることを要件とする。
3. 文教局、連合区は学校分離、統合に対して積極的な指導助言と実情に応じた助成措置を講ずる。

具体的方針

1. 分校は本校に吸収することを原則とする。
2. 分離統合等によって併置校の解消をはかる。
3. 徒歩による通学距離はおおむね小学校4km以内、中学校6km以内、交通機関を利用する場合の交通機関の所要時間は30分以内を標準とするが、地形や児童生徒の発達段階を考えて、通学が児童生徒の健康、学習の障害にならないよう配慮する。
4. 小学校5学級以下、中学校2学級以下の学校はできるだけ統合し、複式学級を解消する。
5. 小学校35学級以上、中学校30学級以上の学校は現在の敷地条件、将来の在

籍の増減、財政面等を考慮して分離を促進する。
6. 統合により寄宿舎を設置する場合は次の方針による。
　(1) 寄宿舎の運営及び児童生徒の指導に必要な条件が十分整えられることを前提とする。
　(2) 小学校においては、原則として寄宿舎を設置しない。
7. 市町村合併に伴なう学区域の再編成を考慮する。
8. 分離・統合にあたっては、隣校が適正規模になるよう学区域の再編成を考慮する。
9. 文教局は全琉的立場から分離及び統合が望ましい学校を選定し、当該教育区に対し、その実現を期すよう積極的に勧告すると共に必要な行政的措置を講ずる。特に分離・統合に伴なう教職員の人事については、全琉的視野に立って、適正公正な人事配慮ができるよう、各連合区に必要な助言を行なう。

政府の助成策
1. 校舎等の建築に対しては積極的な行政措置を講ずる。
2. 寄宿舎を必要とする場合には、寄宿舎の改造又は新築費を補助する。
3. 寄宿舎をもつ学校には教員をもってあてる舎監1人増員する。
4. スクールバス、スクールボート購入費、寄宿舎居住費、炊事婦給与、下宿料、バス通学費の全額又は一部を補助する。
　その他の経費については、交付税等により財源保障を行なう。
5. 遊休教室の改装等も考慮する。
6. 教科備品、理科備品等については、特別補助を考慮する。

a. 学校統合年次計画表

学年度	統合対象校		統合後の学校数
1970	小	2	1
	中	2	1
1971	小	—	—
	中	9	3
1972	小	7	3
	中	22	7
1973	小	4	1
	中	22	7
計	小	16 / 72	8 / 27
	中	56	19

b. 連合区別分離校数一覧

連合区	学校別	分離対象学校数	分離後の学校数
那覇	小学校	16	23校以上
	中学校	8	13 〃
中部	小	3	6
	中	4	7
南部	小	1	2
北部	中	1	2
宮古	小	1	2
	中	1	2
八重山	小	2	4
計	小	23	37校以上
	中	15	25 〃

研究報告

葉 の 細 胞
―郷土に適した素材の研究―

豊見城教育区立上田小学校

石 原 末 子

I テーマ設定の理由

　昭和46年度より実施予定の改訂指導要項では、植物領域の目標として「生物と生命現象の理解を深め生命を尊重する態度を養なう。」ことを明示している。

　したがって、植物教材では植物体の生命現象をとらえさせるのに「成長」ということを軸にして学年にそって深められた学習内容の配列がなされている。6学年においては、更に構造と機能という立場から植物体を追求するよう教材が構成されているのである。

　植物のからだは細胞からできているが、その形や大きさはからだの部分によってちがうことを観察させ、さらに細胞膜や核があることは共通していること、緑色をしている部分の細胞内には葉緑体が含まれていることなどの事実をとらえさせるように指導することをうち出している。

　「細胞」を観察させるという点においては、現行指導要領と改訂指導要領とは共通しているが、しかし現行での「細胞」は植物体を構成する構造上の基本的な単位としての見方に視点がおかれているように思われる。これに対して改訂では核や葉緑体も観察させるようになっており、観察の内容が深まってきたように感じられる。新指導要領実施に備えてその趣旨を充分生かすようにそれぞれの地域に適した素材の研究が必要になっている。

　そこで現行教科書（啓林館）において6年生で扱う植物領域の内容は

　(1)植物のはたらき　　(2)かび
　(3)森林と動物　　(4)きのこ

となっているが、今回の研究対象を(1)にしぼり、さらにその中の「葉のつくりとはたらき」の指導で利用できる素材の研究をしてみたいと思う。

　構造上、機能上最小の単位とされている（小学校段階で）細胞の観察をとおして植物を全体的統一的に見る態度を養い自然への認識をより一層深めさせたい。沖縄では、そういう意味での素材の研究が不充分であるように思うので、この機会に郷土に適した素材の選択をし、同時にその素材を授業にどうとり入れるかの研究もあわせて行ない教壇実践に役

立てたいと思う。

Ⅱ 素材の研究
1 研究目標
葉の細胞を観察するのに適した素材をみつける。
2 材料および方法
(1) 材料選択の条件
ア、手軽に入手できるもの
イ、移植栽培が可能なもの
ウ、切片作成が比較的容易なもの
エ、一つ一つの細胞の形がはっきり観察できるもの
オ、染色しなくても核が観察できるもの（表皮について）
カ、気孔がはっきり観察できるもの
キ、葉緑体が粒状になって観察できるもの

以上の七つの条件により、次の植物についての観察を行なうことにした。

単子葉植物		双子葉植物
スイセン	ムラサキオモト	ホウセンカ
アマリリス	ムラサキオオツユクサ	クロトン
グラジオラス	シマツユクサ	ガジュマル
テッポウユリ	バナナ	ギシギシ
ハマオモト	アオノリュウゼツラン	ソクズ

(2) 研究の方法
① 切片を作成する
ア、徒手切片法
断面を観察したい場合に用いる方法で、材料がうすいものややわらかいものは、ピス（※）の中央を切ってそこにはさみピスとともに切る。材料は左手の拇指、食指、中指の3本で強く押えて持ち、安全カミソリは右手に水平に持つと左向うから右手前に引くようにして切る。

※ピス（ニワトコの髄）教材店で購入できるが、代用できるものがあるので下にあげておく。

〇ソクズの茎や葉柄
＝表皮の硬い部分を切りとって使用する。

〇ギシギシの茎や葉柄

イ、剥離法
表皮をはぎとる方法で両手の拇指で

材料をつかみ右側から左側にずらすようにして引きさいていく。（左側から右側にでもよい）
② 染　色
核の観察ができないものを酢酸カーミン液（※）で染色
※酢酸カーミン液のつくり方
45％の酢酸を煮沸しつつカーミンを飽和するまで溶かし、水酸化第二鉄少量を加えて冷却後濾過する。
③ 観察
ア、300ルックス以下の室内で行なうので、人工照明具（※）を使用して2,000ルックス以上にする。
※人工照明具＝20Wの蛍光灯を使用
イ、観察内容をスケッチし、墨入れして複写する。
3　観察結果
(1) 6学年「植物のはたらき」中の「葉のつくりとはたらき」を指導する際に学問内容として核や葉緑体が新たに加えられるので、気孔も含めてそれらを内容面とし、観察の段階で必要な切片作成や核の染色照明などは技術的な面として、次のような表にまとめることにした。
(2) 細胞と細胞の間が線で区切られているように見えるため、細胞は平面であるという誤った受け取り方をしないように、また、水分や養分のとおり道である維管束や、気孔の断面を観察することにより、根、茎、葉が有機的に関連してはたらいていることを理解させる意味でも断面の観察が必要だと思う。
そういうことから断面の切片作成についての技術的な面や内容的な面についても記すことにした。

観察の要点と方法　植物名	内容の面								技術的な面				
	核			気孔 孔辺細胞		葉緑体			切片作成			核の染色	人工照明
	表	裏	断面	表	裏	表	裏	断面	表	裏	断面		
単子葉植物 ムラサキオモト	○	○	×	×	○	×	○	○	×	×	○	×	○
ハマオモト	△	△	△	○	○	○	○	○	○	○	×	○	○
ムラサキオオツユクサ	△	△	×	×	○	×	○	○	×	×	×	×	○
シマツユクサ	○	○	×	○	○	○	○	○	○	○	×	×	○
アマリリス	×	○	△	○	○	○	○	○	○	○	×	○	○
スイセン	○	○	△	○	○	○	○	○	○	○	×	×	○
バナナ	×	×	／	○	○	△	○	／	○	○	／	○	○
アオノリュウゼツラン	×	×	／	×	×	○	○	／	○	○	／	×	○
テッポウユリ	△	△	×	○	○	○	○	○	○	○	×	○	○
グラジオラス	×	×		○	○	○	○	○	○	○		○	○

双子葉植物								
ガジュマル	×	×	×	×	×	×	○	○
クロトン	/	/	/	/	/	/	/	/
ソクズ	△	○	×	○	○	×	○	○
ギシギシ	×	×	×	○	○	×	○	○
ホウセンカ	×	×	△	△	△	×	○	○
記号説明	○染色しないで観察できる △部分的にうすくみえる ×観察できない		○はっきり観察できる △教材として不適当 ×観察できない	○粒状に観察できる △粒が少ない ×観察できない		○器具を使わないで容易に作れる ×作りにくい	○染色が必要なもの ×染色の必要がないもの	○人口照明が必要である

4 考察

以上、葉の細胞について観察してきたが、次のような観点から考察を行なう。

(1) 植物のはえている場所、又は移植可能（栽培）であるかどうかについて
(2) 切片作成の際の技術的な面について、
(3) 観察した内容面について
(4) 文献よりの参考事項留意点
　(ア) 核の染色が心要な場合は児童の前で行なうこと。染色されたものを観察させると、核は赤いものだという誤解のおそれがある。
　(イ) 気孔は開いている状態を観察させたい。
　　自然状態の植物をポリエチレン袋などでおおっておくと湿度や気温が高くなり気孔が開くのではないかと考えられる。しかし今回はそういう配慮はなされていない。

ムラサキオモト（写真1・2）

○ 学校の栽培園に栽培していれば手軽に利用できる。
○ 両面表皮の切片作成には爪による剝離が困難であるので安全カミソリを使用した。
○ 表側の表皮は多層となっており貯水組織といわれている。
○ 表側の表皮5mm平方の大きさでは気孔や孔辺細胞は観察できなかった。
○ 裏側の表皮は200培で6～7個の気孔や孔辺細胞が観察できる。副細胞も現行の教科書（啓林館6年上）にあるつゆくさのものよりはっきりしている。
△参考 「表面が紅紫色を呈していることについて」 紅紫色を呈しているのは花青素による。

顕花植物の花、果実、葉などには花青素と総称される各種の色素がある。赤、青、紫などの花、リンゴ、アンズの赤い果実、葉、茎、根などの細胞中に溶けている。花青素は細胞液が酸性の時は赤、ア

ルカリ性の時は青か黄色、中性の時は紫色を呈するのである。花青素は配糖体すなわちブドウ糖と水酸基とを有する物質との結合物である。花青素が液体としてあるのでなく結晶または塊状となっているものである。

ハマオモト（写真3・4）
- 年中緑の葉をつけているので栽培園に栽培しておけばいつでも手軽に利用できる。
- 核は染色しなくても部分的にうすく観察できるが、「これが核だ」とはっきり言える程ではないので、染色した方がよい。染色すると一つ一つの細胞中にはっきりと核が観察できる。

ムラサキオオツユクサ（写真5・6）
- 鑑賞用もかねて植木鉢に植えておけば、いつでも利用できる。
- 時間をかけて徒手による剝離をしたのであるが、安全カミソリを使用した方が速く、うすくとれるのではないかと思う。
- ムラサキオモトの表皮（表側）と同じように両面表皮とも多層になっている。
- 両面表皮の細胞の形はかなり異なり、表側は150倍の視野内に正六角形にやや近い。大きさも似た、裏側よりは大きな細胞がぎっしり並んでおり、気孔や孔辺細胞は1個も観察できない。それに比べて裏側は一つ一つの細胞の形や大きさも異なり150倍の視野内に7個の気孔と孔辺細胞が観察できる。副細胞もムラサキオモトと同様に観察できる。

シマツユクサ（写真7・8）
- 溝や湿地にはえている。
- 寒さに弱く風当たりの強いところでは冬になると殆ど葉をつけていない。
- 葉の両表皮とも徒手による剝離が簡単である。
- 表側の表皮には気孔が少ないが、どこの表皮をとってみても気孔、孔辺細胞、核がはっきりと観察できる。
- 裏側の表皮細胞中には、捧状又は針状の細胞内含有物が多数観察できる。

アマリリス（写真9・10）
- 家庭や学校の花園などで得られる。
- 両表皮の切片は徒手による剝離が容易であるが、断面は細胞間隙が多いために切片作成が非常に困難である。

スイセス（写真11）
- アマリリスと同様家庭や学校の花園で得られる。
- 切片作成についてもアマリリスと同様のことが言える。
- 表と裏の細胞の形、大きさ、葉緑体や核の大きさ、数など殆ど同じであったので裏側のスケッチをするにとどめた。

バナナ（写真12・13）
- 殆どの家庭で得られる。
- 切片作成は両表皮とも徒手による剝離が容易であるが、葉肉までついてくる場合が多く、切片の大きさは2mm×5mm程度の

ものしかつくれない。
- 写真12と13とは同一個体の表裏ではない。
- 後日、同一個体の葉の表裏細胞を観察してみるとやはり表の方は気孔の数も少なく葉緑体も粒としての確認は困難であるが、4つの副細胞が観察できた。裏の方は気孔の数も多く葉緑体もはっきりとみえるが副細胞は二つしか観察できなかった。

アオノリュウゼツラン（写真14）
- 首里守礼之門付近、家敷の石垣の上などでよくみかける。移植可能である。
- 両表皮とも徒手による剝離が容易である。
- 5mm×10mmの切片中には表の場合一個の気孔も観察できなかった。
- 裏は5mm×10mmの切片の中に3個の気孔を観察することができた。
- 自然の状態の表皮細胞中には1個の細胞を埋めつくす程のかたまりがあったので、アルコールの中で熱したが、溶けなかった。次にクロロホルム中で熱したら溶けた。その後酢酸カーミンで染色すると核が観察できた。
- 文献によると、アオノリュウゼツランの表皮は次の図のようになっている。

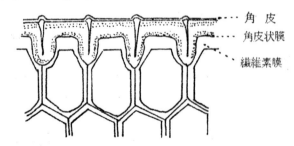

角皮
角皮状膜
繊維素膜

- アオノリュウゼツランの表皮も上図のようになっていると考えられるので文献よりリュウゼツランの表皮についての説明の部分を抜粋したいと思う。

※角皮は特別な外被物で繊維素（セルローズ）だけのものより機械的にも、また化学的な傷害に対しても非常にに抵抗力の強いものになっている。角膜は連絡した一様の膜となって表面を覆っている。

※薬品処理をする前に細胞内につまっているようにみえたものはロウ（Wax. Wachs）といわれるものである。ロウは貯蔵物質と考えられるものが細胞内含有物として存在することもあるが、多くは植物体の表面、すなわち表皮細胞の表面に分泌物として存在していることが多い。一般に粒状、板状等の形で表面に持ち出しているので、乾燥に対する、また化学的傷害に対する保護機能を倍加している。

※ロウは、アルコール中で熱すると溶けるとあるが、実験で溶けなかったのは加熱時間が短かった為ではないかと思う。

テッポウユリ（写真15・16）
- 年中緑の葉がみられ、野山、家庭や学校の花園などで得られる。
- 表と裏の表皮は徒手による剥離が容易である。
- 表側は4mm×7mmの切片中には気孔が観察できなかった。核は染色しないで部分的に観察できた。
- 裏側は気孔が多く200倍の視野で7個も観察できた。孔辺細胞中の葉緑体も粒が教えられる程はっきり観察できる。核は部分的に観察できたが、酢酸カーミン液で染色すると孔辺細胞の中の核まではっきり表われてきた。

グラジオラス（写真17・18）
- 野山、家庭や学校の花園で得られる。
- 両表皮とも徒手による剥離が容易である。
- 細胞の形、大きさ、気孔の数などすべて両表皮とも同じである。そのことは断面にしてみるとはっきりする。写真17で1個の細胞中に2～4個の輪がみえるのは表皮上の突起であることが、写真18の断面図でわかる。表皮を染色してみると、核は輪とは別に1個の細胞中に1個ずつあることが観察できた。

ガジュマル（写真19）
- 学校や家庭の周辺でいつでも得られる。
- 葉が厚く硬いので表皮の切片作成が困難である。ムラサキオモトやムラサキオオツユクサのように厚くてもやわらかければ安全カミソリではぎ取れるが、ガジュマルの場合はむつかしい。
- 表だけの切片作成に時間を取りすぎたので、裏面や断面の観察はやっていない。
- 表皮2mm平方の切片中には気孔は観察できなかった。核は酢酸カーミン液で染色すると観察できた。

クロトン（写真20）
- 学校や家庭の花園でいつでも得られる。
- 葉が厚くて硬く両面表皮の切片作成ができなかったので断面を作って観察した。
- 表皮は色素体と呼ばれる物質があるため赤色を呈している。
- 核は観察できなかったが葉緑体や導管がみえるので単元展開で葉の蒸散作用を理解させる手がかりの一つとして利用できるのではないかと思う。

ソクズ（写真21）
- 畑のあぜ道や川ぞいなどしめり気の多い所にはえている。
- 裏側の表皮は徒手で簡単にはぎとれるが、表側は時間がかかる。
- 表側には核が部分的に観察できるが、3mm×7mmの切片では気孔が1個も観察できなかった。
- 裏側には400倍の視野内に8個の気孔がみられ孔辺細胞中の葉緑体も粒状にはっきり観察できた。核も染色しないで観察できた。

<u>ギシギシ</u>（写真22）
- 畑のあぜ道や道ばたでいつでも得られる。
- 両表皮とも徒手による剝離が容易である。
- 両表皮とも気孔、孔辺細胞、葉緑体などがはっきり観察できる。気孔の数は400倍の視野内で、表は4個、裏は7個観察できた。
- 核は両表皮とも染色の必要がある。

<u>ホウセンカ</u>（写真23）
- 学校の花園でいつでも得られる。
- 両表皮とも徒手による剝離が容易である。
- 気孔の数は裏の方が多い。孔辺細胞中の葉緑体は数は少ないが、形ははっきりと観察できる。
- これまでは、茎の横断、縦断面だけが授業展開でよく使われたが、これからは葉の細胞（表皮、断面）も取り入れると一貫した学習ができてより効果的に学習が進められるのではないかと思う。

5、まとめ

6年生の教材「植物のはたらき」中の「葉のつくりとはたらき」を指導するのに有効な素材の条件として七つをあげて観察した結果は次のとおりである。

ア、手軽に入手できるもの
スイセン　アマリリス　グラジオラス　テッポウユリ　シマツユクサ　バナナ　ガジュマル　クロトン　ソクズ　ギシギシ　ホウセンカ

イ、移植栽培できるもの
ハマオモト　ムラサキオモト　ムラサキオオツユクサ　アオノリューゼツラン

ウ、切片作成が比較的容易にできるもの（表皮の場合）
ハマオモト　シマツユクサ　アマリリス　スイセン　バナナ　アオノリュウゼツラン　テッポウユリ　グラジオラス　ソクズ　ギシギシ　ホウセンカ

エ、一つ一つの細胞の形がはっきり観察できるもの18ページ観察結果の表にでている植物は全部はっきりしている。

オ、染色しなくても核が観察できるもの（表皮の場合）
ムラサキオモト　シマツユクサ　スイセン　アマリリスの葉の裏　ソクズの葉の裏

カ、気孔がはっきり観察できるもの
ムラサキオモトの葉の裏
ハマオモト　シマツユクサ　ムラサキオオツユクサの葉の裏　アマリリス　スイセン　バナナ　テッポウユリ　グラジオラス　ギシギシ　ソクズの葉の裏

キ、葉緑体が粒状になって観察できるもの
ムラサキオモト　ハマオモト　ムラサキオオツユクサ　シマツユクサ　アマリリス　スイセン　テッポウユリ　グラジオラス　ソクズ　ギシギシ

以上のことから本単元を指導するのに有効な素材は
単子葉

スイセン　アマリリスの葉の裏　　　　双子葉
ソクズの葉の裏　　　　　　　　　　　ソクズの葉の裏
シマツユクサ　ハマオモト　　　　　　などがあげられる。

Ⅲ　参考文献
○ 植物組織学　猪野俊平　内田老鶴圏　　　　　昭和31年
○ 植物生態学の実験法　木島正夫　広川書店　　昭和32年
○ 福島県理科教育センター所報　佐川清美　　　昭和44年11月6日
　第17号　6年「葉の細胞について」
○ 小学校理科　素材の系統を考えた　東京都板橋区立
　学習指導法の研究　　　　　　　　向原小学校　　　　昭年42年7月6日
○ 第13次教研集会のしおり　　理科教育指導班編集　沖縄教職員会　昭和42年度
○ 第6回理科長期研修生　　　石垣教育区立登野城小学校
　研究報告書　　　　　　　　仲大盛照子　　　　昭和43年9月
○ 小学校　理科指導書　　文部省　大日本図書株式会社　昭和40年
○ 小学校指導書　理科編　文部省　東京書籍株式会社　　昭和44年
○ 改訂　小学校
　学習指導要項の展開　理科編　井口尚之編　明治図書出版株式会社　昭和34年

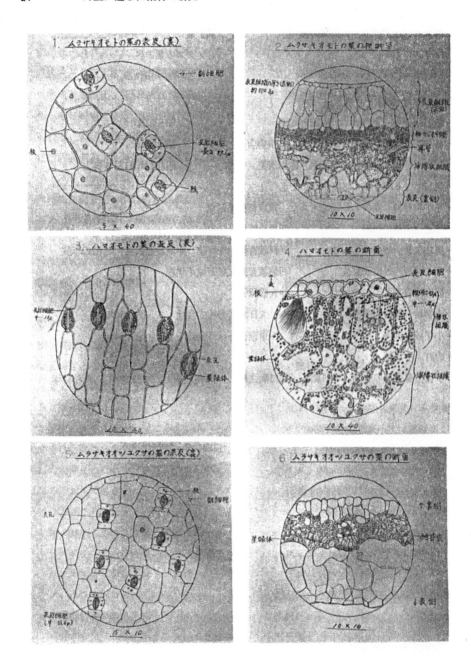

―郷土に適した素材の研究― 25

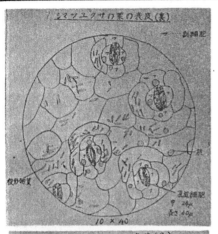

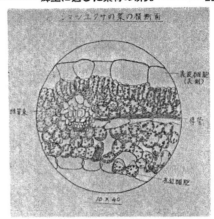

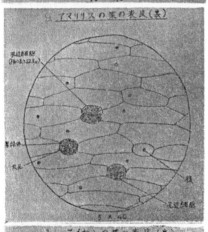

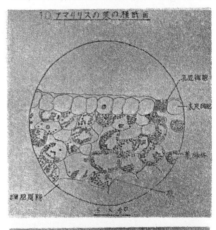

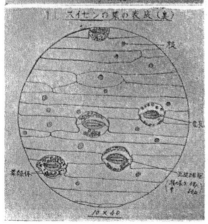

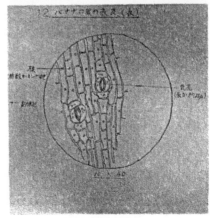

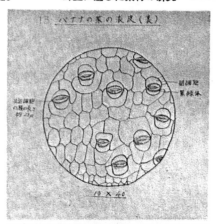
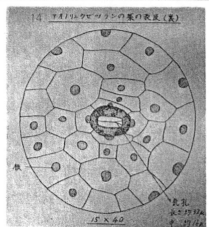
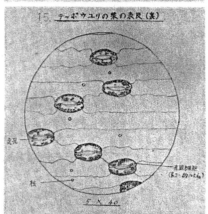
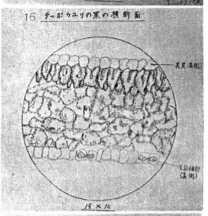
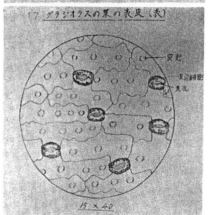
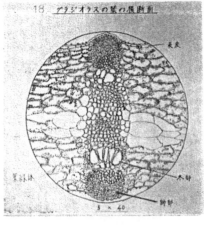

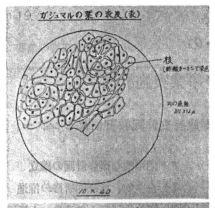
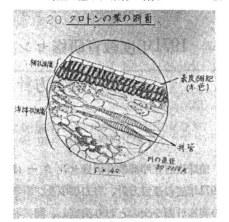
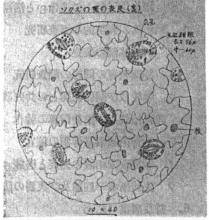
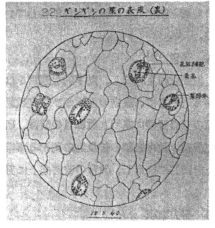
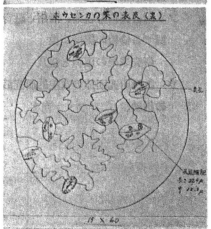

1971年度教育研修センターの運営方針及び事業実施計画

琉球政府立沖縄教育研修センター

　琉球政府立沖縄教育研修センターは1971年度の運営方針、努力事項及び事業の実施計画を次のとおり決定し、関係者の理解と積極的な研修活動を期待している。

A　運営方針

　施設設備を拡充し、効率的な運営をはかるとともに、設立の趣旨並びに文教施策の重点目標に基づき教職員の研修、研究調査、教育相談、普及等に関する事業を計画的に推進し、教育の改善向上に努める。

B　努力事項

1. 施設設備の拡充
   - ア　研修室、研究室、宿泊施設を含む4・5階の増築
   - イ　諸室の整備と適正な管理
2. 運営の効率化
   - ア　職員定数の確保と事務の合理化
   - イ　運営委員会の積極的運用
   - ウ　関係諸機関との緊密な連けい
3. 教職員研修の強化
   - ア　効率的な研修計画の確立
   - イ　自主的、意欲的研修の推進
   - ウ　研修修了者との連けいと活用
4. 科学的、実証的な調査研究
   - ア　研究体制の確立
   - イ　沖縄教育の問題の調査研究
   - ウ　学校及び関係機関との共同研究
5. 教育相談及び生徒指導の強化
   - ア　教育相談事業体制の確立
   - イ　教育臨床相談の充実と啓蒙
   - ウ　生徒指導の理論及び実務の研修
6. 普及事業の拡充
   - ア　図書資料の収集、活用と教育に関する情報の提供交換
   - イ　研究成果の広報と普及
   - ウ　教育研究団体の自主的研究活動の援助、

C 事業の実施計画

事業名	趣　旨	計　画
研修事業	1. 基本的内容を中心として研修を行ない、専門職としての資質と指導力の向上をはかる。 2. 指導者の養成に努め地域学校の教育活動の推進をはかる。 3. 時代の進展に即した研修を行ない教育の現代化をはかる。	研修事業は(1)経営に関するもの、(2)教科領域に関するもの、(3)科学教育振興に関するものを行なう。 1. 研修の対象は 　経営に関する研修で延べ769日人（幼・小・中・高校の校長、教頭、主事、教務主任、幹部女教師）教科領域に関する研修で延べ8,183日人（教科主任、一般教員） 　科学教育振興に関する研修で延べ9,492日人（対象は上と同じ） 2. 研修会の持ち方は 　長期研修（6か月間入所） 　短期研修（1週間〜2週間内容に応じて） 　定期研修（3〜6か月間定期的に来所研修） 　申請研修（学校・団体の自主計画で施設の提供や講師の依頼を受ける） 3. 研修の場所は主としてセンターの施設を利用し遠隔地及び離島へき地は各現地で行なう。 4. 研修会の講師は、当センターの指導主事を主とし、本土講師及び沖縄の大学からの講師、当センターの長期研修修了者の現場教師、その他学識経験者から委嘱する。 5. 部外の教育研究機関、団体、個人の自主的意欲的研修に対して、施設を提供して助成し、その充実を期して申請、要請に応える。
調査	進展する時代の要請に即応し、沖縄の教育が当面している実践上の問題について調査研究を行ない現職教育および児童生徒の学力向上と生徒指導の基礎資料を得る。	1. 教育経営に関するもの 　学校経営の実態に関する研究 2. 教育課程に関するもの 　○特殊学級の指導計画作成についての研究 　○幼稚園教育課程についての研究 3. 学習指導に関するもの 　○学習指導の近代化に関する研究

事業名	趣　　　旨	計　　　画
研究事業		○ 学力診断と学習指導法に関する研究 ○ へき地における学習指導の改善に関する研究 ○ 理科学習指導の現代化に関する研究 ○ 生物・地学に関する郷土資料調査 4. 教育相談、生徒指導に関するもの ○ 相談事例（登校拒否児、学業不振児）に関する研究
教育相談事業	教育相談および生徒指導に関する研究・研修を実施することによって学校教育相談活動を推進するとともに、幼児・児童・生徒の教育相談に応ずることによって学校地域社会へのサービスに努める。	1. 小・中・高校の教諭を対象にして教育相談、生徒指導長期研修、生徒指導定期研修、教育相談短期研修および申請による研修を推進する。 2. 臨床教育相談は幼児・児童・生徒およびそれぞれの保護者を対象とし、相談内容は、 　(1)　知能、学業に関するもの 　(2)　性格、行動に関するもの 　(3)　進路、適性に関するもの 　(4)　身体、神経に関するもの 　(5)　教育一般に関するもの、に分類して行なう。
普及事業	1. 教育に関する専門図書や研究資料を収集整理・保管し教育実践並びに教職員の研究・研修に活用する。 2. 教育研究団体の自主的研究・研修活動の推進をはかる。	1. 教育基本図書、教科書、研究報告書、教育雑誌等の充実、整備と閲覧、貸出し、教育研究資料目録発行。 2. 教育情報、資料の収集と提供。 3. 研究紀要の発行。 4. 理科教育に必要な動植物、地層、岩石等の資料の収集。 5. 申請研修の奨励。 6. センターの施設、設備の提供。

琉球政府立　沖縄海員学校を訪ねて

亀谷浩　校長先生

　「エイッ」「オーッ」というかけ声と共に真白いオールが藍色の海面にするどく切りこんだかと思うと、波しぶきをはねあげてカッターはスピードを増し、石川の街並みも、広々とした埋立地の校舎もしだいにかすんでいく。沖縄海員学校のカッター訓練が雄大積乱雲を背景に紺ぺきの金武湾で行なわれている。

　設立日浅い沖縄海員学校であるが、すでに第１回の卒業生は地元沖縄や本土をはじめ、遠くパナマ運河を越え、あるいは南太平洋と世界の海に勇躍し、無冠の外交官として活躍している。

沖縄海員学校の設立

　日本は商船保有高で世界第５位（1968・6月現在）を占めており、しかも保有船腹量は年々増加の一途をたどり世界有数の海運国である。

　商船の保有が増えれば、当然船員の需要が高まり、船舶装備の近代化に伴ないより高度の知識技能を身につけた船員が要求されるようになった。

　このような社会的要請に応えて沖縄でも船員学校の設置が必要とされ、1969年２月、通商産業局組織規則を一部改正して沖縄海員学校が設置されることになり、同年４月には60人の第１回入学生を迎えて開校式が行なわれた。

　海員学校の教育目標は普通船員の育成にあり、水産高校が普通教科や水産漁業関係教科を中心とした教育課程によって教育を行なっているのとはかなり性格のちがったものである。

　したがって教科内容、教科書等も独自のものを使用しており、本土の国立海員学校と同一のものである。

学校の概況

　1970学年度の学校の概要を簡単に紹介すると次のとおりである。

(1) 生徒数

　甲板科　　40人　　　　　計　80人
　機関科　　40人

(2) 修業年限　1年
　　（72年度からは2か年制の高等科を設置する予定）
(3) 職　員
　　校　長　　亀　谷　　浩
　　教授職員　8人
　　事務職員等　9人
　　非常勤講師　4人
(4) 教科目
　ア、一般教科
　　　国語、社会、理数、英語
　イ、専門教科
　　　甲板科＝船内勤務、運航概説
　　　　　　　航海技業、運用技業
　　　　　　　機関概説
　　　機関科＝船内勤務　舶用機関
　　　　　　　舶用電気、船内工作
　　　　　　　航海概説
　ウ、保健体育
　エ、実習
　　　信号及見張り、端艇、技業、船舶実習、水泳

以上の教科目について週40時間、年間1600時間の授業をみっちり受けることになっている。

海員学校は海上勤務者の養成という特殊性をもっているため、これら一般的、専門的知識技能を充分身につけるとともに、船上における集団生活の秩序維持という点からも特に躾教育にも力を入れている。

学校の特色
(1) 全寮制であること
　沖縄海員学校が他の学校とその学校生活の面で著しく異なっているのは、全寮制をとっている点にある。
　校舎と並んで1部屋6人収容（71年度から4人収容予定）の明るくモダンな寮が建っている。
　寮の生活も学校と同様に睡眠時間以外はこまかく刻まれた日程表によって行なわれる。また、外出も日曜日の8時半から5時以外は認められず、家庭宿泊も夏期と冬期休暇に限られる。これは一見きびしそうにみえるが、こうした訓練を経てはじめて一人前の船員になれるわけであり、世界に通用する人格の形成がなされるわけである。
(2) 授業料や寮費がないということ
　本土における海員学校は国家事業として運営され、授業料や寮費は免除されている。これは海運国としての日本の発展のために海員学校の果す役割の重要性によるものである。
　沖縄でも同様趣旨によって海員学校の生徒は授業料、寮費とも免除されている。

慶良間は見えるが……
糸満青年の家の起工式によせて

調査計画課長　松　田　州　弘

　去る6月15日糸満青年の家の起工式が、嘉数原の現地で挙行されるということで、社会教育課の職員と小型バスで、楽しい話しあいをしながらでかけた。昨日からふりつゞいた大雨のためにねばっこい島尻真土が、参加者のはきものをすいとらんばかりに持ちかまえているとのことである。

　現地について見ると、まさしくぐちゃぐちゃのどろんこ道に入って車はとまった。下車、これいかにとどろんこ道に注意しながらあるいていくとコンクリート工事用の張板がしきならべられていて、米松のかおりがただよい、起工式の雰囲気を何となくたかめている感じでした。荒々しく表土をはぎとられた大地は、大雨をのみほして一歩でもくつをふみいれるものならぱっくりとむしゃぶりつくような様子である。雨ぐつばきで、さっそうとしてこられた中山局長は、起工式の主催者にふさわしいいでたちでした。30人ほどの少人数ながら、式はおごそかにすすめられた。

　今にも降りだしそうな雨雲の下に、それとまごうような慶良間の島々が見える。那覇でみる慶良間よりも、ぐっと、近くに見える。式の進行する中で、私は、秋の晴れたに日は、もっと近く見えることだろうと思った。波浪状地形におおわれた南部は一般に変化の少ない牧歌的風情が多く、この青年の家の周囲もどちらかといえば、変化のない地形にとりまかれているが、西の空の慶良間の島々がま近く見える姿は、青年の家にふさわしい大事な景観だと思った。それは、式の進められる中で、じっと慶良間の島々を見ている間にふと私は「慶良間は見いしが、まつげや見いらん」という諺を思い出したからである。

　ほんとに、慶良間は今ありありと間近くみえる。だが私は、私のまつげをみることができない。青年たちの自己啓発、自己の進路開拓の出発点は、何といっても、その時点での自己理解を出発点としなければならないと考えている。私たちの祖先は、自己理解の困難さを南国の風情の中で、よくも端的にいいつくしたことだとつねづね思っている。

　私は、慶良間の島々が間近く見えるこの場所で、自己に内在する能力の発見やその啓発のために修練しあい、団欒する青年の群像、そして、もっと豊かな郷土の将来の様子を想像しながら起工式の祝杯をあげ、あつぽったい頬に涼風を感じながら帰路についた。

1970年度　普通交付税の算定資料

教育区	市町村総行政費				教育費	
	A 基準財政需要額	B 基準財政収入額	C 交付決定額	依存率 C/A	D 基準財政需要額	比率 D/A
全琉計	23,986,062	7,117,558	16,683,467	69.6	6,947,728	29.0
国頭	315,719	16,055	297,228	94.1	116,233	36.8
大宜味	208,667	8,730	198,327	95.0	64,216	30.8
東	130,451	3,547	125,898	96.5	45,037	34.5
羽地	294,903	27,643	264,985	89.9	73,036	24.8
屋我地	129,969	4,342	124,624	95.9	30,209	23.2
今帰仁	349,943	38,720	308,523	86.7	109,222	31.2
上本部	181,504	6,504	173,600	95.6	46,019	25.4
本部	395,113	39,062	353,003	89.3	141,739	35.9
屋部	182,967	89,252	92,304	50.4	44,256	24.2
名護	494,875	199,072	291,985	59.0	136,887	27.7
久志	215,961	12,694	201,601	93.4	79,705	36.9
宜野座	190,526	6,130	182,926	96.0	42,868	22.5
金武	263,033	29,658	231,346	88.0	71,020	27.0
伊江	256,014	17,841	236,198	92.3	66,439	26.0
伊平屋	152,620	5,800	145,643	95.4	46,028	30.2
伊是名	171,923	7,698	162,899	94.8	46,483	27.3
恩納	240,438	15,252	223,331	92.9	87,923	36.6
石川	366,994	59,209	304,954	83.1	107,229	29.2
美里	489,223	89,986	395,463	80.8	148,315	30.3
与那城	417,234	30,658	383,357	91.9	140,464	33.7
勝連	215,289	13,817	299,040	94.8	95,147	30.2
具志川	768,159	204,981	557,252	72.5	235,474	30.7
コザ	1,149,178	331,499	808,814	70.4	341,048	29.7
読谷	442,820	139,452	299,952	67.7	147,755	33.4
嘉手納	316,185	79,914	233,832	74.0	99,412	31.4
北谷	258,758	46,127	210,635	81.4	79,224	30.6
北中城	227,653	62,896	163,001	71.6	53,824	23.6
中城	280,728	21,399	257,163	91.6	79,655	28.4
宜野湾	730,047	240,172	484,243	66.3	220,838	30.2
西原	270,286	105,602	162,599	60.2	69,765	25.8

教育区	市町村総行政費				教育費	
	A 基準財政需要額	B 基準財政収入額	C 交付決定額	依存率 C/A	D 基準財政需要額	比率 D/A
浦添	686,072	513,893	166,886	24.3	209,550	30.5
那覇	5,427,514	3,691,751	1,693,894	31.2	1,452,067	26.8
(久)具志川	201,154	35,000	164,602	81.8	49,597	24.7
仲里	265,160	18,612	244,502	92.2	85,272	32.2
北大東	80,031	3,775	75,639	94.5	20,551	25.7
南大東	121,471	12,111	108,423	89.3	29,469	24.3
豊見城	311,905	97,049	212,450	68.1	84,475	27.1
糸満	752,569	94,766	651,997	86.6	234,971	31.2
東風平	260,604	29,565	228,938	87.8	66,779	25.6
具志頭	215,692	12,147	201,881	93.6	57,453	26.2
玉城	281,631	12,981	266,477	94.6	75,576	26.8
知念	183,907	8,879	173,609	94.4	55,952	30.4
佐敷	221,834	23,167	196,956	88.8	57,886	26.1
与那原	235,042	50,811	182,418	77.6	62,392	26.5
大里	231,166	18,443	210,940	91.3	57,666	24.9
南風原	269,848	63,651	204,115	75.6	68,112	25.2
渡嘉敷	81,076	1,068	79,383	97.9	27,408	33.8
座間味	104,627	1,348	102,472	97.9	37,843	36.2
粟国	103,131	1,949	100,386	97.3	25,733	25.0
渡名喜	80,302	1,264	78,419	97.7	20,655	25.7
平良	779,602	128,543	645,045	82.7	251,421	32.2
城辺	430,029	34,269	392,443	91.3	126,100	29.3
下地	198,940	65,787	131,618	66.2	50,081	25.2
上野	172,947	9,309	162,304	93.8	40,918	23.7
伊良部	351,970	16,293	332,962	94.6	91,959	26.1
多良間	157,206	4,911	151,082	96.1	34,229	21.8
石垣	1,052,792	187,989	856,681	81.4	322,012	30.6
竹富	325,736	14,131	309,092	94.9	135,188	41.5
与那国	194,924	10,293	183,127	93.9	50,943	26.1

(注) 総務局の資料より

教育区の財政力指数及び段階区分（1970年度）

教育区	A 基準財政収入額 (1970年度)	B 基準財政需要額 (1970年度)	$\frac{A}{B} \times 100$ 財政力指数	区分
全琉球	7,117,558	23,986,062	29.7	2
国頭	16,055	315,719	5.1	1
大宜味	8,730	208,667	4.2	1
東	3,547	130,451	2.7	2
羽地	27,643	294,903	9.4	1
屋我地	4,342	129,969	3.3	3
今帰仁	38,720	349,943	11.1	1
上本部	6,504	181,504	3.6	2
本部	39,062	395,113	9.9	4
屋部	89,252	182,967	48.8	4
名護	199,072	494,875	40.2	2
久志	12,694	215,961	5.9	1
宜野座	6,130	190,526	3.2	3
金武	29,658	263,033	11.3	2
伊江	17,841	256,014	7.0	1
伊平屋	5,800	152,620	3.8	1
伊是名	7,698	171,923	4.5	2
恩納	15,252	240,438	6.3	3
石川	59,209	366,994	16.1	3
美里	89,986	489,223	18.4	2
与那城	30,658	417,234	7.3	1
勝連	13,817	315,289	4.4	4
具志川	204,981	768,159	26.7	4
コザ	331,499	1,149,178	28.8	4
読谷	139,452	442,820	31.5	4
嘉手納	79,914	316,185	25.3	3
北谷	46,127	258,758	17.8	4
北中城	62,896	227,653	27.6	2
中城	21,399	280,728	7.6	4
宜野湾	240,172	730,047	32.9	4
西原	105,602	270,286	39.1	

教育区		A 基準財政収入額 (1970年度)	B 基準財政需要額 (1970年度)	$\frac{A}{B}\times 100$ 財政力指数	区分
浦添	添	513,893	686,072	74.9	5
那覇	覇	3,691,751	5,427,514	68.0	5
(久)具志川	川	35,000	201,154	17.4	3
仲里	里	18,612	265,160	7.0	2
北大東	東	3,775	80,031	4.7	1
南大東	東	12,111	121,471	10.0	3
豊見城	城	97,049	311,905	31.1	4
糸満	満	94,766	752,569	12.6	3
東風平	平	29,565	260,602	11.3	3
具志頭	頭	12,147	215,692	5.6	2
玉城	城	12,981	281,631	4.6	1
知念	念	8,879	183,907	4.8	1
佐敷	敷	23,167	221,834	10.4	3
与那原	原	50,811	235,042	21.6	4
大里	里	18,443	231,166	8.0	2
南風原	原	63,651	269,848	23.6	4
渡嘉敷	敷	1,068	81,076	1.3	1
座間味	味	1,348	104,627	1.3	1
粟国	国	1,949	103,131	1.9	1
渡名喜	喜	1,264	80,302	1.6	1
平良	良	128,543	779,602	16.5	3
城辺	辺	34,269	430,029	8.0	2
下地	地	65,787	198,940	33.1	4
上野	野	9,309	172,947	5.4	2
伊良部	部	16,293	351,970	4.6	1
多良間	間	4,911	157,206	3.1	1
石垣	垣	187,989	1,052,792	17.9	3
竹富	富	14,131	325,736	4.3	1
与那国	国	10,293	194,924	5.3	2

区分欄の数字の1は財政力指数5未満
　　　　　　2は5以上10未満
　　　　　　3は10以上20未満
　　　　　　4は20以上50未満
　　　　　　5は50以上の教育区を示す。

各段階ごとの補正額はは、1が2.00
　　　　　　　　　　　2は1.50
　　　　　　　　　　　3は1.00
　　　　　　　　　　　4は0.75
　　　　　　　　　　　5は0.50となっている。

首里城正殿の鐘

　この鐘は尚泰久王時代（1458年）に造られ、首里城正殿に掛着されたものである。当時は幾多の寺院の創建とともに、数多くの梵鐘が鋳造された。中でもこの鐘は、鐘銘が名高い。即ち、琉球国は南海の勝地にして、三韓の秀をあつめ、大明を以て輔車となし、日域を以て唇歯となす。此の二中間に在りて湧出するの蓬莱島なり、舟楫を以て万国の津梁となし、異産至宝は十方刹に充満す。云々とあり、私たちの祖先が、当時中国や南方諸国と貿易を行って、富み栄えた勇壮な気慨が刻まれている。この鐘銘は、当時のはなやかな国際友交関係を如実に示し、同時にまた、古今を通じて琉球の平和的進展を象徴するものである。

博物館長　外間正幸

1970年10月24日　印　刷
1970年10月26日　発　行

文　教　時　報　（120）

発行所　琉球政府文教局総務部　調査計画課
印　刷　サン印刷所

政府立博物館　名品紹介

首里城正殿の鐘

沖縄外就職者の産業別就職状況（中・高校卒）
(1970.5.1学校基本調査中間報告)

区 分	中学校			高等学校		
	1968	1969	1970	1968	1969	1970
農　　　業	—	—	1 (0.1)	2	16	2 (0.9)
林・狩猟	—	—	—	—	—	5 (62.5)
漁・水産	—	—	—	15	37	68 (76.4)
鉱　　　業	—	—	—	—	1	36 (100.0)
建　設　業	10	15	27 (11.5)	31	60	105 (48.8)
製　造　業	1,260	1,478	1,661 (70.9)	871	1,634	2,342 (82.9)
卸・小売	9	3	14 (3.9)	70	121	503 (40.9)
金融保険	—	—	—	4	—	2 (2.5)
不　動　産	—	—	—	—	—	—
運輸通信	8	—	13 (24.1)	44	88	180 (46.4)
電気・ガス・水道	3	3	101 (65.6)	1	17	232 (64.7)
サービス	31	66	32 (6.4)	98	184	266 (34.7)
公　　　務	4	—	—	8	19	11 (7.8)
その他	15	29	250 (26.4)	66	86	291 (24.1)
計	1,340	1,594	2,099	1,210	2,263	4,098
全就職者の中に占める比率	27.1%	35.7%	33.1%	21.2%	39.8%	53.4%

注：(1) 1970年度の欄で（　）内の数字は、それぞれの産業部門での全就職者中に占める沖縄外就職者の比率(%)である。
(2) 就職者は就職進学者を含む。

1971年度

号外 18

教育関係予算の解説

文 教 局

1971年度

教育関係予算の解説

文 教 局

文教時報号外(第18号)

は じ め に

　この小冊子は、1971会計年度の教育関係予算について解説したものであります。
　長年にわたる沖縄の悲願であった祖国復帰も1972年中に実現されることになり、文教局の予算編成も復帰体制づくりを目標に、中央教育委員会で策定された「1971年度文教主要施策」に基づいてすすめられたわけであります。
　沖縄教育の向上発展は、教育関係者はもとより、全県民の文教施策並びに教育諸制度についてのご理解とご協力が必要であり、特に本土復帰をひかえた今日その感を深くするものであります。
　この小冊子が、教育関係の皆様方の1971年度予算に対する一層深い御理解と効率的な予算執行に役立つことができれば幸甚のいたりであります。
　1970年9月

　　　　　　　　文教局長　中　山　興　真

も く じ

第1章　1971年度教育関係予算の概要 ………　1
　1.　教育予算の総額 ……………………………　1
　2.　予算編成の方針と経過 ……………………　6

第2章　教育施設及び設備・備品の充実 …………　9
　1.　1971年度の校舎等建築 …………………　9
　2.　文教施設用地の確保 ………………………　15
　3.　設備・備品の充実 …………………………　16

第3章　教職員の資質並びに福祉の向上 …………　18
　1.　義務教育諸学校の教職員定数の改善 ……　18
　2.　教職員給与の改善 …………………………　20
　3.　教職員の福祉増進 …………………………　22
　4.　教職員研修の充実 …………………………　25
　5.　教育研修センターの増築 …………………　30
　6.　各種教育研究団体の助成 …………………　30

第4章　地方教育区の行財政の充実と指導の強化 …　32
　1.　1971年度の交付税教育費と政府補助金 …　32
　2.　教育行政補助金 ……………………………　39
　3.　文教施策の浸透と行政事務研修の強化 ……　40

第5章　教育の機会均等 ……………………………　43
　1.　義務教育諸学校教科書無償給与 …………　43
　2.　幼稚園の育成強化 …………………………　44

――もくじ――

  3. へき地教育の振興 ……………………………… 45
  4. 特殊教育の振興 ………………………………… 47
  5. 風疹障害児対策 ………………………………… 49
  6. 就学奨励の拡充 ………………………………… 49
  7. 定・通制教育の振興 …………………………… 50

第6章 後期中等教育の拡充整備 …………………… 52
  1. 後期中等教育の拡充 …………………………… 52
  2. 高等学校教職員定数の改善 …………………… 52
  3. 産業教育の振興 ………………………………… 53

第7章 教育指導の近代化 ………………………… 55
  1. 教育指導者の養成と指導力の強化 …………… 55
  2. 理科教育の振興 ………………………………… 60
  3. 道徳教育と生徒指導の強化 …………………… 63
  4. 教育調査研究の拡充 …………………………… 64
  5. 視聴覚教育の推進 ……………………………… 65
  6. 学校図書館教育の振興 ………………………… 67

第8章 保健体育の振興 …………………………… 69
  1. 学校体育指導の拡充強化 ……………………… 69
  2. 学校保健の充実 ………………………………… 70
  3. 学校安全の強化 ………………………………… 71
  4. 学校給食の拡充 ………………………………… 71
  5. 学校体育諸団体の育成 ………………………… 72
  6. 社会体育の振興 ………………………………… 73

第9章 社会教育の振興 …………………………… 76

――もくじ――

1. 青少年教育 …………………………………… 76
2. 成人教育 ……………………………………… 78
3. 社会教育施設の充実と運営の強化 ………… 79
4. 視聴覚教育 …………………………………… 81
5. レクリエーションの普及 …………………… 81
6. 新生活運動の推進 …………………………… 82
7. 社会教育指導者の養成 ……………………… 82
8. 社会教育関係団体の助成 …………………… 84

第10章 育英事業の拡充 ……………………………… 85

第11章 文化財保護事業の振興 …………………… 88

第12章 沖縄県史の発行 ……………………………… 91

第13章 琉球大学の充実 ……………………………… 93
  1. 予算編成の基本方針及び重点施策 ………… 93
  2. １９７１年度琉球大学の歳出予算 ………… 93

第14章 私立学校教育の振興 ……………………… 97

参 考 資 料
  1. １９７１年度教育関係歳出予算の款項別一覧表 … 99
  2. １９７１年度文教局予算中の政府立学校費及び
　　地方教育区への各種補助金・直接支出金 …… 101
  3. １９７１年度教育区歳出・歳入予算 ………… 113
  4. １９７１年度交付税教育費単位費用積算基礎 … 121
  5. 教育関係日米政府援助 ……………………… 141

第1章 1971年度教育関係予算の概要

1971年度の琉球政府予算は2か月の暫定予算を経て8月31日の立法院本会議で可決され、9月1日に立法第125号として署名公布された。

1 教育予算の総額

(1) 予算総額

本年度の琉球政府一般会計歳入歳出予算総額は200,780,511ドルでこのうち教育関係予算額は57,897,580ドルとなっており、政府総予算に占める比率は28.8%である。

この教育予算を前年度との比較でみると、

(ア) 前年度の当初予算51,914,741ドルに対して、実額で5,982,839ドルの増、伸長率は11.5%である。政府予算の伸長率は17.6%であるから伸び率の差が6.1%もあってかなりへだたりが大きい。

(イ) 前年度の補正後の予算50,815,397ドルに対しては7,082,183ドル増、伸長率は13.9%である(政府予算の前年度の補正後予算に対する伸長率は21.6%)

次に教育予算を事項別に分け、その構成比ならびに政府総予算に対する比率を示すと下表のとおりである。

事項	予算額	構成比	政府予算に対する比率
総額	ドル 57,897,580	% 100.00	% 28.84
文教局	54,292,269	93.77	27.04
文化財保護関係	67,904	0.12	0.03
琉大	3,537,407	6.11	1.76

(2) 支出項目別内訳と前年度比較

琉球大学予算と文化財保護関係予算を除いた文教局歳出予算額は 54,292,269 ドルとなる。これを支出項目別に前年度の当初及び補正後予算と比較すれば次に示すとおりである。

支出項目別内訳　　　単位：ドル

事　項	1971年度 予算額	1970年度 当初予算	1970年度 最終予算	比較増△減 当初	比較増△減 最終
総　　額	54,292,269	48,245,842	47,320,854	6,046,427	6,971,415
A　消費的支出	44,894,653	39,298,757	39,584,617	5,595,896	5,310,036
(1)　教職員給与	40,328,886	35,003,423	35,253,804	5,325,463	5,075,082
(2)　その他	4,565,767	4,295,334	4,330,813	270,433	234,954
B　資本的支出	9,397,616	8,947,085	7,736,237	450,531	1,661,379
(1)　学校建設費	7,257,609	6,670,762	5,564,015	586,847	1,693,594
(2)　その他	2,140,007	2,276,323	2,172,222	△136,316	△32,215

1970年度の琉球政府予算は、歳入面で約230万ドルの税収落ち込みと166万ドルの米国援助削減、借り入れ予定額のうち347万ドルの減額があり、合わせて743万ドルの歳入減（歳入増が118万ドルあったので実質減は625万ドル）、一方歳出面では、義務経費の増加や台風災害復旧費等で202万ドルの不足を生じ、結局827万ドルの減額補正を余儀なくされた。そのため文教局予算も334,690ドルの追加、1,277,919ドルの減額補正がなされ結果的には当初予算48,332,167ドルから943,229ドルの減額で47,388,938ドルの予算規模となった。

さきにあげた支出項目別内訳の構成比を図によってみると右のとおりである。

すなわち、文化財保護関係、琉球大学関係を除いた教育関係予算額54,292,269ドルの74.3%が学校教職員の給与で、これに学校建設費の13.4%を加えると実に87.7%がいわゆる義務経費に支出されていることになる。

(3) 教育分野別内訳

前項同様、文化財保護関係と琉球大学を除いた教育予算を教育分野別にみると次表のとおりである。

分野別	予算額	構成比
総額	54,292,269ドル	100.0%
学校教育費	50,572,598	93.1
幼稚園	482,186	0.9
小学校	22,175,884	40.8
中学校	15,110,375	27.8
特殊学校	1,240,671	2.3
高等学校	11,239,816	20.7
各種学校	323,666	0.6
社会教育費	809,175	1.5
教育行政費	2,495,181	4.6
育英事業費	415,315	0.8

(4) 財源別内訳と前年度比較

本年度の琉球政府予算編成上大きな難点となったのは米国政府援助の激減と日政援助の対応費の問題等であった。

教育関係についていえば、米国政府援助は前年度842万5千ドルあったのが今年度はゼロとなりこれが琉球政府予算全体にもはねかえっていわゆる財政硬直化を一層深刻なものにしてそることは周知のところである。

教育関係予算を財源別に前年度と比較してみると下表のとおりである。

区分	財源	1971年度 金額	構成比	1970年度 金額	構成比	比較増△減 金額
		ドル	%	ドル	%	ドル
全教育予算	計	57,897,580	100.0	51,914,741	100.0	5,982,839
	琉政	38,407,942	66.3	26,336,631	50.7	12,071,311
	日政	19,489,638	33.7	17,153,110	33.1	2,336,528
	米政	0	—	8,425,000	16.2	△8,425,000
文教局(含文化財)予算	小計	54,360,173	100.0	48,332,167	100.0	6,028,006
	琉政	35,145,649	64.7	23,325,730	48.3	11,819,919
	日政	19,214,524	35.3	16,581,437	34.3	2,633,087
	米政	0	—	8,425,000	17.4	△8,425,000
琉大予算	小計	3,537,407	100.0	3,582,574	100.0	△ 45,167
	琉政	3,262,293	92.2	3,010,901	84.0	251,392
	日政	275,114	7.8	571,673	16.0	△ 296,559
	米政	0	—	0	—	0
参考 琉球政府予算	総額	200,780,511	100.0	170,785,000	100.0	29,995,511
	琉政	119,282,504	59.4	108,413,198	63.5	10,869,306
	日政	68,263,007	34.0	47,221,802	27.6	21,041,205
	米政	13,235,000	6.6	15,150,000	8.9	△1,915,000

日政援助の事業内容の詳細については、各章で解説されるが、琉球政府予算に繰り入れられない援助額については巻末の参考資料〔5〕にまとめて表示してある。

(5) **他局計上分を含めた教育予算**

以上解説してきた教育関係予算は、他局で計上されているものは除かれているが、政府全体として一括計上されているものに、庁用消耗品費、備品費、印刷製本費、被服費等のいわゆる用度費として教育関係に87,748ドルが計上されている。

さらに市町村交付税をとおして、教育区の予算に実質的に繰り入れられる教育財源がある。今年度の政府一般会計より市町村交付税特別会計への繰り入れ額は23,946,767ドルで、このうち市町村の「教育費負担金」を通して教育区に支出される額を基準財政需要額の割合から単純推計するとおよそ7,184,030ドルとなる。

文教局（含む文化財）		54,360,173ドル
琉 球 大 学		3,537,407
他局計上	○ 用 度 費	87,748
	○ 市町村交付税 教育費負担分	7,184,030
	計	65,169,358

2 予算編成の方針と経過

1972年の本土復帰をひかえ、復帰体制づくりが琉球政府の当面の最大課題であり、従って1971年度の予算編成もその線に沿ってすすめられた。

文教局としても、(1)較差是正のための教育条件の整備充実、(2)学力水準の向上と青少年の健全育成を2本の柱とした1971年度の教育主要施策を樹立し、これに基づいて予算編成の作業をすすめたのである。

中央教育委員会で策定された「1971年度教育主要施策」は次のとおりである。

1971年度教育主要施策

1 較差是正のための教育条件の整備充実

1969. 12. 11

重点事項	具体的事項
(1) 文教施設及び設備備品の充実整備	○ 学校施設に総合計画にもとづく校舎の充足 ○ 体育施設の拡充 ○ へき地教育施設の拡充 ○ 文教施設用地の確保 ○ 学校設備備品の充実
(2) 教職員定数の改善充実	○ 義務教育諸学校教職員定数基準の改善 ○ 政府立高等学校教職員定数の確保
(3) 教職員の待遇改善ならびに福祉の向上	○ 教職員給与の改善 ○ 教職員福祉の向上 ○ 共済事業の拡充

重 点 事 項	具 体 的 事 項
(4) 後期中等教育の拡充整備	o 高校の増設及び拡充整備 o 産業教育の振興
(5) 教育の機会均等の推進	o 特殊教育の振興 o へき地離島教育の育成強化 o 幼稚園教育の育成強化 o 就学奨励の拡充強化 o 定時制教育の振興 o 学校規模の適正化推進 o 風疹障害児対策の強化
(6) 地方教育財政の強化	o 地方教育区の財源強化

2 学力水準の向上と青少年の健全育成

重 点 事 項	具 体 的 事 項
(1) 教職員の資質と指導力の強化	o 教育研修センターの拡充整備と活用 o 教育指導者の養成と指導力の強化 o 各種教育研究団体の助成 o 教育内容の改善充実 o 視聴覚教育の拡充
(2) 生徒指導の強化	o 道徳教育と生徒指導の強化 o 生徒指導体制の確立 o 教育相談活動の促進
(3) 社会教育の振興	o 社会教育施設設備の整備充実 o 社会教育主事の増員と社会教育指導者の養成 o 家庭教育の振興
(4) 保健体育の振興	o 学校体育指導及び学校保健の強化 o 学校給食の拡充 o 安全教育の強化 o スポーツ施設の拡充と活動の推進

この主要施策に基づく教育費を8,800万ドルと積算して予算当局に概算要求し折衝にあたったが、復帰体制づくりのための旺盛な財政需要に対して、いわゆる財政の硬直化は琉球政府の予算編成作業を非常にきびしいものにした。すなわち'70年度予算で、税収の落ち込みや米政援助の打ち切り等があった反面、歳出面でも義務経費の不足等が減額補正をよぎなくさせ、'71年度も米政援助の大幅減額、日政援助の増額に伴なう対応費の増加等は、琉球政府の財政を破産寸前といわれるようなピンチにまで追い込んだ。

　このような状勢のもとで編成され立法院に送付された政府参考案による文教局の予算は5,512万ドルであったが、更に立法院の審議の段階で、公務員給与法の一部改正をめぐり、与野党、公労共斗等の対立は異例の議会再々延長という事態まで招いた。結局多数野党の案によって政府参考案から人件費関係が減額修正されたため、予算の内で人件費の占める割合の大きい文教局予算は打撃が最も大きく、参考案よりも757,241ドル少ない54,360,173ドルに決ったわけである。

　新年度予算の具体的内容については第2章以下で概説されている。

第2章 教育施設及び設備・備品の充実

1 1971年度の校舎等建築

 72年本土復帰をひかえ、その準備にあわただしい動きを示している昨今、さる8月の読売紙の世論調査は、本土政府のやるべきものとして沖縄から最も要望の多いもの5項目をあげているが、その筆頭が「教育施設を本土並みに改善する」である。これまで文教施策の重点項目としてとりあげてきた「文教施設の整備充実」については、日米両国の援助によって年々その整備が図られてきた。過去15年に投入された文教施設に要した資金は下表のとおりである。

学校建設費投入資金額（1955～1970年累計）

総　　額	琉　　球	米　　国	日　　本
43,493,301	18,347,364	16,339,158	8,806,779
100 %	42	38	20

 なお、今後本土水準に達するまでには8,500万ドルの資金が必要であると試算されている。
 本年度になって米政援助による学校建設費が従来のあり方から一変して全額削除になり、琉球政府の真摯な復活要請も全く顧みられなかったことははなはだ遺憾である。ただ米政資金の大巾な削減があったにもかかわらず、後述するように日本政府援助の大巾増と琉球政府の負担増によって前年度並みの総枠を確保できたことは、目標の達成に一歩前進であると言えよう。
 なお、今後の文教施設の需要を早急に図るには、本土とより密接な連係をもち、較差是正の解消を早急に図るための特別措置を講じるよう強く要請していきたい。

第 2 表　　学 校 建

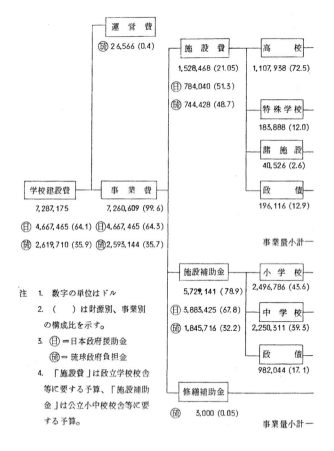

注　1. 数字の単位はドル
　　2. （　）は財源別、事業別の構成比を示す。
　　3. 日＝日本政府援助金
　　　 琉＝琉球政府負担金
　　4. 「施設費」は政立学校校舎等に要する予算、「施設補助金」は公立小中校校舎等に要する予算。

設 費 の 内 容

総面積	事業量									
	校舎					校舎以外				
	面積	一般校舎			産振校舎	面積	屋体	プール	住宅	その他
		普	特	管						
㎡	㎡	室	室	室	㎡(室)	㎡	㎡(棟)	基	㎡(戸)	件
13,120	11,340	42	8	9	3,759(19)	1,780	1,780(2)	0	0	—
2,000	2,000	22	6	0	0	0	0	0	0	—
件10	—	—	—	—	—	件10	—	—	—	件10
		△	△		△					△
15,120	13,340	64	14	9	3,759(19)	1,780	1,780(2)	0	0	件10
28,039	21,529	52	50	50	0	6,510	6,010(10)	2	500(10)	防音1
27,471	20,491	36	48	55	0	6,980	6,480(9)	2	500(10)	—
		△	△	△			△	△	△	件1
55,510	42,020	88	98	105		13,490	12,490(19)	4	1,000(20)	件2
70,630	55,360	152	112	114	3,759(19)	15,270	14,270	4	1,000(20)	件12

(1) **事業費の概要**（第1表・第2表参照）

　71年度校舎等建築に要する予算（学校建設費）総額は、前年度に比べて55万9,357ドル（8.3）増の728万7,175ドルである。そのうち政府立高校および特殊学校の校舎等整備に要する予算（施設費）は、その主要財源を米政資金に求めてきたために、米政資金削減のしわよせは大きいが、前年度に比べて20万7,519ドル（11.9％）の減額におさえ、152万8,468ドルを計上した。一方公立小中学校の校舎等建築に要する予算（施設補助金）は大幅な日政援助を得て、前年度に比べて79万4,366ドル（16.1％）増の572万9,141ドルである。

　ところが現年度には前年度の政府債務負担行為済額の117万8,160ドルが含まれており、一方現年度事業量にかかる政府債務負担行為額（72年度予算に上ってくるもの）56万ドルが含まれていない。したがって両年度の政債額を加減調整した実質予算額は666万9,015ドルとなり、その規模は前年度とほぼ同じである。

　財源別にみると、日本政府援助額が116万9,018ドルふえて、総予算額の64.1％を占め、伸び率33.4％である。一方琉政資金も109万259ドルふえ、71.2％の伸びである。

— 第2章 教育施設及び設備・備品の充実 — 13

第1表　学校建設費科目別内訳

	予算額 A	1971年度 政債 B	71年度 政債 C	A－B＋C 実質予算額	1970年度 当初予算額	1970年度 改(調整後 実質予算額	比較増△減 予算額	比較増△減 実質額
学校建設費	7,287,175	1,178,160	560,000	6,669,015	6,727,818	6,722,231	559,357	△53,216
内 施設費	1,528,468	196,116	180,000	1,512,352	1,755,987	1,710,400	△207,519	△98,048
訳 施設補助金	5,729,141	982,044	380,000	5,127,097	4,934,775	4,954,775	794,366	172,322
修繕補助金	3,000	0	0	3,000	10,000	10,000	△7,000	△7,000
運営費	26,566	0	0	26,566	47,056	47,056	△20,490	△20,490

第2表　財源別構成

	1971年度 予算額	構成比	1970年度 予算額	構成比	比較増△減	伸び率	備考
学校建設費	(6,669,015) 7,287,175	100%	(6,722,231) 6,727,818	100%	△(53,216) 559,357	－(0.08%) 8.3	( )は実質予算額および伸び率である。
内 日政援助	(4,667,465) 4,667,465	64.1	(3,498,367) 3,498,367	52.0	(1,169,098) 1,169,098	(33.4) 33.4	
米政援助	0	0	(1,700,000) 1,700,000	25.3	△(1,700,000) △1,700,000	－	
訳 琉政資金	(2,001,550) 2,619,710	35.9	(1,523,864) 1,529,451	22.7	(477,686) 1,090,259	(31.4) 71.2	

(2) **事業内容**（第1表参照）

　本年度の総事業量は建築物で7万630㎡（政府立学校1万5,120ドル、公立学校5万5,510㎡）が計画され、その他プール4基等を新設する。なお主な事業内容は次の通りである。

(イ) 高等学校
- 産業技術学校にかわる工業高校新設に伴う不足教室1,840㎡（18室分）を琉政資金単独事業で整備する。
- 屋内運動場700㎡を琉政資金で那覇高校に増築する。
- 電気施設整備のために変電所1基、定時制照明整備に水銀灯6コ、財産保全のための土留擁壁1,254㎡をそれぞれ整備する。
- 後期中等教育の拡充整備の一環として、24学級規模の新設商業高校を新設するため7,400㎡（普通24室、特別8室、管理諸室9室分、実習室5室）を日政援助で整備する。単年度完成である。
- 69年の台風11号、12号による災害復旧として八重山高校に体育館1棟1,080㎡を日政援助で建築する。

(ロ) 特殊学校
- 校舎2,000㎡（28室）を日政援助で整備する。

(ハ) 公立小中学校
　本年度の公立小中校の施設整備はすべて日政援助にかかるものである。
- 校舎の不足解消を促進するために、3万7,000㎡（小校18,000㎡、中校19,000㎡）を整備

する。
- o へき地勤務教員の勤務条件の整備をはかるよう教員住宅1,000㎡（20戸）を整備する。
- o 人口の社会的移動に伴って生ずる過密現象に応ずるため急増対策校舎として4,620㎡を計画し、小学校2校（浦添市内1校、コザ市内1校）を新設する。
- o 体育施設は前年度に引き続き屋内運動場1万2,490㎡（19棟）、水泳プール4基をそれぞれ新築する。
- o 基地公害の爆音防止策として100％の日政援助を得て、古堅小校既設校舎を防音工事する。
- o 69年度の台風11号、12号による災害復旧として、校舎5室（美崎小2、与那国3）を改築する。

(3) 執行の基本方針
- o 予算執行の能率化を図るとともに教育委員会等の業務が計画的に遂行できるように学校施設の年間事業量を一括して割当てる。
- o 1974学年度における予定学級数を考慮に入れた学校施設の配置計画に基づく建築を行う。
- o 予算の効率化、建築の合理化、予算執行の迅速化を図るため校舎建築については重点配分方式を原則とする。
- o 新設、移転に伴う校舎の建築は、その既定の年次計画にしたがって建築する。

2 文教施設用地の確保

政府立学校用地の買上げ率は旧県有地を除いての約47パーセントで残りは無償の市町村有地や教育区有地又は有

償の私有地となっている。これ等の借地については年次的買上げを計画しており差当り71年度予算の24万7千ドルでも高校生急増対策のため1963年以降設置した学校用地の購入を優先したい。

3 設備・備品の充実

(1) **教　材**（高校においては一般教科備品）

ア　これまで「一般教科備品」として公立学校へ補助してきたが1968年12月3日に規則を改めて「教材」とし1968年12月3日の公報登載の「教材基準」に掲げる品目及び数量をもとに補助することとなった。

イ　振興法に基づく理科、図書、産業教育のための設備、備品の整備は、この教材費補助の対象からは除外される。

ウ　各学校は教材の整備計画を立て、その計画に従って使用頻度等を考慮して教材基準の中から自主的に選択して購入し活用することができることとなった。

エ　高等学校の「教科備品基準」は改められず、従前のとおりである。

オ　校種別の計上予算額は次のとおりである。

区　分		金　額	日政援助率	備　考
教　材	公立小学校	213,570ドル	3／4	
	〃中学校	163,560ドル	3／4	
	〃小中特殊学級	10,022ドル	3／4	
	政府立特殊学校	6,007ドル	3／4	

区　　　分	金　　額	日政援助率	備　　考
一般教科備品	政府立高等学校及び各種学校	24,080ドル		琉政一般財源
視聴覚備品	政府立高等学校	6,041ドル	1/3	VTR2台 テレビ20台 8ミリ映写機 2台 〃 撮影機 2台 録音機5台

(2) **校用設備**

　ア　1968年度から理科、家庭科、音楽科、図工科、芸術科などの特別教室（図書館を含む）の内容設備を整備してきたが、今年度からは米国政府援助が得られなくなったために、今後のその分野での需要については地方教育区による整備に期待せざるを得なくなった。

　イ　高等学校の新設による机、いす等の新規需要については30,474ドルを充当する予定である。

(3) **学校図書館の図書**

　ア　図書購入に充当すべき経費は、小学校67,609ドル、中学校55,903ドル、特殊学校3,594ドル、高校7,500ドル合計134,606ドルが計上されている。

　　　この額は総額においては前年度と全く同額である。

　　　この経費の財源は義務教育諸学校 $\frac{3}{4}$、高校 $\frac{2}{3}$ が日本政府援助額によりしめられている。

第3章 教職員の資質並びに福祉の向上

1 義務教育諸学校の教職員定数の改善

1970年3月31日付で「義務教育諸学校の学級編制及び教職員定数の基準に関する立法の一部を改正する立法」が署名公布された。これは昨年度改正された本土の標準法に準じて、改正されたものであり1970学年度は本土法の2年次に相当する改正がなされた。

1970年5月現在の定数による1969年5月と比較して児童数137,077人(1,689人減)中学校72,241 (2,919人減)計209,318人(4,608人減)となっているが、基準の改正や、その他教員の増員等で教職員の定数は、増員となっている。その内訳はつぎのとおりである。

第1表 児童生徒数、学級数及び教職員数

区分	学校別学年別	小学校			中学校		
		1969	1970	比較	1969	1970	比較
児童生徒数	児童数	138,766	137,077	△1,689	75,160	72,241	△2,919
	普通学級	3,682	3,689	7	1,865	1,816	△49
	特殊学級	146	146	0	37	60	23
	学級数計	3,828	3,835	7	1,902	1,876	△26
教職員数	本務教員	4,665	4,611	△54	3,137	3,149	12
	その他	119	192	73	167	157	△10
	補充教員	138	138	0	129	129	0
	事務職員	110	134	24	92	113	21
	計	5,032	5,075	43	3,525	3,548	23

前記表で明らかのように、児童生徒の在籍の減少に伴ない、本務教員が小中学校で４２人の減となっているが、教職員数において、６６人の増となっているのは、定数法改正による図書館事務職員の新配置２３人と、其の他教員で小学校に新たに配置された風疹による聴覚障害児担当教員４６人の増によるものである。

１９７０年５月現在の学級規模別学校数は第２表のとおりである。

第２表　学級規模別学校数

連合区別 \ 学校別 \ 規模別	小学校					中学校				
	1学〜5級	6学〜10級	11学〜20級	21学〜30級	31以学級上	1学〜5級	6学〜10級	11学〜20級	21学〜30級	31以学級上
北部	15	31	12	3	1	24	9	8	—	1
中部	2	10	21	14	9	5	5	6	8	5
那覇	2	2	8	3	21	2	3	3	2	9
南部	2	8	10	6	4	7	2	6	6	—
宮古	4	4	9	3	1	2	10	4	—	1
八重山	14	15	3	1	2	16	3	1	2	—
計	39	70	63	30	38	56	32	28	18	16

１９７０年４月に小学校で１校（具志川島分校）廃止、２校（新川小、城東小）が新設され、中学校で１校（源河中）が統合されたが、なお学校規模において、いわゆる適性規模といわれる小学校１２学級、中学校１８学級のしめる割合は、それぞれ２６％、１８％となっていて、とくに中学校の５学級以下の小規模が３７％もしめていることは、今後の過疎・過密対策とともに、現在の学校統合計画を強力に推進する必要がある。

2 職員給与の改善

(1) 1971年度の教職員の給与費

(単位 ドル)

区分	公立				政府立		
	小学校	中学校	高校	各種学校	特殊学校	中学校
給料	12,582,532	7,869,171	5,694,254	181,955	556,505	77,906
期末手当	3,899,711	2,430,618	2,308,377	63,327	225,394	30,569
管理職手当	111,316	58,365	25,654	2,120	3,728	635
へき地手当	4,904	3,964	6,552	—	—	—
複式手当	2,820	732	—	—	—	—
定時制通信教育手当	—	—	34,703	—	—	—
産業教育手当	—	—	50,371	4,968	—	—
超過勤務手当	4,904	3,964	74,550	443	3,282	1,397
宿日直手当	83,718	83,774	28,024	1,190	16,249	—
通勤手当	66,840	49,344	66,629	3,500	4,278	768

(2) １９７１年度改正された点

㋑ 給 料

給料については、給与法の改正により平均１０.１％アップされた。

前年度との平均給の比較 （１９７０年７月１日現在）

校種	職名	校長	教頭	教員	事務職員	その他職員	全体
公立	小学校	301.52 (271.46)	250.98 (225.72)	185.15 (163.58)	121.95 (109.16)	―	190.71 (169.15)
公立	中学校	304.59 (274.99)	249.81 (224.36)	165.70 (144.08)	125.60 (113.30)	―	171.39 (149.63)
政府	高校	320.20 (295.31)	264.30 (244.21)	164.70 (148.95)	120.00 (115.42)	104.20 (88.18)	160.20 (143.91)
政府	各種学校	337.90 (287.36)	237.40 (207.94)	151.40 (131.13)	107.20 (98.67)	77.50 (74.25)	142.70 (122.01)
政府	特殊学校	317.60 (256.42)	262.15 (228.35)	166.97 (141.24)	126.96 (113.83)	107.26 (94.45)	156.75 (133.96)
立	中学校	337.90 (303.90)	295.10 (263.60)	195.01 (172.37)	119.85 (103.25)	79.13 (68.77)	188.69 (165.70)

注 （ ）内の数字は、１９６９年７月１日現在平均給

(イ) 期末手当
期末手当の支給率は $\frac{460}{100}$ から $\frac{475}{100}$ に改正された。
(ウ) 通勤手当
1970年4月1日から通勤手当が支給された。
(エ) 離島等に勤務する職員に対する昇給
一般職の職員の給与に関する立法の一部改正による、離島等勤務職員の号給又は給料月額の決定の特例で、1970年10月1日から離島等に勤務する職員に対して1号給の特別昇給が実施されることになった。
(オ) 教職員の研修に必要な旅費は前年度とほゞ同額で84,457ドルが計上されている。この額は教職員1人当り10ドル程度に相当する。

3　教職員の福祉増進

教職員の福祉に関しては、政府の行なう事業と共済組合が行なう事業がある。本年度のそれぞれの事業は下記のとおりである。

(1) 政府の行なう福祉事業

近代社会は、社会的、経済的に一層複雑化してきている。それにともない教職員の福祉向上を図らなければならないことはいうまでもない。そのための経費としては、退職給与補助金、保険料補助金、公務災害補助金等があるが今年度のそのおのおのの予算額は、次のとおりである。

項　目	予算額	備　考
退職給与補助金	691,970ドル	勧奨退職50万ドル、28人分を含む
保険料補助金	1,710,345ドル	退職年金、医療保険を含む
※公務災害補償補助金	4,296ドル	

※ 公務災害補償補助金については、従来政府補助金として80％、残り20％は区教育委員会の負担となっていたが、1968年度から全額補助になった。なお前年度は療養補償、8名が適用を受けた。

(2) 共済事業

公立学校職員共済組合法は、教職員及びその遺族の生活の安定と福祉の向上を目的として、相互救済を趣旨とする共済組合の制度を規定するものである。事業としては、短期給付・長期給付及び福祉事業があり、いずれも組合員の掛金並びに政府及び政府等の負担を財源としてなされる。

(ア) 短期給付　育児手当金・傷病手当金・出産手当金・休養手当金・弔慰金・家族弔慰金及び災害見舞金の7種がある。尚、今年度から附加給付として、育児手当金附加金4,767ドルを計上し、実施することになっている。

(イ) 長期給付　組合員の退職後又は、死亡後における本人又はその遺族に対する保険給付である。

(ウ) 福祉事業　貸付・住宅・宿泊・保健等の事業がある。貸付事業については、1970年11月から次のとおり実施されます。

　　a　財源　1970年6月30日（決算）による長期経理の資金総額が10,000,000ドル（内年金法による積立額6,800,000ドル）ありますので公立学校職員共済組合法施行細則第13条第3項の規定により、100分の25に相当する金額（2,500,000ドル）を借入れて財源とします。

　　b　貸付けの種類

a　一般貸付け
　　　〇生活資金（限度額600ドル）
　　　〇大学入学資金（限度額800ドル）
　　b　住宅貸付け
　　　〇第一種貸付け（限度額1,400ドル）
　　　〇第二種貸付け（限度額5,000ドル）
　　c　災害貸付け（限度額14,000ドル）
　尚、保健事業として、組合員の健康管理を重視し、へき地組合員厚生事業（医薬品配布）として、4,090ドルを計上し実施する。その他の事業（住宅、宿泊）は実施しない。
(ニ)　掛金負担金　上記に要する費用は、前年度と同じく下表のとおり徴収され、この額をもって諸事業を遂行する。

掛金・負担金率及びその額

区　分	掛金率	政府等負担金率	追加費用	政府負担金率	掛金及び負担金の額
短期給付	0.95/1000	0.95/1000			54,412
福祉事業	0.05/1000	0.05/1000			2,864
長期給付	42/1000	42/1000	21.1/1000	14.8/1000	3,440,223

(ホ)　公立学校職員共済組合事務費については、全額政府負担とされ、1971年度予算額は、89,605ドルである。

4 教職員の研修の充実

1972年祖国復帰を目前に、いま本土各県との学力の較差是正が、火急の課題となっている。較差是正のためには、山積する諸問題の解決が要求されるが、その中でも、とくに教職員の資質の向上が強く要望されている。

教職員の資質の向上に関しはは、復帰に備えての沖繩の特殊事情も考慮に入れながら、さらに技術革新に伴う教育の改革という世界的な動向の上に立たなければならないことはいうまでもない。

このような観点にたって、文教局は「教職員の資質の向上」を文教行政の最重点施策の一つに取り上げた。その具体的事業内容は次表のとおりである。

〔別表1〕
1970学年度管外研修派遣予定一覧表

番号	研修会名	時期	会期	対象	会場	人員
1	幼稚園教育指導者講座	9月28日～30日	3日	園長・教諭	東京	
2	幼稚園教育課程研究発表大会	11.5～6	2日	〃	〃	
3	へき地教育指導者講座	11.10～12	3 〃	校長・教諭	岡山	
4	道徳教育研究推進校研究発表大会	1971.2.25～26	2 〃	〃	東京	
5	学校図書館研究協議会	12.2～3	2 〃	教諭	〃	
6	産業教育指導者養成講座（男子向き）	7～8月	6 〃	〃	〃	
7	〃 （女子向き）	7～8月	6 〃	〃	〃	
8	全国学校給食研究集会	11.19～21	3 〃	教長・教諭	奈良	
9	全国学校給食研究協議会	11.11～12	2 〃	〃	熊本	
10	全国学校体育研究大会	11.26～27	2 〃	教諭	長崎	
11	学校保健講習会（学校環境衛生）	10.5～6	2 〃	校長・教諭	島根	
12	養護教諭講習会	7.2～4		養護教諭	香川	
13	全国交通安全指導者講習会			校長・教諭		
14	第8回全国小学校社会科研究協議会	10.23～24	2 〃	教諭	徳島	
15	第3回全国中学校社会科教育研究大会	10.23～24	2 〃	〃	〃	
16	全国小学校家庭科研究会	10.30～11.1	3 〃	〃	熊本	
17	第23回全国造形教育研究大会	10.7～9	3 〃	〃	秋田	
18	全国視聴覚教育合同大会	8.6～8	3 〃	〃	札幌	
19	全国特別教育活動研究大会	8.8～10	5 〃	〃	東京	
20	第52回全国数学教育研究大会	8.5～7	3 〃	〃	茨城	
21	実践国語研究大会	8月		〃	東京	
22	九州理科研究大会	8.18～20	3 〃	〃	福岡	
23	全国中学校理科研究会	8.3～6	4 〃	〃	兵庫	

— 第3章 教職員の資質並びに福祉の向上 — 27

番号	研修会名	時期	会期	対象	会場	人員
24	全国音楽教育連合会全国大会	8月	3日	教諭	東京	
25	九州地区英語教育研究大会	10月	3〃	〃	熊本	
26	全国中学校道徳教育研究大会	8.21〜22	2〃	〃	〃	
27	小学校教育課程講習会	7月	2〃	〃	石川	
28	中学校 〃	7月	2〃	〃	宮崎	
29	校長等中央研修講座(第5回)	12.1〜22	4週間	小中学校校長	東京	2
30	中堅教員研修講座(第2回)	8.3〜9.1	6〃	中学校2	〃	2
31	全国へき地教育研究大会	10.13〜15	3日	校長・教諭	青森	
32	生徒指導講座	7.20〜8.15	4週間	教員指導主事	東京	3
33	カウンセラー養成講座	8.10〜9.5	4〃	教員	〃	3
34	公立学校事務職員研修会	11.10〜12	3日	小中校事務職員	〃	1
35	生徒指導連絡協議会	10.26〜27	2〃	教員	長崎	6
36	進路指導講座	7〜8月	6〃	職業指導主事	広島	1
37	学習指導要領趣旨徹底講習会(特殊教育)	12.14〜16	3〃	特殊学級教員	佐賀	2
38	特殊教育講座	8.1〜8	8〃	〃	鹿児島	2
39	第16回九州地区へき地教育研究大会	10.22〜23	2〃	校長・教員	大分	4
40	第21回放送教育研究全国大会	11.20〜21	3〃	教員	香川	2
41	全国公立学校教頭大会	8.8〜11	3〃	教頭	札幌	1
42	全国連合小学校長大会	9.15〜18	4〃	校長	〃	1
43	全日本中学校長全国大会	10.18〜21	4〃	〃	仙台	1
44	九州地区小学校長大会	11	3〃	〃	鹿児島	
45	九州地区教頭大会	10.26〜28	3〃	教頭	福岡	

〔別表2〕
教職員の資質の向上のための研修会一覧表(管内)

各種研修会名称		時期	会期	範囲	参加者	参加人員	会場	備考
学校経営研究大会(小中校長)		6月	3日	全沖縄	全沖縄の小中校長その関係者	420人	那覇	年1回
学校経営研究大会(小中教頭)		11月4〜6日	3日	〃	全沖縄の小中教頭その他関係者	420名	護	年1回
青少年健全育成関係研修会	訪問教師研修会	毎月	1日	〃	訪問教師その他	延200	各連合区輪番	
	生徒指導主任研修会	学期2回	〃	各連合区単位	各学校主任	延350	各連合区ホール	
	カウンセラー研修会	9月〜3月	〃	〃	各学校カウンセラー	延350	〃	
	進路指導研修会	年1回	〃	〃	各学校進路指導主任	延150	〃	
	特別活動研修会	9月〜3月	〃	〃	各学校主任その他	延350	〃	年1回
	道徳主任研修会	9月〜3月	〃	〃	〃	延350	〃	〃
教科指導技術研修	教育区単位授業研究会	5月〜11月	各2日	教育区別	小中校校長教諭	延300	仲里中校その他	教材研究会と併行する
	中高校合同訪問指導	4月〜2月	各1日	各学校単位	中高校校長教諭	延500	那覇商校その他	
	校内授業(教材)研究会	4月〜2月	各1日	〃	小中高校校長教諭	延7,000	清水小校その他	
	社会科授業研究会	5月〜2月	各1日	連合区別	小中校教諭	延500	各連合区1〜2校	
	小学校教育課程研修会	9月〜10月	半日	各連合区単位	小学校校長教諭	延5,000	各連合区の中央校	久米島は独立して実施
	中学校教育課程研修会	12月	半日	〃	中学校校長教諭	延2,000	〃	〃
	高等学校教育課程研修会	12月〜4月	半日	〃	高等学校校長教諭	延1,000	〃	〃
	長期英語教育講習	4月〜3月	1年	全沖縄	中学校英語担当教諭	40	英語センター	
	高校新任教員研修	7月	3日	〃	高校の新任教員		那覇商校	
	夏季講習	8月	前後期別各2週間	〃	小中高校教諭	延	各連合区	

各種研修会名称	時期	会期	範囲	参加者	参加人員	会場	備考
全沖縄政府立学校事務職員研修会	8月	3日	全沖縄	高等学校、政府立各種学校、政府立諸学校の事務職員	100人	教育研修センター	
中学校技術家庭科(女子)技術講習	7月21日～26日	6日	〃	技家(女子)教員	36	沖縄工業	
中学校技術家庭科(男子)技術講習	7月下旬	3日	〃	技家(男子)教員	110	各連合区単位	
高等学校家庭科講習会	7月22日～27日	6日	〃	高校家庭科教員	40	教育研修センター	
高等学校工業科実技講習会	7月22日～27日	〃	工業高校	工業高校機械科教員	14	沖縄工業	
高等学校商業科実務講習会	8月18日～20日	3日	全沖縄	商業科教員	45	那覇商業高校	
小学校家庭科研修会	8月11日～12日	2日	〃	小学校家庭科主任	80	開南小学校	

5 教育研修センターの増築

教育研修センターでは1968年12月に第一期工事として地下1階、地上3階の新庁舎が落成し、教職員の研修を実施しているが、71年度においては更に宿泊研修のための宿泊施設、食堂、厨房、研修室等の第二期工事が日政援助を得て完成することになっている。これにより従来の研修より一層充実した研修が実施されるものと期待される。

  4.5階増築工事費
     149,444ドル
   (内　GOJ 49,814ドル　GRI 99,630ドル)
  内訳　4階　食堂、厨房、視聴覚室、研修室、
      研究室(3)、倉庫、便所、
     5階　宿泊室(21室)、浴室(2)、管理人室、
      倉庫、リネン、便所

6 各種教育研究団体の助成

この助成金は、広範囲にわたる任意教育団体の育成と、その他の教育分野の振興を図る目的で支出されるものである。これまで大きな成果をおさめ、関係者から高く評価されている。本年度の対象団体名と補助金予定額28,530ドルの内訳は次のとおりである。

実験研究校	2,980	精薄教育協会	300
造形教育研究会	1,500	特殊教育協会	275
高校理科研究会	1,000	教育長協会	450
気象教育研究会	100	小中学校長協会	1,120
小中校理科教育研究会	150	幼稚園協会	263
算数・数学教育研究会	150	小中教頭協会	460
高校数学教育研究会	150	小中校事務職員協会	280
国語教育研究会	440	農業クラブ	800
学校図書館協議会	200	家庭クラブ	600
書道教育研究会	270	高校長協会	350
高校弁論大会	374	高校教頭協会	200
社会科研究会	200	政府立学校事務職員協会	700
生徒指導研究協会	340	定時制主時協会	500
カウンセリング研究協議会	200	各種教育コンクール	175
童話・お話中央大会	50	各種教育研究会	360
定通制生活体験発表会	100	職業および科学技術研究会	320
教育音楽コンクール	250	高体連	3,832
学校美化コンクール	200	高野連	1,500
高松宮杯英語弁論大会	240	定通制球技大会	250
教育研究大会	5,000	中体研究発表会	100
中体連	1,041	学校保健大会	170
女体連	330	健康優良校・生徒の表彰	160
小体研究発表会	100		

第4章 地方教育区の行財政の
充実と指導強化

Ⅰ　1971年度の交付税教育費と政府補助金

　地方教育区の財源は、主として政府補助金（特定財源）と交付税教育費を主とする市町村教育費負担金（一般財源）から成っている。1971年度の地方教育区に対する政府補助金（含直接支出金）及交付税教育費は下記のとおりである。

(1)　**政府補助金（含直接支出金）**

　　現年度の地方教育区に対する政府補助金及び直接支出金（教科書購入費等）の総額は3,826万ドルで前年度に対し376万ドルの増である。尚経費項目及び経費については、参考資料〔3〕を参照されたい。

— 第4章 地方教育区の行財政の充実と指導強化 — 33

地方教育区への補助金及び直接支出金の教育分野別分類

(単位 ドル)

区分	小学校	中学校	幼稚園	社会教育	教育行政	計
補助金	21,856,001 (19,282,220)	14,678,339 (13,214,440)	481,414 (373,564)	226,028 (74,825)	416,927 (538,131)	38,261,928 (34,497,262)
直支金	317,233 (504,691)	285,981 (509,390)	—	—	—	—
計	22,173,239 (19,786,912)	14,964,320 (13,723,830)	481,414 (373,564)	226,028 (74,825)	416,927 (538,131)	38,261,928 (34,497,262)

( )内は前年度

(2) 交付税教育費

ア 交付税教育費の総額

交付税教育費の基準財政需要額は、市町村交付税総基準財政需要額2,936万ドルのうち、851万ドルで前年度に対し22.4％の伸びである。尚、現年度は操入率が前年度の30.2％から30.98％に引き上げられ、また市町村財政充実費としての日政援助も前年度の18億から28億に大幅増額され、交付税の全領域にわたって琉政財源に一括され教育区を含めた市町村財政の強化に充てられている。

(ア) 1971年度交付税総額及び対前年度比較

	区　分	1971年度	1970年度	対前年度伸び率
A	基準財政需要額	29,362,000	24,054,000	22.4%
	市町村分	20,857,000	17,078,000	22.4
	教育分	8,505,000	6,976,000	22.4
B	基準財政収入額	7,792,000	7,202,000	9.5
C	財源不足額	21,570,000	16,852,000	27.9
D	調整額	17,910	592	－
E	普通交付税額	21,552,090	16,851,408	29.2
F	特別交付税額	2,394,677	1,872,379	29.2
G	交付税総額	23,946,767	18,723,787	29.2
H	政府六税額	52,205,500	46,355,900	19.2
I	繰入率	30.98	30.2	－
J	繰入額	16,168,989	13,999,210	19.2
K	精算額	－	275,423	－
L	市町村財政充実費（日政）	7,777,778	5,000,000	55.6
M	予算計上額	23,946,767	18,723,787	29.2

イ 交付税教育費の交付税総行政費に占める割合

下表は交付税教育費の総行政における役割を経費面からとらえたものであるが、総行政費に占める教育費の比重は可成り高い。

(f) 交付税教育費の総行政費に占める割合 (千ドル)

項目	1971年度		1970年度		増減
	基財額	構成比	基財額	構成比	
総額	29,362	100%	24,054	100%	5,308
消防費	1,754	6.0	1,169	4.9	585
土木費	4,322	14.7	2,960	16.5	1,362
厚生労働費	2,507	8.5	1,687	7.0	820
産業経済費	2,846	9.7	2,281	9.5	565
行政費	9,427	32.1	7,981	33.1	1,446
教育費	8,506	29.0	6,976	29.0	1,530

ウ 単位費用及び基準財政需要額

地方財政制度は1967年現行の交付税制度に改革され、以来単位費用及びこれに伴う基準財政需要額は年々大幅に増額され地方教育財政は強化充実されつゝある。特に1970年度には基準財政需要額の積算基礎に投資的経費を新設し、1971年度は更にこれを大幅に増額して地方教育区の校舎以外の学校諸施設設備に対する対応費の負担の軽減を図り、教育の機会均等の上に立つて学校施設設備が整備できるようになつている。

— 第4章 地方教育区の行財政の充実と指導強化 —

(ウ) 単位費用及び基準財政需要額

単位費用 区分	1968年	1969年	1970年	1971年
小学校 児童	3.95	6.14	8.20	10.14
小学校 学級	284.38	328.17	358.83 {消 318.33 投 40.50	487.89 {消 352.89 投 135.00
小学校 学校	1,291.00	2,051.00	2,837.00	3,170.00
中学校 生徒	4.30	5.72	7.95	9.13
中学校 学級	308.13	375.33	401.30 {消 349.80 投 51.50	557.47 {消 385.80 投 171.67
中学校 学校	1,323.00	2,391.00	3,142.00	3,508.00
その他の教育 教委・社教・幼保・体育・図書館	0.97	1.17	1.56 {消 1.47 投 0.09	1.77 {消 1.63 投 0.14
基財額計	4,016,000	5,504,700	6,976,313	8,505,685

エ． 本年度の単位費用算定基礎における主な改正点
○経常経費について：
1. 小中学校、その他の教育費の全分野にわたり委員会職員、事務職員補、給食従事員、雇用人幼稚園教員の給与単価を是正したこと。
2. 教育委員の報酬及び期末手当の支給率を引き上げたこと。
3. 備品費、需用費等を増額したこと。
4. 小学校に新しく栄養士を配置し児童の健康管理を強化したこと。
5. 小中学校の準要保護児童生徒関係経費に新しく野外活動費を加えたこと。
6. 小中学校の学校医としての内科医、歯科医に新たに眼科医を加えたこと。
7. 図書館経費項目を新設し、従来の社会教育費を改めて「社会教育及び図書館費」とし、社会教育関係経費を増額するとともに、図書館事務職員を1人配置して社会教育の充実をはかったこと。
○投資的経費について：
1. 小学校前年度単位費用1学級当り40.50ドルを、1学級当り135.00ドルに引き上げたこと。
2. 中学校前年度単位費用1学級当り51.50ドルを、1学級当り171.67ドルに引き上げたこと。
3. 幼稚園前年度単位費用人口1人当り0.09ド

ルを、人口1人当り0.14ドルに引き上げ幼稚
園園舎建設費を保障したこと。
オ．単位費用算定の概略
○　小中学校費においては、経常経費として雇用人
の人件費、教員の旅費、需用費、校用備品、教材
備品、要保護準要保護関係経費等を、投資的経費
としては、屋内運動場水泳プール等の建設費を算
定している。その測定単位は経常経費にあっては
それぞれ「児童数」、「学級数」及び「学校数」
とし、投資的経費については、「学級数」として
いる。
○　その他の教育費の測定単位は「人口」で、標準
教育区の人口を30,000人とし、教育委員会費
社会教育及び図書舘費、保健体育費、幼稚園教育
費に区分される。経費は経常経費と投資的経費に
分かれ、投資的経費は幼稚園園舎建設費である。
カ．補正係数の適用
地域的諸条件によって生ずる経費差を基財額に反映
させ、全琉同一の行政水準が保持できるようにするた
めに補正が適用されている。
○小学校費
児童経費＝単位費用×（児童数×態容補正係数×
人口急増補正係数）
学級経費＝単位費用×（学級数×態容補正係数×
人口急増補正係数）
学校経費＝単位費用×（学校数×態容補正係数）
○中学校費

生徒経費＝単位費用×（生徒数×態容補正係数×人口急増補正係数）

学級経費＝単位費用×（学級数×態容補正係数×人口急増補正係数）

学校経費＝単位費用×（学校数×態容補正係数）

○その他の教育費＝単位費用×（人口段階補正係数×態容補正係数×幼稚園密度補正係数）

2 教育行政補助

政府は教育委員会法第１３６条の２の規定に基づき連合教育区に対し、行政補助金として連合区事務局定数職員（８８人）の給与費の全額と運営費の一部を補助している。本年度の予算額は次のとおりである。

目	予算額	内　　　容
行政補助金	410,362	1 給　　与 363,141.97 　教育長　6人　次長 10人 　管理主事　7人　指導主事 21人 　社会教育主事　6人　巡回教師 12人 　事務職員 26人 　　　　　　　　計　88人 2 共済組合費　21,778.33 3 公務災害補償　300.00 4 旅　費　4,161.70 　教育長　305.16 　管理主事　520.08

— 第4章 地方教育区の行財政の充実と指導強化 —

目	予算額	内　　　容
		巡回教師連合区内指導旅費 685.44 巡回教師講習会旅費 1,433.92 巡回教師本土視察旅費 1,217.10 5 中央教育委員会選挙費用 2,000.00　（4連合区） 6 環境衛生器具購入費 1,980.00 7 八重山連合区庁金建築費 17,000.00

3　文教施策の浸透と
　　行財政事務研修の充実

(1)　地方教育区行財政職員等の研修の充実

　今日の教育の進歩は、教育需要の拡大を招き教育行政の内容をますます複雑多様化する傾向にある。したがって、地方教育区における事務量もますます増大しつつあり、新しい制度の理解と事務の能率化合理化等の研修は必要欠くべからざるものとなっている。特に地方教育費の約80％は政府支出金でかなわれており、政府補助金の適正な執行の確保も地方教育区の事務担当職員の研さんにまつところが極めて大きい。したがって、教員の研修とともに、行政事務担当職員の研修も今後さらに充実しなければならない。そのための研修費は下記のとおりであ

る。
 教育長研修 143ドル
 教育委員研修 418ドル
 会計及び事務職員研修 219ドル
 教育法令研修 143ドル
 予算決算事務研修 154ドル

(2) 教育現場との連絡提携

 本土復帰を前にして、沖縄教育の現状並びに将来どのような文教施策が計画されているかについて説明し、文教施策の現場への浸透をはかり、本土復帰にそなえる。また、学校現場の教職員と直接懇談会をもつことによって教育現場の要望等を文教施策に反映させるため、1965年度以降、教育現場との懇談会を実施している。

 本年度の予算額は、599ドルで小学校10校、中学校8校を対象として実施する予定である。

 更に従前同様、広報誌によって文教施策を教育関係者に周知徹底させ、効率的な教育行政を推進するとともに、地方教育行財政の指導及びその資料の提供も続けていきたい。

 本年度発行予定の広報誌等の種類と発行部数、発行回数及び予算額は次のとおりである。これら広報誌が教育関係者の間で広く利用されることを要望するものである。

— 第4章 地方教育区の行財政の充実と指導強化 —

事 項	1970年度予算	1971年度予算	内　　容
広報普及費	4,692 (4,153)	4,594 (4,152)	文教時報　1,200部 6回 〃　号外　1,400 〃 4 〃 教育年報　　800 〃 1 〃 リーフレット 1,600 〃 1 〃 沖繩教育の概観 1,000 〃 1 〃 学校一覧表 1,000 〃 1 〃

注 1. 70年度は当初予算
　 2. (　)内の数字は内数で印刷製本費。総務局用度課予算に計上されている。

第5章　教育の機会均等

1　義務教育諸学校教科書無償給与

憲法第26条の精神からいって極めて当然のことであるが、沖縄でも国庫負担による教科書無償給与が1963年度から実施され、1971年度も前年度同様義務教育諸学校の全児童生徒の教科書購入費が計上されている。教科書無償給与の方法は、政府が経費の全額を負担して必要な教科書を一括購入し、各学校長を通じて児童生徒に給与することになっている。

(1)　対　　象

　　政府立、公立、私立の義務教育諸学校の全児童が給与の対象になる。

　※　在籍者全員が対象で、長欠児に対しては自宅学習のために給与することはさしつかえない。

　※　在籍者は国籍のいかんを問わず給与の対象としてさしつかえない。

　※　教師用教科書は給与の対象にならない。

(2)　給　　与

　　学校長は児童生徒に給与の際、学年別に給与名簿を作成し、給与した教科書名を記入して、教育委員会に1部学校に1部保管しておく。（この場合、5月1日付け学校基本調査の在籍と比較して説明ができるよう記録しておく。

(3) 予　算

会計年度	1968	1969	1970	1971
予算額	551,415	528,906	559,521	542,936

2　幼稚園の育成強化

　幼稚園教育は、人間形成の基盤を培うもので、学校教育の一環として極めて重要な位置を占めている。

　1970年7月現在の全琉公立幼稚園は114園、私立21園、合計135園である。

　1971年度は14園31学級が1971年4月1日開園すべく申請しているが、予算の都合もあって、本年度は10園25学級を新設したい。

　幼稚園への政府補助は公立幼稚園の教員給料の50％、園舎建築費の50％を補助している。また備品補助金については、公立私立に予算の範囲内で補助する。

　モデル幼稚園は日政援助により2園建築される予定である。

　1971年度予算
　　予算総額　　　481,414 ドル
　　　給料補助金　319,645 ドル
　　　施設補助金　125,134 ドル（普通園舎25室、モデル2園）
　　　備品補助金　　9,244 ドル（一般 4,800、モデル
　　　　　　　　　　　　　　　　　　　　　　4,444 ）
　　　幼稚園舎改造防音工事費　27,236 ドル（屋良、嘉
　　　　　　　　　　　　　　　　　　　　　　　手納）
　　　旅費補助費　　155 ドル（本土研修）

3 へき地教育の振興

 教育の機会均等の趣旨に基づいて制定されたへき地教育振興法（1958年立法第63号）の精神に則り、へき地にある公立小中学校の教育的諸条件の改善を図ることに努力してきた。
 特筆すべきことは、1971年度のへき地教育関係予算に始めて日政予算が計上されたことである。これを機会にますます予算の増額に努めへき地教育の振興を図っていきたい。
 1971年度のへき地教育関係予算額は次のとりである。

	小 学 校	中 学 校	計
へき地手当 補 助 金	151,583ドル	104,217ドル	255,800ドル
へき地住宅 料補助金	16,680ドル	16,860ドル	33,540ドル
へき地教育環 境整備費	15,330ドル	16,200ドル	31,530ドル
へき地教員 養 成 費	2,760ドル	2,760ドル	5,520ドル
学校統合補 助　　　金	764ドル	22,812ドル	23,576ドル
計	187,117ドル	162,849ドル	349,966ドル

(1) へき地手当補助金

 へき地教育振興法第6条の2の規定に基づき、へき地教育振興法施行規則（1959年中教委規則第4号）第2条でへき地学校に指定された公立小中学校に勤務する教職員に対して、同施行規則第12条により、1級地

(給料月額の $\frac{8}{100}$)、2級地(給料月額の $\frac{12}{100}$)、3級地(給料月額の $\frac{16}{100}$)、4級地(給料月額の $\frac{20}{100}$)、5級地(給料月額の $\frac{25}{100}$)のへき地手当を支給している。

1971年度の級地別学校数とへき地手当予算額は次のとおりである。

級地	学校数		小学校	中学校
	小学校	中学校		
1	16	11	26,314ドル	14,785ドル
2	17	14	42,118ドル	29,979ドル
3	12	10	25,214ドル	22,249ドル
4	15	12	38,595ドル	22,688ドル
5	8	5	19,342ドル	14,516ドル
計	68	52	151,583ドル	104,217ドル

※ 学校数は、併置校を小学校1、中学校1とし、分校も1校としての数である。

(2) へき地住宅料補助金

へき地教育振興法施行規則第8条の規定により、へき地学校に勤務する教職員が住宅不足のため借家(借間、下宿等を含む。)をしている場合には住宅料として1人当月額5ドル以内(教職員2人以上が同一世帯に属する場合は1人当月額3ドル50仙以内)を支給している。

(3) へき地教育環境整備備品

へき地教育振興法施行規則第3条により、文化的諸条件に恵まれない地域にある公立小中学校に教材、教具等を補助することにより、へき地性の解消をはかろうとす

— 第5章 教育の機会均等 — 47

るものである。補助の比率は原則としてその経費の$\frac{4}{5}$であり、区教育委員会にもいくらかの対応費をもたせてある。

　へき地教育環境整備備品補助は普通補助と特別補助に区分し、普通補助はへき地教育振興補助金交付に関する規則（1966年中教委規則第35号）第5条の算定方法により各教育区に交付し、特別補助として1970年度は11校にビデオテープレコーダーを補助した。

(4) **へき地教員養成費**

　へき地教員養成については、教員志望学生奨学規程（1953年11月16日告示第139号）によりへき地学校に勤務すべき教員の養成のため琉球大学在学生より募集し、月額20ドルの奨学金を支給し、へき地教員養成に努めている。

(5) **学校統合補助金**

　学校規模の適正化による教育効果の向上と学校経営の合理化をはかるため、小規模小中学校の学校統合が進められてきたが、学校統合の促進は、児童生徒の通学距離を延長させ、その結果バス利用者が増加し、更に通学困難になった者に対しては寄宿舎を設置し、通学条件の改善を図っているが、寄宿舎居住費として1人当月額8ドル、用人給与として1人当月額45ドル、下宿者には下宿料として1人当月額10ドル、バス通学者にはその実費を補助している。

4　**特殊教育の振興**

　心身に障害を有する者に対する特殊教育は年々拡大充実してきているが、盲、聾、養護学校および小、中学校の特殊

学級に就学している者は約3200人で、その障害の状況等に応じた適切な教育を受けている者の率はまだ低いのが実情である。そこで、今後とも不足している特殊学級の増設や施設々備の充実をはかり教育の内容、方法の改善、教職員定数の確保、就学の奨励等を強化推進していく必要がある。

1967年度以降の政府立特殊学校費および特殊学級への備品補助金を予算の上からみると下表のとおりである。

区分＼年度	1967	1968	1969	1970	1971
政府立特殊学校費	321,736	441,922	614,191	738,729	970,700
特殊教育補助金	19,900	19,900	13,900	10,022	10,022

（特殊学校教育補助金は教材費補助金として支出される）

o 特殊学級の推移

学校別＼学年度	1958	1959	1960	1961	1962	1963	1964
小学校	1	1	1	7	16	16	28
中学校	—	—	—	—	1	1	1

学校別＼学年度	1965	1966	1967	1968	1969	1970
小学校	85	111	131	146	146	146
中学校	2	9	18	26	37	60

5 風疹障害児対策

　風疹障害児対策は、1971年度においても重要施策の一つとして推進していく計画をすすめている。
　1971年4月から公立の幼稚園に風疹障害児学級(46)を設置し、その学級を担当する教員を養成する。
　予算上では、風疹障害児教育のための巡回教師(12人)及び研修生43人(学級担当予定者.)の給与の他に、事業用備品費として33,020ドルと管外研修旅費3,862ドルが文教本局費に計上されている。

区分＼連合区	北部	中部	那覇	南部	宮古	八重山	計
風疹障害児	34	89	132	30	70	31	386
研修教員	3	9	17	3	8	3	43

6 就学奨励の拡充

　経済的理由により就学困難な児童及び生徒に対して学用品等を給与する教育区に対し政府が必要な援助を与える立法が1970年4月から施行された。
　この援助は要保護、準要保護家庭の児童及び生徒を補助の対象としてその保護者に与えられる。
　1971年度の計上予算額は次の積算からなっている。

o 立法による補助

区 分	小学校		中学校	
	予算定員	単価	予算定員	単価
1 学用品費	9,714人	6.61ドル	5,261人	14.97ドル
2 通学用品費	9,714人	1.47 〃	5,261人	1.47 〃
3 通学費	447人	11.71 〃	337人	12.50 〃
4 修学旅行費	2,330人	4.72 〃	5,261人	15.00 〃
5 修学旅行費（野外活動費）	9,714人	0.28 〃	5,261人	0.50 〃

7 定・通制教育の振興

　定時制・通信制の課程は、新制中学校を卒業して、いろいろの理由で、全日制の高等学校に進めない青年男女に、新制高等学校の教育を受ける機会を等しく与えることを目的に、設置されたものである。沖縄における定・通制教育も、1952年発足してから、その増設及び通信制課程の新設をみて、現在政府立21校、私立1校の22校、生徒数も7,000を数える程に発展充実してきた。生徒数においては、東京、北海道、長崎についで多い。今後の定・通制教育は、その量的拡大から、質的、内容的充実への転換を、はかることが、大きな課題であり、日政援助を要請して施設設備の充実につとめている。1971年度琉球政府予算では、定時制給食用備品費に7,200ドル通信制備品費に500.00ドル、施設として水銀灯設置費に1,500ドル、が計上されている。その他定・通制課程の教職員に

支給される定・通制教育手当等の費用が計上されている。

第6章 後期中等教育の拡充整備

1 後期中等教育の拡充

前に、各種学校として発足した産業技術学校2校を廃止し、1970学年度より工業高等学校を4校新設した。このため、高等学校の総数は34校から38校へと増加した。高等学校への進学率は63.5％から67.5％と4％の上昇をしている。

1971学年度から政府立高等学校の適正配置及び教職員定数の標準等に関する立法（1968年立法129号）により、学級定員が普通科、商業科、家庭科とも1学級47名から45名になる。

1971年4月開設をめどに南部地区に商業高校1校が新設される。これは後期中等教育の整備拡充計画の一環として、高等学校の適正配置と、高等学校への進学率の増加及び高等学校商業科の整備拡充をはかるために新設されるものである。建設費については、日政援助で420,000ドル、琉政で280,000ドルが予算計上されている。

これらの学校の運営に要する経費として、政府立高等学校費として、9,189,740ドル、政府立各種学校費として、313,974ドルが計上されている。

2 政府立高等学校教職員定数の確保

政府立高等学校の教職員定数の中、校長、教諭、養護教諭、助手、事務職員については「政府立高等学校の適正配

置及び教職員定数の標準等に関する立法」により算定されている。同法は1969学年度より施行適用され、1971学年度は施行の最終年次である。同法による1971学年度の算定数（増員数）は校長1、教諭等172、養護教諭18、助手67、事務職員39計297名である。その他の職員（司法、炊婦、給仕、自動車運転職、機関操作職、電気職、船員）については201名の増員を予定している。確保については「標準法」のわく内の定数、その他の職員についても欠なく採用できる見通しである。

3 産業教育の振興

最近の科学技術のめざましい進歩と産業構造および就業構造の著しい変ぼうに伴って、産業に従事する中堅産業人の量的拡充と質的問題は今後の産業教育にとって重要な課題である。このことについて中央教育委員会は産業教育総合計画樹立のために産業教育振興法に基づいて産業教育審議会に「産業教育振興方策について」を諮問、1969年11月11日には答申を受け振興計画の策定を進めている。

本年度の産業教育振興費は全体的にみて前年度より減少している。それは米国援助による備品費の打切りのためである。今年度から日政援助による農業科および衛生看護科に42,500ドルの備品費が計上されている。高校における産業教育の備品は1970年度で33.5％の充足率を示したが本年度は102,924ドルを投入して35.0パーセントになる予定である。

また各学科における実験実習を充実するための実技研修旅費、実習消耗品費、油脂燃料費等が重点的に計上されている。なお現職教育については講習会を開催し産業技術研

究教員10名、農業近化研修教員2名を本土に派遣して研修させる予定である。

第7章 教育指導の近代化

　沖縄教育の戦後を終わらせ、1972年施政権返還に伴い、復帰体制づくりのため、今年度は、教育総合計画を策定し、特にその最重要施策として、1.較差是正のための教育条件の整備充実、2.学力水準の向上と青少年の健全育成、という二本柱をうちたて、強力に推進されることになった。
　我が国教育の動向と、沖縄教育の今日的課題に対処するためには、この二本柱の中核として、「教育内容の改善充実と生徒指導の強化」が具体化され、強力に推進されることが、学校現場の研究実践とあいまって強く望まれることである。

1　教育指導者の養成と指導力の強化

(1) 指導課主管の研修事業

　今年は、小学校新教育課程の全面実施、中学校の移行措置、更には、高等学校教育課程の改訂等、10年ぶりに迎えた教育の重大転換に直面している。
　教育現代化の線にそって改訂された新学習指導要領は、その内容の大巾改善とともに、各学校における教育課程の編成や展開に当っても大きく弾力的運用が認められたことが大きな特徴である。そのことはまた、学校が、国民の教育に直接的に負う責任の増大を意味するものであるとも言えるのである。
　従って、この時に当り、教師の資質の向上をはかることはもとより、わけても、教育指導者の養成と指導力の

強化をはかることは、指導行政上の急務中の急務として、次のような諸種の研修が計画されている。
- (ア) 学校経営者のための研修
    - ○ 校長研究大会
        学校経営上の問題について、管理と指導の両面から研究するために、毎年、小中校と高校とに分けて校長の研究大会を開催しているが、今会計年度も引き続き3日間の研究大会を持ち、学校経営者としての資質の向上を図る。
    - ○ 連合区別の校長研修会
        例年2月に各連合区ごとに実施しているが、今会計年度も2月に6連合区で校長研修会を開催し、新学年度の学校教育指導指針を明らかにして、その指導力の向上を図る。
- (イ) 本土派遣研究教員制度による研修
    研究教員制度によって、教員年間35人（前後期に分けて計算すれば70人）、校長16人、指導主事10人、大学留学教員10人を派遣し、さらに文部省主催または後援の各種研究大会や講座に130人の教員を派遣する予定である。
- (ウ) 指導主事の研修
    文教局と各連合区の指導主事が集り、学期に1回ずつ2日ないし3日間の宿泊研修を行ない、学校経営および指導の方針について検討し、指導力の向上を図る。

(2) 沖縄教育研修センター主管の研修事業

教育研修センターは、研修事業の重点として、時代の進展に応ずる教育を推進するため、新しい経営学の導入による学校経営の現代化や、学習指導の現代化をめざし

— 第7章 教育指導の近代化 — 57

て、指導者の養成をとりあげ、各地域や、各学校における指導的役割を果たす教職員の資質と指導力の向上をはかるために、つぎの事業を実施する。

(7) 経営管理に関する研修（965ドル）
　学校長教頭および指導的役割をもつ教職員に対して、学校経営、学習指導の現代化について研修を行ない、職能および識見の向上をはかる。
　　○小中学校長研修会
　　○小中学校教頭研修会
　　○高等学校教頭研修会
　　○高等学校定通制主事等研修会
　　○小中学校長教務主任研修会
　　○小学校女教師研修会
　　○幼稚園経営研修会
　　○学校・学年経営長期研修

(イ) 教科・領域に関する研修（道徳および生徒指導関係別項）（997ドル）
　教科・領域の研修にあっては、主として地域の指導者および学校の研究主任クラスを対象に、その資質や指導力の向上をはかって一般教職員におよぼすようにし、短期研修、定期研修、長期研修にわけてつぎのように実施する。
　　a　短期研修（2日〜5日間、集中的に研修する）
　　○小中学校国語学習指導研修会
　　○高等学校国語学習指導研修会
　　○中学校社会科研修会
　　○高等学校社会科研修会
　　○小学校算数科研修会

○中学校数学科研修会
○高等学校数学科研修会
○小学校特別教育活動研修会
○中学校特別教育活動研修会
○小学校図書館主任研修会
○特殊教育研修会
b 定期研修（3ヶ月～1年にわたりテーマをもって教壇実践をしながら定期的に教育センターに集まって研修する。）
○小学校国語定期研修
○中学校国語定期研修
○高等学校国語定期研修
○中学校社会科定期研修
○小学校算数科定期研修
○中学校数学科定期研修
○高等学校数学科定期研修
○幼稚園指導者定期研修
○特殊教育定期研修
c 長期研修（6ヶ月～1年教育センターに入所して研修する。）
○小学校国語長期研修
○中学校国語長期研修
○小学校社会科長期研修
○中学校社会科長期研修
○小学校算数科長期研修
○中学校数学科長期研修
○学校図書館長期研修
○教育評価長期研修

○ 特殊教育長期研修
(ウ) 文部省派遣教育指導員による研修（3,433ドル）
　　日政援助によって派遣される教育指導員による事業で、今年はその11年次にあたる継続事業である。沖縄における現職教員の指導力を高め、教育水準の向上をはかるため教育センター、政府立高校、各連合区に配置して指導にあたる。小中高とも各教科・領域ごとに推進校を設け、その学校を集中的に指導することによって、地域の指導者を養成する。
　　教員指導員を効果的に運用するため、つぎのように班を編成して実施する。

班名	配置先	指導領域	人員	期間
A	教育センター	高校理科（化学・生物）	2	8.20～9.30（42日）
B	教育センター	特殊教育（難聴児指導）	2	9.1～10.30（60日）
C	教育センター	教育相談	1	10.21～12.15（56日）
		特別活動	1	
		国語	1	
	高等学校			
	工業	自動車・機械	2	
	商業	事務機械	1	
	水産	機関	1	
	連合区			
	北部	算数（小）図工（小）	2	
	中部	国語（小）算数（小）	2	
	那覇	特活（中）	1	
	南部	特活（中）	1	

班名	配置先	指導領域	人員	期間
C	宮古	特活（小）	1	
	八重山	音楽（小）	1	

2 理科教育の振興

（指導課主管）

理科教育の振興のためには、理科の教育に従事する教員または指導者の資質を向上するとともに理科教育に関する施設設備を充実することが急務である。

理科教育振興法（1960年7月15日立法第62号）が立法されて10年になり、この間に公立小中校、政府立高校の理科備品も次第に充実してきた。ところが1966年11月に理科教育のための設備の基準も改定になり（実施は68年度から）基準総額が約2倍になったため、達成率は半減し70年末現在で約40％である。

1968年11月20日、教育振興総合計画の一環として、理科教育振興総合計画を策定して、その実現に努力している。本年度の備品費も前年度同様、日政、琉政負担により、備品の基準総額の約5％に相当する121,521ドルが計上され、その内訳は次のとおり。

公立小中学校備品補助金69,441ドル、政府立学校用備品費52,080ドルである。

(1) 理科教育地区モデル校（1,600ドル）

(ア) 理科教育の振興をはかる目的をもって、連合区内に理科教育地区モデル校を指定し、理科教育に必要な施設、設備を充実させ、理科の各種研修の中核として学習指導の充実改善をはかり当該地区における理科教育

のモデルとなるよう育成する。
(イ) 指定校数

	北部	中部	那覇	南部	宮古	八重山	計
小学校	2	3	2	1	1	1	10
中学校	2	2	2	2	1	1	10
計	4	5	4	3	2	2	20

(ウ) 指定期間3ヶ年
(エ) 本年度の研究テーマ
　共通テーマ
　　効果的に理科の学習指導を進めるにはどのようにすればよいか
　小学校
　　成長についての見方、考え方を育てる指導はどうあるべきか
　　　題材　　小学校2年　ひまわり
　中学校
　　探究の過程を重視した理科学習指導
　　　題材　　中学校1年、第1分野、物質の分離

(2) **研究学校**
　小学校2校、中学校1校
(教育研修センター主管)
　科学技術の急速な進展にともない、いまや世界の国々は教育の新しい方向を求めて巨大な努力をはらっている。沖縄においても、その方向へのいわゆる現代化のために、理科教育にたずさわる教師の現職教育も重要かつ急を要する事業である。
　本年度、理科研修課において科学教育振興のために計上された経費は、総額5,902ドルであって、そのうち実験

用備品費3,315ドル、また理科関係研修を実施するための旅費1,413ドル、その他事業推進のための消耗品費。雑費等を合わせて1,174ドルである。

そこで、既設施設及び増築施設の高度利用をはかり、理科教育振興のために、予算を有効適切に活用したい。

なお、本年度教育研修センター理科研修課で計画している研修事業は大要次のとおりである。

研修事業名	実施概要
○小学校理科長期研修講座	入所6ヶ月8名
○中学校理科長期研修講座	入所6ヶ月8名
○小学校理科主任研修会	入所2週間20名
○中学校理科主任研修会	入所2週間23名
○小学校女教師理科研修会(下学年)	入所2週間20名
○小学校女教師理科研修会(上学年)	入所2週間20名
○小学校理科研修会（下学年）	12会場2日宛約500名
○小学校理科研修会（上学年）	12会場2日宛約500名
○中学校理科研修会	6会場2日宛約200名
○高等学校化学実験研修会	入所1週間約30名
○高等学校生物実験研修会	入所1週間約30名
○小中学校辺地理科研修会	2校3日宛約40名
○小学校地学野外研修会	8会場1日宛240名
○中学校生物野外研修会	6会場1日宛180名
○高等学校化学授業研修会	6会場2日宛約70名
○高等学校生物授業研修会	6会場2日宛約70名
○小学校理科研修会講師連絡会	入所3日間43名
○理科指導主事研修会	毎月1延15日・230名

3　道徳教育と生徒指導の強化

　道徳教育及び生徒指導は学校における全教育活動を通して、児童・生徒に道徳的判断力、心情を培い、また児童、生徒ひとりひとりの可能性を最大限に発揮させるためのいとなみをさしている。

　その生徒の可能性を最大限に発揮させるためには道徳教育及び生徒指導の担当者である全教師の資質のより一層の向上と学校における道徳教育及び生徒指導の指導体制の強化が要求される。この点から児童・生徒の道徳教育の指導、健全育成指導、保護育成指導という面から専門的理論の修得と実践への習熟をはかるため、現職教師の研究会（道徳・特別教育活動・生徒指導・進路指導・カウンセリング・補導主任・訪問教師等の研究会）を催し、また道徳、特別教育活動、生徒指導に関する手びきを発行することを予定し、更に本年度も中学校及び高等学校に生徒指導推進校を設置し、また道徳、特別教育活動に関する研究学校を設置することにより、なお一層道徳教育及び生徒指導の強化を現場の全教師と一体となり推進したい。
なお、1971年度健全育成に関する予算額は1,643ドルであり生徒指導推進校の予算額は4,204ドルである。

　また教育研修センターにおいても、道徳教育および生徒指導について、教職員の指導力の向上と指導体制の強化をはかるために、つぎの事業を実施する。

(1) 短期研修
　　〇小学校道徳教育研修会
　　〇中学校道徳教育研修会
　　〇生徒指導研修会

○進路指導研修会
(2) **定期研修**
　　○小学校道徳教育定期研修
　　○中学校道徳教育定期研修
　　○教育相談定期研修
　　○生徒指導定期研修
(3) **長期研修**
　　○生徒指導長期研修
　　○教育相談長期研修
　　○生徒指導担当教諭研修会（長期・指導課の委託による）
(4) **教育指導員による研修**
　　文部省派遣教育指導員の教育相談担当1人を教育センター相談室に配置し、各種研修会（上記）の指導援助を行なうとともに教育相談実務の研修を行なう。
(5) 教育センター教育相談室において、幼児・児童・生徒・学生・教職員・一般を対象に臨床教育相談を行ない、専門的立場から指導と援助を行なう。
　以上の研修事業に必要な経費419ドルが計上されている。

4　教育調査研究の拡充

　教育界の現状を正確にはあくし、長期的な教育計画の樹立や教育近代化のための基礎的で合理的な資料を提供するため教育調査研究費を今年度も下記のとおり計上してある。
　① 教育課程構成　　　　　　　　　3,759ドル
　② 学校基本調査　　　　　　　　　608ドル
　③ 教育財政調査　　　　　　　　　200ドル

④ 高校入学者選抜　　　　　　　2,604ドル
⑤ 学校保健体育調査　　　　　　　858ドル
⑥ 学校経営の実態に関する研究　　131ドル
⑦ へき地教育に関する研究　　　　236ドル
⑧ 特殊学級の指導計画作成の調査研究　66ドル
⑨ 学習指導近代化に関する研究　　555ドル
⑩ 学力診断と学習指導法に関する研究　189ドル
⑪ 幼稚園教育課程の研究　　　　　 27ドル
⑫ 教育相談の技法に関する研究　　 96ドル
⑬ 相談事例に関する研究　　　　　205ドル
⑭ 高校生徒指導体制に関する研究　 19ドル
⑮ 中学校観察指導に関する研究　　 33ドル
⑯ 理科学習指導現代化に関する研究　254ドル
⑰ 地学・生物郷土資料調査　　　　197ドル

5　視聴覚教育の推進

1965年以降、公費による共通教材の整備充実状況は下表のとおりである。主として、USCAR、日政・琉政資金によるもの

品目＼校種	小	中	高
スライド映写機	各校　2〜5台		
8ミリ〃	3校に1台	3校に1台	全校で5台
16ミリ〃	10台	70％	100％
オーバーヘッド投映機	各校1台	各校1台	各校2〜3台
実物幻灯機			6校
スクリーン	各校　2〜3本		
ポータブル電蓄	ほとんどの学校が保有		

第7章 教育指導の近代化

品目＼校種	小	中	高
録　音　機	各校2～5台	各校10台	各校10～15台
テ　レ　ビ	学級数の50％	各校5～6台	各校2～3台
携帯用拡声機	各校1～3台保有		
ラ ジ オ	学級数の1/3小～中・高へ配布		
放 送 施 設	各校保有		
V T R	30校以上保有		23校
8ミリカメラ	3校に1台	3校に1台	全校で5台

◎ 上表のほかに、学校独自・P.T.A予算等で整えたものを含めると充実度はかなり高い。

　本年度は、第2章の3．設備備品の充実の項でのべる品目についての整備充実をはかり、小・中校の公立学校については、学校備品補助金等の交付によって視聴覚備品等の一層の整備充実がはられよう。
　学校教育放送は、1964年にラジオ学校放送、1965年にテレビ学校放送を、文教局提供・NHK制作で、地元民放から放送開始して以来、継続事業として実施して今にいたっている。本年度において、ラジオ学校放送小校対象18番組、中校向け6番組　高校向け6番組計30番組をラジオ沖縄・琉球放送からそれぞれ日曜を除く毎日放送している。
　テレビ学校放送は、公共放送の沖縄放送協会から毎日午前9：50～12：00まで、幼稚園・保育所および小・中・高校向けの理科・社会・道徳・音楽・英語・芸術・家庭等にわたり巾広く放送されている。特に小学校におけるテレビ利用が著しく、全学級の90％以上が熱心に視聴し

ていて、全学校がテレビ受像機を設置している学校も十数校に達している。

中校・高校においては、69年以降VTRが導入され、それによるテレビ教材の利用が急速に高まりつつある。

本年度の学校教育放送のための予算額は23,726ドルである。

6 学校図書館教育の振興

学校教育の近代化に伴い学校図書館の学校教育に果す役割の重要性にかんがみ、1964年4月学校図書館法が立法され、学校図書館の義務設置（区教委）、司書教諭の配置、学校図書館の図書及び設備に対する政府補助の道が講じられた。1965年度以降日政援助（図書）の実現と相まって学校図書館の整備充実が急速に進み、1968年11月には同法に基づく学校図書館振興総合計画が策定され現在に至っている。

(1) **本年度の施設設備及び図書の整備充実は次の通りである**

　ア　施　設

　　　小・中・高校及び特殊学校とも校舎のなかに図書室として建築する予定である。

　イ　図　書

　　　公立小学校　　　62,359ドル（51,966冊）
　　　公立中学校　　　51,204ドル（42,670冊）
　　　高　　　校　　　 7,500ドル（ 5,000冊）
　　　特　殊　学　校　　 3,594ドル（ 1,797冊）
　　　政府立小中学校　 1,198ドル（   998冊）

(2) **司書教諭及び学校図書館事務職員の配置状況**

ア　司書教諭
　　　　小学校　15校　　　中学校　10校
　　イ　学校図書館事務職員
　　　　小学校　11校　　　中学校　12校
　　　　高　校　18校
(3)　**モデル校の指定**
　　学校図書館法の趣旨にそう学校図書館育成のため、各連合区に学校図書館モデル校を指定し、当該地区の推進校として施設設備の充実改善をはかり、その機能を十分発揮させて当該地区における学校図書館のモデルとなるよう1校当り350ドル特別補助をしている。
　(イ)　指　定　数

校　種	北部	中部	那覇	南部	宮古	八重山	計
小学校	3	4	3	2	2	1	15
中学校	2	1	2	2	1	2	10
計	5	5	5	4	3	3	25

　(ロ)　指定期間
　　　　自1969年4月至1972年3月
(4)　**学校図書館職員の研修**
　　ア　本土学校図書館研修会へ派遣
　　イ　学校図書館モデル校における研修
　　ウ　学校図書館モデル校の研究発表会

第8章 保健体育の振興

1 学校体育指導の拡充強化

　学校体育の指導は、その特質から実践を通しての理解や指導法の研究改善が必要である。

　小学校は来年から新しい学習指導要領の実施となり、中学校も実施を控えて移行期にはいっている。今回の学習指導要領の改訂にあたっては、総則3に「体育」の項が新たに設けられたことは特筆にあたいする。その趣旨を十分ふまえて下記のとおり児童・生徒の体力づくりを強力に推進したい。

　(ア) 学校の教育活動全体を通じて適切に行うようにする。特に体育科の時間はもちろん、特別活動においてもじゅうぶん指導するよう配慮する。

　(イ) スポーツテスト等の奨励によって、児童・生徒の体力を十分把握し、指導に生かすようにする。

　(ウ) 学校体育日および業間運動の時間を特設して、積極的に体育の奨励をはかる。

　改訂された教科内容の理解を深め指導技術の向上をはかるため、本年は小・中学校教師を対象にボール運動の実技研修会をおこなう。

　保健、安全については、児童・生徒の保健安全管理に重点をおいて、各連合区単位で学校の要請によって研修会を実施する。

　1971年度の保健体育の研修に関する予算額は550ドルである。

2 学校保健の強化

(1) 教職員健康診断の強化

教職員の健康診断は学校保健法に基づいて毎年実施されている。教職員の健康を一層強化するために本年度予算に小学校2,410ドル、中学校1,380ドルを補助するように計上してある。

(2) 養護教諭の増員と資質の向上

現在養護教諭は小学校103名、中学校52名、高校11名、特殊学校4名で、教員定数基準に対する配置率小中学校67.4％、高校32％となっている。連合区別の配置率は北部72.7％、中部54.9％、那覇65.0％南部81.2％、宮古75.0％、八重山85.7％で昨年は小中学校19名、高校6名の増員をいたしましたが、本年も増員する予定である。養護教諭研修費として103ドル計上してある。

(3) 第7回沖縄学校保健大会の開催

児童・生徒の健康の保持増進をはかり、学校職員の資質を向上させ、地域社会の住民の学校保健に対する理解と関心を高めるために沖縄学校保健大会を北部で開催する。この大会に研究奨励補助金として沖縄学校保健会に170ドルを補助するように計上してある。

(4) 健康優良学校並びに健康優良児童の表彰

心身ともに健やかな児童を育てるために健康優良学校並びに健康優良児童の表彰を行ない、教職員、児童、父兄、地域社会の健康に対する関心を高め、学校保健の推進をはかる。計上予算160ドル。

(5) 医療費補助

学校保健法第18条によって、要保護準要保護児童・生徒の疾病の治療に要する費用の補助金として2,641ドル計上してある。

(6) **学校環境衛生検査器具の整備**

学校薬剤師の配置にともない学校環境衛生の維持改善を図るため、各連合区に環境衛生検査器具を整備する。第二年次計画として1,980ドル計上してある。

3　学校安全の強化

特殊法人沖縄学校安全の運営補助として14,813ドルを計上した。また、学校安全の普及充実について、安全管理及び安全指導に関する初心者の水上安全研修会（女教師対象）、水上安全管理者講習会、交通安全管理者講習会等を開催するとともに本土研修会への派遣も行なっている。

4　学校給食の拡充

本年度における学校給食の拡充を図るための事業は次のとおりである。

(1) **準要保護児童生徒の給食費補助**

　　パン加工賃補助　　16,172ドル
　　対象率　全児童生徒の7％　　補助率　1.08¢の$\frac{1}{2}$
　　　　　　小学校　　9,714人
　　　　　　中学校　　5,261人
　　おかず費補助　　20,829ドル
　　対象率　完全給食児童生徒の7％　補助率　3.15¢の$\frac{1}{2}$
　　　　　　小学校　　4,857人
　　　　　　中学校　　1,578人

(2) **学校栄養士設置費補助**　　6,565ドル

対象 10人 補助率 年額 1,313ドルの$\frac{1}{2}$

(3) **学校給食関係職員の研修費** 406ドル

学校長、給食主任、栄養士、調理者を対象に指導及び運営のための研修を行う。

(4) **給食指定工場選定委員会** 257ドル

製パン、製めん、委託乳工場の選定、製品および衛生管理の向上を図る。

(5) **学校給食会補助** 84,058ドル

給食用物資の輸送、保管及び給食会の運営に要する経費である。

5　学校体育諸団体の育成

学校体育の振興をはかるため、沖縄県高体連、沖縄県高野連、沖縄県高校定時・通信制主事会、沖縄中体連、沖縄女子体育連盟、沖縄小体研、沖縄中体研、沖縄県高体研の自主的団体ならびに体育研究団体では、各種スポーツ大会・各種研究会を開催し、また本土における全国大会等にも多数の代表選手を派遣または招へいして青少年の心身の健全育成とスポーツの振興をはかっている。次にこれらの学校体育団体の主なる事業と補助額は次の通りである。

(1) **高　体　連**（3,832ドル）

夏季体育大会、各種選手権大会、陸上競技選手権大会、全国高校総合体育大会派遣、冬季体育大会、日琉親善競技大会、（全国高校総合体育大会には日政援助として2,245ドルの補助がある。）

(2) **高　野　連**（1,500ドル）

第47回九州高校野球大会派遣、全国高校野球選手権大会派遣（第二次予選宮崎県）、第48回九州高校野球

大会（沖縄大会）
(3) 定 通 制（250ドル）
定通制球技大会、定通制陸上競技大会
(4) 中 体 連（1,041ドル）
夏季体育大会、全日本放送陸上競技大会、陸上競技教室派遣、水泳大会、全国中校選抜水泳大会、秋季体育大会、冬季体育大会、各種講習会
(5) 女 体 連（330ドル）
夏季学校ダンス実技研修会、学校ダンス発表会、第5回全国女子体育研究会派遣
(6) 小 体 研（100ドル）
研究発表会
(7) 中 体 研（100ドル）
研究発表会
(8) 高 体 研（100ドル）
研究発表会

6 社会体育の振興　※（　）内は前年度予算

　県民の健康増進と体力向上のためにスポーツ振興をはかるためには、指導者の養成、施設の整備、組織の強化をはかることが最も重要なことである。文教局では、スポーツ振興総合計画にもとづき、社会体育振興費249,619ドル（291,440）を計上してある。

(1) **体力つくり、スポーツ等の行事**
　(ア) 県民体力つくり運動を推進するために、体力つくり沖縄県民会議活動費として400ドル（400）計上した。
　(イ) 各種スポーツ大会（沖縄体育大会、沖縄青年体育大

会）およびスポーツ振興のための沖縄体育祭の運営費として878ドル（1,836）計上し、九州各県対抗陸上競技沖縄大会運営費5,000ドル、九州ユースラリー沖縄大会運営費400ドル計上してある。

(2) スポーツの交流

国民体育大会、全国青年大会、本土各種スポーツ大会への選手派遣のために11,556ドル（11,430）計上した。

なお他に日政援助が3,311ドル（3,311）ある。

(3) 指導者の養成

社会体育研修会、および指導に必要な経費として230ドル（232）計上し、指導者の本土研修として全国体育指導委員研究大会、野外活動指導者研修会への参加補助として197ドル（302）、および2級トレーナー講習会、体操競技審判講習会等に497ドル（856）計上した。

(4) 選手強化育成

国体選手の強化をはかるための合宿訓練費として2,650ドル計上してある。

(5) 青少年スポーツの振興

スポーツ少年団の育成のための、沖縄スポーツ少年団大会の開催、全国スポーツ少年団大会派遣等に413ドル（489）計上した。

(6) 体育施設の整備

奥武山体育館建設、奥武山野球場の整備費として227,895ドル計上して総合競技場の整備を急いでいる。

(7) 体育施設管理運営

奥武山総合競技場と羽地青少年野外活動センターの管

理費として４２，３１３ドル（３６，４６５）計上してある。

第9章 社会教育の振興

概　況

　社会教育予算は、(1)地方の社会教育振興のための各種補助金及び研究奨励費の交付(2)政府が行なう社会教育関係指導者の養成を図るための各種研究会の開催と本土研修、研究指定(3)社会教育施設の整備拡充と運営に大別することができる。

　(1)については成人教育の振興を図るための社会学級運営補助金及び勤労青少年の教育の場である青年学級運営補助金、家庭教育の振興を図るための家庭教育学級運営補助金並びに各連合区が主催するレクリェーション指導講習会に対する研究奨励費等が計上されている。(2)については、青年、婦人、ＰＴＡ、視聴覚教育、社会学級、新生活運動、青年学級等各領域の指導者の資質向上のための研修会を開催する。さらに各機関団体の幹部及び指導を本土研修に派遣し、研究指定団体に対する研究奨励費も計上されている。なお社会の要請と青少年の職業技術修得のために、職業高校を開放して講習会を開催することになっている。(3)については、糸満青年の家の本館建築工事１,０５２㎡が現在進められており、１９７１年１月２１日竣工の予定である。名護青年の家においては、入口の道路舗装工事を実施することになっている。さらに視聴覚ライブラリーを２カ所設置して視聴覚教育の振興を図ることになっている。

1　青少年教育

(1) **青少年団体**

　青少年団体活動の健全な発展を図るために、指導者養成に必要な経費、研究指定に必要な経費をそれぞれ次のとおり計上してある。
　○青年国内研修（10人分）の研究奨励費 1,042ドル
　　（日政）
　○本土派遣研修（2人分）の研究奨励費　　158ドル
　○研究指定（1か所分）の研究奨励費　　　125ドル
　○青年幹部研修会費（中央1回―2泊3日、各連合区別6回―1泊2日）、油脂燃料費 12ドル、食糧費300ドル、役務費57ドル、雑費23ドル、諸謝金242ドル

(2) **青年学級、青年教室**

　青年学級講座は勤労に従事しようとする青年に対し、実務生活に必要な職業又は家事に従事する知識及び技能を習得させ並びにその一般教養を向上させることをねらいとして開設するもので、地方教育区が一定の教育計画のもとに、一会計年度中青年学級は100時間以上（学級生20人以上）、青年教室は50時間以上（学級生10以上）開設する青年学級（教室）に対して補助金を交付する。

　本年度は青年学級20学級、青年教室20学級の運営補助金として、3,285ドル計上されている。又研究指定学級の研究奨励費125ドル、リーダ研修、指導等の経費304ドル計上されている。

(3) **職業技術講習**

　職業技術講習は、職業高等学校を開放し主として勤労青少年を対象に行なわれる講習である。1971年度は特に勤労青少年の要求度の大きい学習内容を職業高等学

校に依頼し、10講座開講する予定である。なお予算は次のとおりである。

　　諸謝金　3,785　　事業用消耗品費　100
　　油脂燃料費　157　　役務費　72　　修繕費　60

(4) **青少年健全育成モデル地区**

青少年の健全育成をはかるため、学校、家庭及び社会が一体となって総合的な地域ぐるみの運動として推進するために設立される事業である。なお予算は720ドルで4ケ所に設立してその育成強化をはかる。

2　成人教育

(1) **婦人団体**

地域婦人団体の健全な発展を促進するためにつぎの事業を実施する。

①中央婦人幹部研修会　②連合区別婦人幹部研修会　③婦人団体幹部の本土研修派遣　④婦人団体の研修指定1か所。予算は次のとおりである。

　　食糧費　339ドル　　研究奨励費　279ドル
　　国内研修　1,516ドル　　雑費　45ドル　　諸謝金　115ドル

(2) **PTA**

新しいPTAのねらいに基づいて、学習するPTA、活動するPTAへと各単位PTAの健全育成を図るために、①各連合区毎にPTA指導者研修会を開催する。②1単位PTAを研究指定する。③本土研修へ1名派遣する。

予算は研究奨励費204ドル（本土研修派遣79ドル、研究指定125ドル）指導者研修会（6連合区分）諸謝

金75ドル雑費30ドル
(3) 社会学級
　社会学級は一般成人を対象として行われる社会教育講座であり、主として各小中学校に開設されている。本年度は151学級を補助対象としているが、その中12学級を特に高令者を対象とした高令者学級とした。学級の運営補助金として1学級あたり36ドルを計上してある。なお指導者養成として本土研修に1名の派遣と、学級運営の問題を究明するために1学級を研究指定する予定である。予算は次のとおり。
　　研究奨励費　204ドル　　運営補初金　5,436ドル
　　雑費　60ドル　　諸謝金　136ドル
(4) 家庭教育学級
　家庭教育は学校教育、社会教育とともに教育の三本柱として重視されている。青少年の健全育成の基盤をなす家庭教育を振興するために家庭教育学級を40学級設置する計画をすすめている。また全国家庭教育研究集会へ1名派遣するための補助金も計上している。予算は運営補助金1,440ドル（40学級分）研究奨励費55ドル研究指定125ドル（1か所）である。

3　社会教育施設の充実と運営の強化
(1) 公民館
　公民館活動の充実と運営の強化をはかるために、公民館の研究指定、職員の資質の向上をはかるための本土研修派遣費各連合区別の公民館職員研修等のための研究奨励費329ドルを計上している。なお、南方同胞援護会による42,000ドルの奨励を受けて公民館図書の充

(2) 図　書　館

　　前年度から継続して、本年度2、3階新館の施設設備の整備充実をはかるため、事業費に12,041ドルの予算が計上されている。なお運営費の7,200ドルの図書購入費で、郷土資料、参考資料及び一般資料の充実を図るとともに館内の整備充実により、その活動の拡充改善につとめ、住民の読書水準の向上をはかりたい。

(3) 博　物　館

　　博物館運営の強化をはかり、資料の整備に努め、県民の文化活動のための施設の利用や資料の活用を促進し、県民の文化の高揚をはかるための運営費として43,951ドルである。その他に金網工事のための施設充実費として6,210ドルを計上してある。

(4) 青年の家

ア　名護青年の家

　　青年の家は、青年や青少年の指導にあたる人々が、共同宿泊生活をしながら施設、設備を活用していろいろな研修活動を行なうことによって友愛、規律、協力奉仕の精神を養い、地域や職域の中にあって自からの人間性を高め、よりよい社会人となることを期待する社会施設である。なお1971年度予算は建設費の中に青年の家入り口の道路舗装工事ととして4,430ドル計上されている。職員定員7人(所長1、指導職3事務職1、作業職1、運転職1)、非常勤1によって運営の充実をはかることになっている。運営費総額31,590ドル(糸満青年の家も含む)。

イ　糸満青年の家

糸満青年の家は、本館（1,050㎡）建築を1970年6月16日に着工し、1971年1月21日で竣工する予定で目下工事中である。なお予算としては125,000ドル計上してある。開所式後の本会計年度は定員4名の職員で運営をしていくようになっているが1972年度には職員の定員増をはかって運営を強化していきたい。

(5) 視聴覚ライブラリー

社会教育諸学級講座の学習効果をたかめるために、年次計画を策定して視聴覚ライブラリーの設置をすすめている。

本年度は視聴覚ライブラリーの設置のためのフィルム購入費として13,333ドル計上されている。

4　視聴覚教育

社会教育諸学級講座の学習効果をたかめるために、視聴覚教育を振興しなければならない。本年度は技術講習会と指導者養成のために次のとおり予算を計上してある。

　指導者養成　　諸謝金　57ドル
　技術講習会（中央で1回）
　指導者研修会（各連合区毎）

5　レクリェーション

健全なレクリェーションの生活化とその普及をめざして次のような事業内容
① 職域対象、青年対象、婦人対象のレクリェーション指導者研修会の開催（各1回の計3回）
② 各連合区の実施するレクリェーション指導研修会への

補助
があり、予算は次のとおりである。
　　事業用消耗品　101ドル　　研究奨励費　109ドル
　　雑費　22ドル　　諸謝金　30ドル

6　新生活運動

　社会の進展にともない、県民ひとりびとりの自発的な実践をとおして、地域社会の連帯感をたかめ、生活者としての主体性を確立し、幸福で明るく豊かな家庭、住みよい社会の建設をめざして、全県民的運動の推進をはかる。
　　実践事項として
　　○美しい村、町づくり運動。　　○時間励行。
　　○冠婚葬祭の合理化及び諸行事の合理化運動。
　　○新正実施運動。　　○家計簿の記帳奨励と貯蓄奨励。
　　○生活学校の設置奨励
　　事業内容は
(1)　連合区別指導者研修会。(2)　モデル地区研究指定。
(3)　月間運動の実施があり予算は次のとおりである。
　　委員手当　136ドル、　事業用消耗品費　120ドル
　　借料及び損料　36ドル、　役務費　12ドル、
　　研究奨励費　103ドル、　雑費　24ドル、　諸謝金　83ドル。

7　社会教育指導者の養成

(1)　社会教育主事等設置補助
　社会教育法の1部改正により、区教育委員会へ社会教育主事を義務設置することにし、その設置補助として197,394ドルを計上した。

本年度の設置補助を受ける教育区は次の通りである。

北部　国頭(1)　大宜味(1)　東(1)　今帰仁(1)　本部(1)　名護(3)　金武(1)　伊平屋(1)　伊是名(1)　計12名

中部　石川(1)　美里(1)　与那城(1)　具志川(1)　コザ(1)　読谷　嘉手納(1)　中城(1)　宜野湾(1)　西原(1)　計10名

那覇　浦添(1)　那覇(3)　具志川(1)　仲里(1)　計6名

南部　豊見城(1)　糸満(1)　東風平(1)　具志頭(1)　玉城(1)　佐敷(1)　与那原(1)　大里(1)　計8名

宮古　平良(1)　城辺(1)　下地(1)　伊良部(1)　計4名

八重山　石垣(1)　竹富(1)　与那国(1)　計3名　総計43名

( )内の数字は社会教育主事設置数である。

(2) 社会教育主事等研修

　各教育区の社会教育主事ならびに新任の社会教育主事補の資質を向上するために行なわれる社会教育主事等研修に必要な経費として、諸謝金23ドル雑費5ドルを計上した。

(3) 社会教育委員の設置（232ドル）

　社会教育委員の制度は、民間人で社会教育にすぐれた意見を有する人々の卓見良識を社会教育の施策の上に実現せしめようとするもので、社会教育法にも、文教局及び地方教育区に、社会教育委員を置くことができることになっている。文教局には現在15名の委員が任命されているが、地方教育区には10区しか設置されていないので、他区に対してもその設置を勧奨している。

(4) その他社会教育関係指導者の養成

　概要(2)の項で述べたとおりである。

8　社会教育関係団体の助成

沖青協	1600ドル	八婦連	50 ドル
健青会	100	ユネスコ協会	1,226
ガールスカウト	50	沖縄PTA連合会	2,000
沖婦連	150	少年会館運営補助	7,000
宮婦連	50		

第10章 育英事業の拡充

　1971年度においては、国費自費学生制度の廃止にそなえ、国立大学への自力合格者の奨励、本土在学生寮の整備充実、国費自費学生制度および奨学制度の復帰後の対策強化等を重点的に諸事業を推進する計画である。
　1971年度の育英事業に必要な経費は総額438,426ドルであって、その資金内訳は日本政府援助金225,000ドル、琉球政府補助金190,315ドル　その他23,111ドルである。
　前年度と比較すると、前年度の当初予算額393,960ドルに対して44,466ドルの増となり、増の主なものを上げると大学特別貸与奨学費16,667ドル、学生寮費11,475ドル、債務償還費（大阪寮敷地購入費）19,608ドル等である。
　事業費の主なものは次のとおりである。

1　奨　学　費

(1)　国費学生
　　大学院学生52人（ただし2人は3ヶ月）学部学生811人に対して、琉球育英会給費支給規程により一人当り月額平均前者は3ドル後者は7.47ドル、年額合計72,698ドルを給費する。

(2)　自費学生
　　自費学生補導費1人当り年額7.23ドルの476人分をそれぞれの大学に納付する。その合計額は3,442ドル

となっている。
(3) 特別貸与奨学費
日本政府援助によるもので、年額225,000ドルが琉球育英会奨学規程により次のとおり、大学、高校の特別貸与奨学生に貸与される。
ア　大学特別貸与奨学費
自宅通学生一人当り月額13.88ドル人員192人
自宅外通学生一人当り月額22.22ドル人員394人
イ　高校特別貸与奨学費
自宅通学生一人当り月額8.33ドル人員750人
(4) 貸費学生奨学費
本土並びに沖縄内の大学に在学する奨学生に対して貸与するものであって、上記1.2.3.の奨学制度を補充するものとして予算化している育英事業であって、琉球育英会資金等によるものである。その貸与月額は一人当り8.33ドル人員20人となっている。
(5) 県費奨学生費
国費自費学生制度から県費奨学制度への移行措置として、設けられている。自力で国立大学に合格した学生を対象に貸与させるもので、一人当り月額50ドルの8人分2,550ドル計上している。
(6) 商社団体等依託奨学金
商社団体並びに篤志家が育英事業に賛同して出資によるもので、10ドル～30ドルを26人に対して給与するもので、年額5,467ドルである。

2　学生寮費
沖英寮（東京）南灯寮（東京）沖縄学生会館（千葉）大

阪寮、福岡寮、熊本寮、宮崎寮、鹿児島寮の8寮の管理並びに運営補助と営繕のため18,465ドルが計上されていて本土内沖縄学生に、低廉でよりよい学習環境を与えるに、必要な経費である。

3 国費自費学生選抜費

国費自費学生選抜試験問題の作成に必要な経費で諸謝金、会議費、印刷製本費、通信運搬費等合計6,554ドルである。

4 債務償還費

1970年度において大阪寮敷地を買収したが、その財源は銀行借入によるもので本年その債務を償還するもので、元利金で19,609ドルとなっている。

なお上記業務の運営のため沖縄、東京事務所の人件費、事務費等に必要な経費として、69,765ドルと学生補導費845ドル計上してあり、貸与奨学金の返還金等は奨学金造成のため、積立てるよう計上していて、その額は10,212ドルである。

第11章 文化財保護事業の振興

1971年度における文化財保護事業は、指定文化財の管理の強化促進、修理復旧の早期完成、組踊の伝承者養成および公開、埋蔵文化財の発掘調査等の諸事業を重点的に推進する方針である。

1971年度文化財保護行政関係の予算は、文化財保護委員会費（運営費）43,035ドル、文化財保護費（事業費）24,869ドル計67,904ドルとなっており、前年度にくらべると前者は7,287ドル増、後者は7,467ドル減となり、総額で180ドルの減額となっている。

事業費の主なるものは次のとおりである。

(1) 有形文化財補助　　14,350ドル

特別重要文化財「末吉宮磴道」の修理工事に対する補助金であるが、日政援助（11,480ドル）、琉政補助（2,870ドル）によって日政技術援助による専門技術者の指導と文化財保護委員会の監督のもとに管理者が工事を施工する。

(2) 無形文化財補助　　1,753ドル

重要無形文化財（組踊）の伝統的な芸能を保存するために必要な伝承者の養成と公開および民俗芸能の公開の事業に対する補助金で、事業は文化財保護委員会の指導のもとに組踊の技能保持者によって行なわれる。

(3) 文化財管理補助　　1,320ドル

指定文化財の管理は、その所有者または管理団体が行うことになっており、その管理のために要する経費の補

助金である。今年度は、前年度に引続き次の事業を行なう。

　ア　害虫防除措置
　　建造物の白蟻や植物の松食虫、赤木虫、白蟻等の防除。
　イ　環境整備
　　建造物、史跡名勝天然記念物の指定地域内の除草清掃。
　ウ　保存施設
　　指定文化財の標識の取替えや新設および説明板等設置。

(4) **文化財調査**　　　3,802ドル

　ア　宇佐浜貝塚発掘調査
　　宇佐浜貝塚の発掘調査は、1967年度から継続実施され、今年度は第4次発掘調査を行ない遺構発掘と発掘後の整備を完成させる計画である。
　イ　宮古上比屋山遺跡測量調査
　　宮古上比屋山遺跡の発掘調査を日政援助によって施行するための準備調査と測量製図を完了する。
　ウ　民俗資料調査
　　民俗資料緊急調査は、1968年度に調査区32ヶ所を設定して実施したが、調査員の詮考、調査票の記入事項等に再調査する必要があったため1969年度は24調査区の調査報告書第1集を刊行公表した。
　　今年度は、残部の8調査区の再調査を実施して第2集を1972年度に刊行完成させる計画である。
　エ　文化財管理状況調査
　　文化財の管理は、常にそれを良好な状態に保つことであるので文化財の所有者および管理団体との連絡を

密にし、文化財の実態を把握するため文化財管理状況調査を実施し未然に保存措置を講じて文化財のき損衰亡の防止を図る。

以上のほか、文化財関係刊行物の刊行、文化財保護強調週間行事等を実施する計画である。

第12章 沖縄県史の発行

　沖繩史料編集所は、沖繩県史及び琉球歴史の編集発行、資料の調査収集、研究、保管をする機関として、1967年10月に文教局の附属機関として設置され、現在までに沖繩県史13冊を発刊した。
　編集所は、「沖繩県史編集8か年計画」(全24巻)に基づいて沖繩県史の編集発行をおこなっている。また、同時に、資料の調査、研究、収集に多くのエネルギーを注いでいる。
　本年度は、編集所の運営費(沖繩史料編集所費)として、23,269ドル(おもな人件費)が計上されている。
　なお、本年度の事業計画およびそれに要する費用は次のとおりである。
　本年度は、「沖繩通史」「沖繩戦記録1」2冊の県史を発行する。また、来年度発行予定の「民俗」の執筆を依頼し、年度中に原稿を揃えることにしている。沖繩戦体験者の座談会も各地域で開催する予定である。
　なお、今後の編集事業を推進するため本年度も県内外における資料の調査、収集を継続しておこない、資料をふやすように努力する積りである。
　以上のような事業を推進するために、次のような事業費(琉球歴史資料編集費)がくまれている。
イ　諸謝金　　　　　　8,822ドル
　　おもに原稿料(約3,200枚)である。その他、執筆者会議、座談会等に要する費用である。

ロ 役務費　　　2,168ドル
　資料を複写（撮影）するための費用である。
ハ 旅　費　　　1,177ドル
　資料の調査、収集に要する職員および審議会委員の旅費（管内旅費486ドル、管外旅費373ドル、委員等旅費354ドル）である。
ニ 備品費　　　620ドル
　古書購入、テープコーダー購入の費用である。
ホ 非常勤職員給与　538ドル
　資料の筆耕、図書（資料）の整理をするための非常勤職員の給与である。
ヘ 委員手当　　420ドル
ト その他　　　333ドル
　　計　　　14,078ドル
　（なお、その他に、沖縄県史の印刷製本費として13,312ドルが、総務局用度課の予算に計上されている。）

第13章 琉球大学の充実

1 予算編成の基本方針及び重点施策

さきの日米共同声明によって1972年度に沖縄の本土復帰が確定された。このときに当り、国立大学への移行準備態勢を早急に確立し少なくとも本土国立大学並の水準まで整備充実を図ることが本学の最も重要な課題である。かかる観点から1971年度予算においても本土国立大学の水準まで整備充実を期するため、各面の格差を是正することを基本方針とし、これを達成するために次の重点施策の推進を図ることを主眼として予算の編成をおこなった。

1. 設備備品の整備充実
2. 研究活動の充実強化
3. 保健学部の施設整備
4. 新敷地の購入確保

2 1971年度琉球大学の歳出予算

(1) 総 括

1971年度琉球大学の予算総額は3,537,407ドルであって、前年度の当初予算額3,582,574ドルに対して、45,167ドルの減となっている。これは人件費、運営費においては増額しているのにかかわらず、施設費においては継続事業である保健学部校舎建設が本年8月に完成することから、前年度建設費より大巾に減となったためである。

1971年度予算を目的別、事項別、資金別に区分す

ると次のとおりである。
① 目的別区分
  人　件　費　　　2,326,873 ドル
  運　営　費　　　　446,876
  施設整備費　　　　763,658
  　　計　　　　　3,537,407
② 運営費の事項別区分
  大学管理費　　　　228,647 ドル
  教育及研究費　　　162,688
  厚生補導費　　　　 33,904
  特殊施設費　　　　 18,099
  普及事業費　　　　　3,538
  　　計　　　　　　446,876
③ 施設整備費区分
  設備備品費　　　　374,411 ドル
  施設関係経費　　　292,991
  土地購入関係経費　 96,256
  　　計　　　　　　763,658
④ 資金区分
  琉　　政　　　　3,262,293 ドル
  日　　政　　　　　275,114
  　　計　　　　　3,537,407

(2) 重点施策の予算措置
① 設備備品の整備充実（既設学部）
 ア　教員の研究用及び実験実習用備品については、本土国立大学に比べ相当の較差があり、現在の本学の備品は文部省基準に対し47％程度の整備度である。この較差を是正するため、1971年度予算におい

ては147,337ドル計上されている。特に較差是正のために日本政府援助113,903ドルが含まれている。
　イ　図書については、本学と学部学科構成の類似した大学の平均蔵書数285,000冊を目標に整備を進めているが、現在の蔵書数は164,950冊であって達成率は約53％である。この格差を是正するため、1971年度において60,000ドル計上されている。うち日本政府援助20,000ドルが含まれている。
　ウ　教育研究用備品の外一般庁用備品として9,046ドル実習用バス購入費として9,000ドル計18,046ドル計上されている。
② 研究活動の充実強化
　教官の研究活動を充実強化するため、学術研究助成費として76,000ドル、学会出席に17,428計93,428ドル計上されている。
　学術研究費については、本土の教官研究費の性格と科学研究助成費の両面の性格をもつ、本学の特殊経費であるが、1971年度においては、新たに尖閣列島調査費として4,500ドル計上されている。
　学会出席費については凡そ前年度並の予算措置がなされているが、教官の資質の向上を図り、学術の交流を深め多大の成果をあげている。
③ 保健学部の施設整備
　保健学部は沖縄における医療及び公衆衛生の向上を図るため、その分野の指導者の養成を目的に医学教育の場として設置され1969年4月から学生60人を

募集し4カ年課程で1973年に第一期の卒業生を送りだす計画である。卒業生は保健学士号のほか、養護教諭、保健科教諭の教員免許、看護婦、公衆衛生看護婦、助産婦の免許、衛生検査技師の免許が得られることになっており、医療及び厚生行政の分野での人材不足をきたしている現在、これ等の卒業生の活躍が期待される。

保健学部の設備備品及び施設の整備の為1971年度は次のとおり予算措置がなされている。

　　保健学部校舎建設　　　84,768ドル
　　保健学部寄宿舎建設　　155,183
　　教育研究用設備備品　　122,778
　　図　　書　　　　　　　　6,250
　　保健学部寄宿舎用備品　　20,000

④ 大学の移転計画にもとづく新敷地の購入

琉球大学の現在の敷地では現在の施設規模が限度であり、これ以上の施設は不可能である。

従って将来の施設計画も実施できない状況である。このために大学は移転計画を作成し、これにもとづいて1967年度から、西原、中城の両村に、440,000坪（有効面積385,000坪）の土地購入をすすめており、前年度までに私有地130,281坪が購入済である。当初計画は1969年度で新敷地の確保を完了する計画であったが、購入接渉及び予算措置とも関連して1972年度を最終年次とする計画に変更された。

1971年度の新敷地購入費として50,000ドル計上されている。

第14章 私立学校教育の振興

　沖縄の私立学校（高校以上）は5学校法人によって大学2短大4高校4が設置されており、学生生徒数は大学短大5,601人（56.9％）高校全日制5,404人（12.7％）で私学の役割は大きい。一方私学経営は学生生徒の納付金と借入金に依存している現状で財政状況は頗る困窮している。

　設置基準達成率は校地が大学短大45％、校舎が大学短大43％高校62％、高校理科備品29％、高校産業教育備品は商業科21％工業科4％家庭科23％である。また大学短大の専任職員不足数は136人でそのうち教授が115人となっている。

　これら教育条件の整備拡充を図ることは沖縄の教育上切実な問題であり、公共性をもつ私学経営の安定は教育の機会均等をはかるためにも特に政府の助成が強く望まれる。

1　私立学校補助金

年次計画で私立の設備整備費の一部を補助するもので、今年度は高校理科備品購入補助として2,777ドル計上されている。

2　私立学校振興会出資金

　1968年9月13日に発足した私立学校振興会は政府の全額出資によって運営され、私学の助成に大きな役割を果たしつゝある。前年度までに346,550ドルが出資さ

れ貸付計画は完了した。今年度の政府出資金は133,550ドルが計上され、別表に示されている事業計画をしている。

1971度私立学校振興会事業計画

貸付計画 (単位ドル)

区　分	対象事業	金　額	備　考
一般施設	校舎及校地購入	158,812	貸付金総額の80%
経営費	備品及運営資金	39,578	20%
合　計		197,890	

資金計画

区　分	金　額	備　考
政府出資金	133,450	日政援助41,667ドルを含む
貸付金回収	64,440	
合　計	197,890	

参考資料
[1] 1971年度教育関係歳出予算の款項別一覧表

部　款　項	1971年度 予算額(ドル)	1970年度(最終)予算額(ドル)	比　　較 増△減(ドル)
(文教局)	54,360,173	47,057,208	7,302,965
文教局費	2,146,318	2,283,856	△ 137,538
文　教　本　局　費	614,959	515,306	99,653
学　校　給　食　費	128,781	174,797	△ 46,016
教　員　養　成　費	5,520	8,840	△ 3,320
施　設　修　繕　費	74,740	65,858	8,882
実　験　学　校　指　導　費	1,513	1,527	△ 14
各　種　奨　励　費	30,000	29,829	171
学　校　安　全　会　補　助	14,813	13,400	1,413
教員候補者選考試験費	1,462	1,621	△ 159
学　校　教　育　放　送　費	23,688	25,435	△ 1,747
学　校　図　書　館　充　実　費	134,606	134,606	0
学　校　備　品　充　実　費	563,883	1,016,637	△ 452,754
教　育　施　設　用　地　費	247,637	173,105	74,532
教　育　研　修　セ　ン　タ　ー　費	101,719	75,173	26,546
教育研修センター事業費	15,491	19,483	△ 3,992
教育研修センター建設費	164,237	8,400	155,837
沖縄史料編集所費	23,269	19,839	3,430
中央教育委員会費	58,007	49,531	8,476
中　央　教　育　委　員　会　費	58,007	49,531	8,476
教育調査研究費	22,107	25,560	△ 3,453
教　育　調　査　研　究　費	8,029	10,008	△ 1,979
琉　球　歴　史　資　料　編　集　費	14,078	15,552	△ 1,474
教育関係職員等研修費	97,922	98,369	△ 447
教　育　関　係　職　員　等　研　修　費	97,922	98,369	△ 447
政府立学校費	10,607,352	8,538,056	2,069,296
政　府　立　高　等　学　校　費	9,189,740	7,112,847	2,076,893
政　府　立　特　殊　学　校　費	970,700	738,729	231,971
政　府　立　中　学　校　費	132,938	119,972	12,966
政　府　立　各　種　学　校　費	313,974	566,508	△ 252,534
産業教育振興費	365,027	542,041	△ 177,014
産　業　教　育　振　興　費	365,027	542,041	△ 177,014
実習船建造費	256,220	0	256,220
実　習　船　建　造　費	256,220	0	256,220

―参考資料―

部　款　項	1971年度予算額(ドル)	1970年度(最終)予算額(ドル)	比較増△減(ドル)
社会教育費	805,187	715,498	89,689
社会教育振興費	49,519	104,296	△ 54,777
博　物　館　費	43,624	42,961	663
図　書　館　費	55,345	48,078	7,267
社会体育振興費	253,619	229,990	23,629
体育施設等管理費	42,313	36,273	6,040
青年の家建設費	106,408	45,893	60,515
少年会館運営補助	7,000	4,500	2,500
青年の家運営費	31,171	27,927	3,244
青少年浜松会館管理費	2,185	2,640	△ 455
図書館施設充実費	12,041	12,412	△ 371
博物館施設充実費	6,210	0	6,210
社会教育主事設置補助	195,752	160,528	35,224
学校建設費	7,287,175	5,621,071	1,666,104
学　校　建　設　費	7,287,175	5,621,071	1,666,104
学校教育補助	30,663,061	27,125,192	3,537,869
学　校　教　育　補　助	30,663,061	27,125,192	3,537,869
教育行政補助	410,362	353,113	57,249
教　育　行　政　補　助	410,362	353,113	57,249
教科書無償給与費	542,936	687,968	△ 145,032
教科書無償給与費	542,936	687,968	△ 145,032
育英事業費	415,315	369,829	45,486
育　英　事　業　費	415,315	369,829	45,486
私大委員会費	6,485	6,490	△ 5
私　大　委　員　会　費	6,485	6,490	△ 5
私立学校助成費	136,227	142,000	△ 5,773
私　立　学　校　助　成　費	136,227	142,000	△ 5,773
公立学校共済事業費	472,568	430,550	42,018
公立学校共済事業費	472,568	430,550	42,018
文化財保護費	67,904	68,084	△ 180
文化財保護委員会費	43,035	35,748	7,287
文　化　財　保　護　費	24,869	32,336	△ 7,467
(琉球大学)			
琉球大学費	3,537,407	3,426,459	110,948
琉　球　大　学　費	2,773,749	2,388,762	384,987
施　設　整　備　費	763,658	1,037,697	△ 274,039
総　　　計	57,897,580	50,483,667	7,413,913

― 参考資料 ―　101

[2] 1971年度　文教局予算中の政府立学校費及び地方教育区への各種補助金・直接支出金
A. 政府立学校
1. 高等学校
　　　総額　11,254,575　　生徒1人当り政府支出金（推計）228.01ドル
　　　　　　　　　　　　　　　　　　　　　　　　　　　（前年度191.26ドル）

予算項目	科目	1971年度予算額	1970年度予算額	比較増△減	備考
施設修繕費	修繕費	59,022	62,350	3,328	
学校図書館充実費	事業用備品費	7,500	7,500	0	
学校備品充実費	事業用備品費	36,515	200,243	△163,728	新設産業視聴覚備品
教育施設用地費	不動産購入費	177,773	110,180	67,593	
教育関係職員等研修費	管外旅費	19,884	16,118	3,766	内地派遣研究教員
政府立高等学校費	職員俸給	5,694,253	4,459,726	1,234,527	
	非常勤職員給与	108,662	75,010	33,662	
	期末手当	2,308,377	1,693,872	614,505	

―参考資料―

予算項目	科目	1971年度予算額	1970年度予算額	比較増△減	備考
	その他の手当	301,627	204,892	96,735	
	管内旅費	21,780	18,987	2,793	
	事業用備品費	42,700	47,650	4,950	
	保険料	502,263	402,899	99,364	
	その他の需要費	210,080	176,098	33,982	
産業教育振興費	管内管外旅費	4,606	3,168	1,438	
	旅行手当	26,205	19,470	6,735	
	事業用消耗費	76,877	80,389	3,512	
	事業用備品費	102,924	141,048	38,124	
	その他の需要費	155,063	139,008	16,055	
学校建設費	施設費	1,148,464	1,388,270	239,806	
実習船建造費	船舶建設費	250,000	0	250,000	実習船
計		11,254,575	9,246,868	2,007,707	

（注） 政府立高等学校生徒数　1970年5月現在　49,234人　1971年5月（推計）49,740人

―参考資料― 103

2. 中学校

総額 137,358ドル 生徒1人当り政府支出金（推計）199.65ドル（前年度 179.32ドル）

予算項目	科目	1971年度予算額	1970年度予算額	比較増△減	備考
学校備品充実費	事業用備品費	600	0	600	
学校図書館充実費	事業用備品費	1,198	0	1,198	
施設修繕費	修繕費	1,123	0	1,123	
政府立中学校費	職員俸給	77,906	69,945	7,961	
	非常勤職員給与	1,400	2,180	△780	
	期末手当	30,569	26,657	3,912	
	その他の手当	2,800	1,940	860	
	管内旅費	413	400	13	
	事業用備品費	5,400	6,400	△1,000	
	保険料	6,651	6,058	593	
	その他の需要費	7,143	6,392	751	
	就学奨励	656	0	656	
教科書無償給与費	教科書購入費	1,499	2,504	△1,005	
計		137,358	122,476	14,882	

（注） 政府立中学校生徒数 1970年5月現在 674人 1971年5月（推計） 729

3 特殊教育諸学校

総額 1,199,377

生徒1人当り政府支出金（推計） 1,221.36ドル （前年度 1,105.70ドル）

予算項目	科目	1971年度予算額	1970年度予算額	比較増△減	備考
施設修繕費	施設修繕費	2,187	3,210	△ 1,023	
学校図書館充実費	事業用備品費	3,594	3,594	0	
学校備品充実費	事業用備品費	1,386	19,724	△ 18,338	
学校施設用地費	不動産購入費	32,700	66,895	△ 34,195	
政府立特殊学校費	職員俸給	556,505	420,994	135,511	
	非常勤職員給与	8,279	5,286	2,993	
	期末手当	217,931	159,668	58,263	
	その他の手当	27,643	18,257	9,386	
	管内旅費	3,762	2,762	1,000	
	事業用備品費	16,000	20,487	△ 4,487	
	保険料	43,300	38,058	5,242	
	就学奨励費	73,341	53,433	19,908	
	その他の需要費	23,939	19,784	4,155	

―参考資料― 105

項　目	1971年度予算額	1970年度予算額	比較増△減
学 校 建 設 費	183,888	240,245	△ 56,357
教科書無償給与費	2,889	1,233	1,656
施 設 費			
教 科 書 購 入 費		0	
管 外 旅 費			
教育関係職員研修費	2,033	0	2,033
計	1,199,377	1,073,630	125,747

(注)　政府立特殊学校(含む、澄井、稲沖)　生徒数
　　　1970年5月現在　969人　1971年5月（推計）1,021人

4　各種学校
　　総額　322,028
　　生徒1人当り政府支出金（推計）563.97ドル　（前年度888.08ドル）

予算項目	科　目	1971年度予算額	1970年度予算額	比較増△減	備　考
学校備品充実費	事業用備品費	0	55,000	△ 55,000	
施 設 修 繕 費	修 繕 費	0	0	0	
教育施設用地費	不動産購入費	0	66,895	△ 66,895	
政府立各種学校給与	職 員 俸 給	181,955	337,612	△155,657	
	非常勤職員給与	6,110	8,406	△ 2,296	

― 参考資料 ―

予算項目	科目	1971年度予算額	1970年度予算額	比較増△減	備考
産業教育振興費	期末手当	63,327	131,959	△68,632	特殊、宿日直、初任給調整手当等
	その他の手当	14,865	19,211	△4,346	
	管内旅費	1,247	2,322	△1,075	
	保険料	34,325	31,935	2,390	
	事業用備品費	1,000	8,000	△7,000	
	その他の需要費	11,145	27,063	△15,918	消耗品、光熱水料等
	管内旅費	108	157	△49	
	事業用消耗品費	6,459	10,917	△4,458	
	事業用備品費	0	80,000	△80,000	
	施設費	0	1,770	△1,770	
	その他の需要費	1,487	1,047	440	
学校建設費	施設費	0	485,000	△485,000	
計		322,028	1,267,294	△945,266	

（注）　政府立各種学校生徒数　1970年5月現在　571人

B 地方教育区

1. 学校教育費

総　額　　　　　　　　37,618,973

内訳 ｛補助金　　　37,015,759
　　　 直接支出金　　　603,214

a. 公立小中学校

総　額　　37,137,559

内訳 ｛補助金 ｛小学校　21,856,006
　　　　　　　　中学校　14,678,339
　　　　　　　　計　　　36,534,345

　　　直接支出金 ｛小学校　317,233
　　　　　　　　　　中学校　285,981
　　　　　　　　　　計　　　603,214

生徒1人当り政府支出金（推計）

小学校　162.78ドル（前年度　143.33ドル）　中学校　207.93ドル（前年度　184.45ドル）

(1) 補助金の明細

予算項目	科　目	1971年度予算額(ドル)	1970年度予算額(ドル)	比較 増△減(ドル)	1971年度校種別内訳		備　考	
					小学校	中学校		
学校給食費	学校給食補助	37,001	50,911	△13,910	25,788	11,213		1/2
各種奨励費	研究奨励補助	2,980	2,980	0	1,772	1,208	実験、研究学校奨励	全額
学校図書館充実費	備品補助	122,314	123,512	△1,198	67,609	54,705	小学校　56,341 中学校　45,587	3/4
学校備品充実費	備品補助	456,593	502,722	△46,129	247,110	209,483	小学校	

―参考資料― 107

― 参考資料 ―

予算項目	科目	1971年度予算額(ドル)	1970年度予算額(ドル)	比較 増△減	1971年度校種別内訳 小学校	1971年度校種別内訳 中学校	備考
教育関係職員等費	研究奨励補助金	1,669	1,868	△199	400	1,269	
学校建設費	施設補助金	5,729,141	4,934,775	794,366	3,012,359	2,716,782	一般教材{普通補助 192,213 特別補助 21,357} 理科{普通補助 27,744 特別補助 4,896 900} 中学校 一般教材{普通補助 147,204 特別補助 16,356} 理科{普通補助 31,281 特別補助 5,520 9,122} 一般 全額 理科 3/4
	修繕補助金	3,000	10,000	△7,000	1,550	1,500	

―参考資料― 109

学校教育補助					
給料補助金	20,451,703	16,500,781	3,950,922	12,582,532	7,869,171
期末手当補助	6,330,329	6,870,612	△540,283	3,899,711	2,430,618
管理職手当補助	169,681	161,715	7,966	111,316	58,365
超過勤務手当補助	8,868	8,805	63	4,904	3,964
複式手当補助	3,552	3,107	445	2,820	732
宿日宿手当補助	167,492	196,753	△29,261	83,718	83,774
退職給与補助	691,970	1,041,000	△349,030	417,184	274,786
公務災害補償	4,296	4,522	△226	2,355	1,941
学校運営補助	25,340	41,307	15,967	16,917	8,423
へき地教育振興	65,070	60,690	4,380	32,010	33,060
保険料補助	1,669,137	1,745,835	76,698	1,028,585	640,552
へき地手当補助	255,800	211,095	44,705	151,583	104,217
旅費補助金	84,457	83,694	763	49,504	34,953
学校統合補助金	23,576	19,747	3,829	764	22,812
通勤手当補助	116,184	—	116,184	66,840	49,344
就学奨励補助	114,192	26,916	87,276	48,725	65,467
計	36,534,345	32,603,347	3,930,998	21,856,006	14,678,339

	小学校	中学校 1/2
学用品	2,110	39,385
通学用品	7,150	3,872
通学費	2,617	2,107
修学旅行費	5,500	18,788
野外活動費	1,348	1,315

(2) 文教局直接支出金

予算項目	1971年度予算額(ドル)	1970年度予算額(ドル)	比較 増△減	1971年度校種別内訳 小学校	1971年度校種別内訳 中学校	備考
学校備品充実費 事業用備品費	12,688	240,752	△228,064	5,075	7,613	理科実験台、いす 〃 教卓 〃 備品棚
教育関係職員等研修費	43,662	46,014	△2,352	15,433	28,229	内地派遣研究教員
管外旅費	5,000	70,000	△65,000	0	5,000	
産業教育振興費 事業用備品費	541,864	505,784	36,080	296,725	245,139	
教科書無償給与費 教科書購入費						
計	603,214	862,550	△259,336	317,233	285,981	計 209,318 204,767

(注) 公立小中学校児童生徒数

　　　　　　　　　　　　小学校　　中学校
1970年5月　　　　　　　137,077　　72,241
1971年5月(推計)　　　　133,624　　71,143

b 公立幼稚園
　　総額　481,414ドル
　　園児1人当り政府支出金　33.05ドル (前年度 27.06ドル)

― 参考資料 ― 111

補助金の明細

予算項目	科目	1971年度予算額	1970年度予算額	比較増△減	備考
学校教育補助	幼稚園振興補助	481,414	373,564	107,850	給料($\frac{1}{2}$)施設($\frac{2}{3}$・$\frac{1}{2}$)備品($\frac{2}{3}$)旅費($\frac{1}{2}$)
計		481,414	373,564	107,850	( )内は補助率

（注） 公立幼稚園児数　1970年5月　14,412人　　1971年5月　15,033人（推計）

2 社会教育費
　総額 226,028ドル　　人口1人当り政府支出金（推計）24.2セント（前年度 8.0セント）
　補助金の明細

予算項目	科目	1971年度予算額	1970年度予算額	比較増△減	備考
社会教育振興費	研究奨励費	5,140	6,098	△958	研修指定、本土派遣研修、青年婦人国内研修
	運営補助	10,161	12,878	△2,717	社会学級、家庭教育学級、青年学級
	施設補助	0	45,849	△45,849	
	備品補助	13,333	—	13,333	視聴覚教育
社教主事設置補助	社教主事設置補助	197,394	—	197,394	
社会体育振興費	体育施設補助	0	10,000	△10,000	
計		226,028	74,825	151,203	

（注） 人口1965年10月1日現在　934,176人

3 教育行政費

総　額　　416,927

人口1人当政府支出金(推計)　44.6セント(前年度57.6セント)

補助金の明細

予算項目	科目	1971年度予算額	1970年度予算額	比較増△減	備考
学校給食費	学校給食補助	6,565	6,521	44	栄養士給料補助 $\frac{1}{2}$ 補助
教育行政費	行政補助	410,362	531,610	△121,248	
計		416,927	538,131	△121,204	

(注) 人口 1965年10月1日現在 934,176人

地方教育区への文教局支出金合計

区分	1971年度	1970年度	比較増△減
補助金	37,658,714	33,483,181	4,175,533
直接支出金	603,214	1,014,081	△410,867
計	38,261,928	34,497,262	3,764,666

― 参考資料 ― 113

[3] 1971年度 教育区歳入歳出予算
(1) 歳入

教育区	総額	1款市町村負担金	2款分担金負担金	3款政府支出金	4款使用料手数料	5款諸収入	6款繰越金	7款教育区債
全計	51,874,154	10,104,596	697,412	38,991,451	252,807	106,206	270,205	1,451,477
国頭	675,665	140,080	6,072	528,757	―	254	502	1
大宜味	374,457	76,841	20,600	268,667	3	805	7,540	1
東	252,973	59,108	2,069	191,654	112	28	1	1
本部	260,581	57,253	2,756	200,117	244	322,107	1,851	30
今帰仁	822,168	167,532	10,725	610,946	730	2,934	1	30,000
(旧羽地)	698,943	133,982	138	564,314	405	103	1	―
名護	690,024	109,546	2,477	516,097	2	32,047	1,851	30,000
"屋我地	290,649	42,501	10,970	196,195	701	5,281	1	35,000
"屋部	361,002	64,550	2,744	293,114	325	113	155	1
"久志	1,195,048	261,048	11,877	821,835	7,660	9,627	1	83,000
宜野座	513,623	97,091	20,165	390,514	581	771	4,500	1
金武	341,593	68,685	15,024	203,814	187	183	13,700	40,000
伊江	616,625	114,741	35,532	461,746	2,787	1,817	1	1
伊平屋	536,000	95,888	25,892	375,893	1,819	205	563	35,740
伊是名	248,989	58,229	1,766	188,671	―	32	291	1
計	283,976	58,288	3,060	221,961	625	41	1	―
計	8,162,316	1,605,363	169,867	6,034,295	15,479	54,451	29,116	253,745

― 参考資料 ―

教育区	総額	1 教市町村負担金	2 教分担負担金	3 教政府支出金	4 教使用料手数料	5 教諸収入	6 教繰越金	7 教教育区債
恩納	426,492	106,000	5,855	312,754	980	2	900	1
石川	766,929	157,251	9,965	505,625	3,776	50	90,282	―
美里	1,139,526	256,029	13,742	862,385	3,899	684	2,786	1
与那城	734,863	135,700	8,118	536,871	―	4,173	1	―
勝連	687,860	168,362	8,674	495,408	3,030	2,385	1	50,000
具志川	1,819,904	326,588	22,212	1,417,160	9,726	553	1,700	10,000
コザ	3,188,412	452,232	36,458	2,542,447	15,067	8	14,200	41,965
読谷	1,161,293	205,020	14,049	933,908	5,810	505	2,000	1
嘉手納	714,115	140,300	9,326	552,409	4,734	300	7,045	1
北谷	648,814	116,921	8,981	463,464	1,933	5,515	8,000	44,000
北中城	395,276	80,328	5,097	299,375	1,011	156	9,309	―
中城	466,035	97,821	6,604	358,506	―	304	3,000	―
宜野湾	1,729,731	313,328	23,935	1,373,116	9,351	7,201	2,800	2
西原	534,774	96,011	6,351	429,602	2,549	258	1	273,971
計	14,414,024	2,651,891	179,367	11,082,830	61,866	22,074	142,025	273,971
浦添	1,630,610	330,110	25,291	1,189,847	5,865	246	1	81,250
那覇	11,288,166	2,583,950	2,588	8,250,514	122,120	503	10,097	318,394
(入)具志川	259,706	59,610	3,164	195,419	1,513	200	―	―

―参考資料― 115

仲里	680,275	110,240	5,872	563,706	156	300		—
北大東	94,668	25,500	905	68,004	249	8		1
南大東	134,325	37,001	2,523	94,399	0	400	1	1
大計	14,087,570	3,146,411	38,343	10,361,889	129,703	1,657	10,101	399,646
豊見城	829,704	145,001	45,740	574,088	3	1,332	9,606	53,934
糸満	1,638,595	300,001	22,131	1,307,253	5,852	357	3,000	1
東風平	510,482	109,546	44,578	355,724	3	428	200	3
具志頭	500,051	107,268	29,110	362,963	2	706	1	1
玉城	635,389	106,238	5,550	488,248	—	153	8,200	27,000
知念	379,067	70,132	4,219	284,604	2	108	1	20,001
佐敷	464,284	79,841	5,386	378,096	402	557	1	1
与那原	522,987	89,112	25,126	350,880	2,835	3,634	26,400	25,000
大里	566,489	90,001	28,805	402,395	521	12,285	482	32,000
南風原	614,212	105,170	7,007	465,906	2	287	840	35,000
渡嘉敷	161,413	34,050	998	115,838	32	76	419	10,000
座間味	241,294	45,001	749	192,318	3	9	1	3,213
粟国	131,982	32,293	1,966	97,660	3	58	1	1
渡名喜	83,389	24,000	1,754	57,245	100	140	150	—
計	7,279,338	1,337,654	223,119	5,433,218	9,760	20,130	49,302	206,155

― 参考資料 ―

教育区	総額	1 款市町村負担金	2 款分担金負担金	3 款政府支出金	4 款使用料手数料	5 款諸収入	6 款繰越金	7 款教育債
平良	1,748,914	302,000	22,660	1,377,738	8,216	700	27,600	10,000
城辺	1,107,995	158,000	10,981	894,598	4,528	4,200	1,688	34,000
下地	384,170	74,588	3,380	289,863	1,183	156	10,000	5,000
上野	279,986	59,000	3,303	205,266	1,279	1,070	68	10,000
伊良部	571,081	113,654	8,872	424,779	3,575	200	1	20,000
多良間	204,194	48,510	1,515	153,195	814	60	100	―
計	4,296,340	755,752	50,711	3,345,439	19,595	6,386	39,457	79,000
石垣	2,575,478	377,610	27,234	1,915,351	14,945	1,380	―	238,958
竹富	752,163	170,600	4,703	576,852	1	5	1	1
与那国	306,745	59,315	4,068	241,577	1,458	123	203	1
計	3,634,386	607,525	36,005	2,733,780	16,404	1,508	204	238,960

—参考資料— 117

(2) 歳出

教育区	総額	1款教育費 総務費	学校教育費	2 小学校	中学校	幼稚園	3款社会教育費	4款諸支出金	5款予備費
全琉計	51,874,154	1,451,213	48,928,512	28,777,164	18,451,107	1,700,241	441,589	965,831	87,009
国頭	675,665	20,663	641,642	366,437	268,142	7,063	9,241	3,747	372
大宜味	374,457	17,281	341,520	190,784	150,734	2	7,763	7,113	780
東	252,973	17,799	225,098	129,246	94,911	941	6,085	3,606	385
本部	260,581	13,680	241,955	148,714	90,775	2,466	1,166	2,912	868
今帰仁	822,168	21,707	770,656	427,746	342,910	—	10,268	14,239	5,298
旧羽地	698,943	20,005	663,002	318,029	338,668	6,305	8,740	4,927	2,269
名"屋我地	690,024	18,092	650,351	361,684	268,666	1	8,170	33,183	228
名"屋部	290,649	10,892	275,479	112,556	155,946	6,977	1,291	2,702	285
護"名	361,002	16,637	336,778	216,998	116,796	2,984	2,087	4,842	658
久志	1,195,048	42,035	1,034,740	662,740	342,698	29,302	11,210	104,222	2,841
宜野座	513,623	17,979	481,227	254,684	222,537	4,006	8,194	5,941	282
金武	341,593	15,194	314,875	137,842	174,592	2,441	1,765	9,479	280
伊江	616,625	15,678	581,920	326,265	240,574	15,081	8,571	9,016	1,440
伊平屋	536,000	15,041	501,678	244,070	229,523	28,085	9,036	9,865	380
伊是名	248,989	10,884	224,723	131,386	93,137	200,000	6,803	6,559	220
伊	283,976	14,232	259,564	135,587	118,174	5,803	7,837	2,027	316
計	8,162,316	287,799	7,525,208	4,164,768	3,248,783	111,657	108,227	224,180	16,902

―参考資料―

教育区	総額	1款教育総務費	学校教育費	2 小学校	中学校	幼稚園	3款社会教育費	4款諸支出金	5款予備費
恩納	426,492	22,088	394,014	211,422	174,148	8,444	4,487	5,319	584
石川	766,929	27,261	719,012	381,194	311,396	26,422	8,998	11,228	450
美里	1,139,526	26,888	1,054,504	711,915	315,243	27,346	16,834	43,800	2,500
与那城	734,863	24,132	688,229	463,661	224,568	—	7,508	13,797	1,197
勝連	687,860	23,678	604,258	458,091	130,439	15,728	2,274	52,999	4,651
具志川	1,819,904	37,648	1,751,246	1,003,720	672,180	75,346	15,895	14,631	484
コザ	3,188,412	51,996	3,088,753	1,826,692	1,137,599	124,462	12,526	33,370	1,767
読谷	1,161,293	23,418	1,096,003	683,756	371,743	40,504	33,703	7,669	500
嘉手納	714,115	23,546	668,554	432,277	181,010	55,267	9,700	11,815	500
北谷	648,814	16,547	616,154	372,959	195,018	48,177	3,872	11,641	600
北中城	395,276	13,355	374,100	249,779	115,047	9,274	5,003	2,118	700
中城	466,035	19,450	431,665	261,559	170,106	—	7,157	2,566	5,197
宜野湾	1,729,731	36,041	1,660,027	993,616	615,920	50,491	14,014	15,843	3,806
西原	534,774	13,264	497,614	336,962	146,083	14,569	7,178	16,350	368
計	14,414,024	359,312	13,644,133	8,387,603	4,760,500	496,030	144,149	243,146	23,284

― 参考資料 ― 119

浦添	1,630,610	40,479	1,533,183	992,059	520,120	21,004	9,781	45,548	1,619
那覇	11,288,166	239,973	10,814,689	6,376,400	3,682,417	755,872	36,991	190,513	6,000
具志川	259,706	15,079	232,816	144,305	81,732	6,779	6,790	6,685	336
仲里	680,275	16,497	646,680	370,909	273,585	2,186	8,276	8,251	571
北大東	94,668	10,698	82,908	35,559	45,106	2,243	386	550	126
南大東	134,325	11,873	117,385	58,769	58,616	—	1,121	3,099	847
計	14,087,750	332,599	13,427,661	7,978,001	4,661,576	788,084	63,345	254,646	9,499
豊見城	829,704	23,991	769,585	540,972	228,613	—	4,179	31,820	129
糸満	1,638,595	43,300	1,571,954	1,002,259	541,520	28,175	7,528	14,261	1,552
東風平	510,482	20,540	476,263	259,317	216,946	—	3,071	10,108	500
具志頭	500,051	17,726	459,939	280,870	179,069	—	3,250	18,381	755
玉城	635,389	18,325	595,001	310,924	284,077	—	4,578	17,067	418
知念	379,067	14,891	359,348	170,716	188,632	—	2,093	2,435	300
佐敷	464,284	20,210	435,889	179,534	251,474	4,881	3,364	4,321	500
与那原	522,987	20,526	480,477	205,498	264,423	10,556	3,467	17,629	888
大里	566,489	20,293	535,397	305,890	226,939	2,568	3,408	6,474	917
南風原	614,212	17,661	588,031	365,775	222,256	—	2,879	5,315	326
渡嘉敷	161,413	8,884	149,323	50,065	99,258	—	940	2,166	100
座間味	241,294	8,725	227,688	97,952	129,736	—	995	3,786	100
粟国	131,982	8,215	118,927	60,135	58,792	—	1,138	3,423	279
渡名喜	83,389	9,623	71,334	39,800	31,534	—	1,095	1,237	100
計	7,279,338	252,910	6,839,156	3,869,707	2,923,269	46,180	41,985	138,423	6,864

教育区	総額	1 教育総務費	学校教育費	2			3 社会教育費	4 諸支出金	5 予備費
				小学校	中学校	幼稚園			
平良	1,748,914	45,612	1,662,133	1,015,317	601,654	45,162	12,158	19,336	9,675
城辺	1,107,995	23,821	1,048,895	512,765	511,992	24,138	23,319	9,902	2,058
下地	384,170	18,326	354,714	205,263	126,887	22,564	7,475	3,055	600
上野	279,986	15,841	254,563	140,948	94,808	18,807	1,514	7,274	794
伊良部	571,081	21,588	529,903	331,138	180,579	18,186	6,735	12,475	380
多良間	204,194	11,701	187,107	109,481	72,543	5,083	2,073	3,044	269
計	4,296,340	136,889	4,037,315	2,314,912	1,588,463	153,940	53,274	55,086	13,776
石垣	2,575,478	35,320	2,473,011	1,580,488	776,528	115,995	14,961	40,423	11,763
竹富	752,163	30,073	704,500	334,910	369,650	—	6,860	6,724	3,946
与那国	306,745	16,311	277,468	146,775	122,338	8,355	8,788	3,203	975
計	3,634,386	81,704	3,455,039	2,062,173	1,268,516	124,350	30,609	50,350	16,684

4 1971年度交付税教育費単位費用積算基礎

○小中学校標準規模

1 小中学校標準施設

区 分	学校数	学級数	児童生徒数	校舎面積	雇　　　用　　　人			
					事務職員	補助員	給食従事員	用務員
小学校	1	18	810	2,640㎡		1	4	1
中学校	1	15	675	2,986㎡	1	1	1.5	1

2 小中学校職員給与一覧

区 分	給料月額	期末手当	超勤手当	長期給付	短期給付	医療保険	退職金	合 計
事務職員補	75.80	47.5/100	42時間	63.1/1,000	1/1,000	1.5/1,000	100/1,000	1,459
給食従事員	71.98	〃	—	〃	〃	〃	〃	1,366
用務員	71.98	〃	—	〃	〃	〃	〃	1,366
栄養士	90.90	〃	〃	〃	〃	〃	〃	1,656

― 参考資料 ― 121

— 参考資料 —

○栄養士について

イ 栄養士の配置は小学校のみで給食従事員4人の中に含まれる。

ロ 教育区栄養士分保障財源は $0.84 (= \frac{683}{810}) \times$ 教育区総児童数

ハ 上記財源を生徒数に換算すると児童数1,972人に栄養士(給与年額1,656ドル)1人の割り

I 小学校

1 児童経費(経常経費)

(単位ドル)

区 分	経 費	積 算 内 容
給 与 費	4,098	給食従事員 1,366×3人=4,098
需 用 費	2,905	消耗品費 655
		燃料費 450
		印刷製本費 500
		光熱水費 700
		修繕費 250

― 参考資料 ―

備品購入費	1,579	医薬材料費	350
		児童用備品費	8,500×0.12＝1,020.00
		図書及び図書備品	0.69×810人＝558.90
負担金	1,278	要保護準要保護児童関係経費	1,198.94
		学用品費	$6.61×810人×0.07＝374.94
		通学用品費	$1.47×810人×0.07＝83.35
		通学費	$0.1171×810人×(0.07×$\frac{9}{100}$)×240日＝143.41
		野外活動費	0.28×810人×0.07＝15.88
		給食費	$0.0423×810人×0.07×200日＝479.63
		治療費	1.00×810人×0.07×0.36＝38.16
		修学旅行費	4.70×810人×$\frac{10}{100}$×$\frac{1}{6}$＝63.72
		学校安全会共済掛金	78.81
		要保護児童	0.01×810人×0.03＝0.24
		準要保護児童	0.10×810人×0.07＝5.60
		一般児童	0.10×810人×0.9＝72.90
合計	9,860		

123

— 参考資料 —

(単位 ドル)

区 分	経 費	積　算　内　容
特定財源	1,850	要保護準要保護児童関係経費×$\frac{1}{2}$ 学校安全会共済掛金一般児童分×$\frac{1}{2}$ 図書備品補助×$\frac{4}{5}$ 児童用備品補助×$\frac{3}{4}$
差引一般財源	8,010	
追加財政需要額	205	
計	8,215	
単位費用	10.14	8,215×$\frac{1}{810人}$

2 学級経費（経常経費）

区 分	経 費	積　算　内　容
給 与 費	2,825	給食従事員　1,366×1人＝1,366 事務職員補助員　1,459×1人＝1,459

その他の庁費	1,771	建物維持修繕費　0.51×2,640㎡=1,346.40
	1,315	運動場修繕地費　0.05×7,300㎡=365
	600	学級備品　1,275
		教師用図書及び教科書　2.20×18=39.60
旅　　　費	600	職員旅費　25×24人=600
合　　計	6,451	
特　定　財　源	240	旅費補助　10×24人=240
差引一般財源	6,211	
追加財政需要額	141	
総　　額	6,352	$6,352 \times \frac{1}{18}$
単　位　費　用	352.89	

3　学級経費（投資的経費）

（単位ドル）

区　分	経　費	積　算　内　容
建　設　費	2,430	屋内運動場、プール等建設費　$48,600 \times \frac{1}{20}$
単位費用	135	$2,430 \times \frac{1}{18}$

126 ― 参考資料 ―

4 学校経費（経常経費）

（単位ドル）

区分	経費	積算内容
給与費	1,366	用務員 1,366×1人＝1,366
報酬	280	学校医、眼科、歯科 80×3人＝240 薬剤師 40×1人＝40.00
需用員	115	消耗品費 115
役務員	240	通信運搬費 20×12ヶ月＝240
設備員	1,306	放送 560 理科 2,000　　　　　　56 体育 480　×0.1　　48　計449 衛生 350　　　　　　35 給食 1,100　　　　　110 その他の備品費 7,140×0.12＝856.80
合計	3,307	
特定財源	205	理科設備備品補助金 200×3/4＝150 給食設備備品補助金 110×1/2＝55
差引一般財源	3,102	
追加財政需要額	68	
総計	3,170	
単位費額	3,170	3,170×1/1

II 中学校

1 生徒経費（経常経費）

区分	経費	積算内容
給与費	1,366	給食従事員 1,366×1人＝1,366
需要費	3,401	消耗品費　　900 燃料費　　　450 印刷製本費　675 光熱水費　　700 修繕費　　　320 医薬材料費　356
備品購入費	1,843	生徒用備品費 9,900×0.12＝1,188 図書及び図書備品 0.97×675人＝655

— 参考資料 — 127

― 参 考 資 料 ―

区分	経費	積算内容
負担金	1,731	要保護、準要保護生徒関係経員　1,730.92
		学用品費　14.97×675人×0.07=707.33
		通学用品費　1.47×675人×0.07=69.46
		給食費　$0.125 \times 675人 \times 0.07 \times \frac{9}{100} \times 240日 = 127.58$
		医療費　0.0423×675人×0.07×200日=399.74
		治療費　1.00×675人×0.07×0.36=17.01
		野外活動費　1.03×675人×0.07=48.67
		修学旅行費　$15 \times 675人 \times \frac{10}{100} \times \frac{1}{3} = 337.50$
	66	学校安全会共済掛金　65.68
		要保護生徒　0.01×675人×0.03=0.20
		準要保護生徒　0.10×675人×0.07=1.73
		一般生徒　0.10×675人×0.9=60.75
合計	8,407	
特定財経	2,313	要保護、準要保護生徒関係経費×$\frac{1}{2}$

― 参考資料 ― 129

区分	金額	積算内容
差引一般財源	6,094	学校安全会共済掛金　一般生徒×$\frac{1}{2}$
追加財政需要	68	図書及び備品補助×$\frac{4}{5}$
総　　計	6,162	生徒用備品補助×$\frac{3}{4}$
単位費用	9.13	$6,162 \times \frac{1}{675}$

2　学級経費（経常経費）

区分	経費	積算内容
給与費	1,459	事務職員補助員　1,459×1人＝1,459
賃金	360	給食従事員非常勤　3.00×120日＝360
その他の庁費	1,985	建物維持修繕費　0.51×2,986㎡＝1,522.86

区分	経費	積算内容
備品購入費	1,535	運動場修地費 0.05×9,250㎡=462 備品購入費 1,506 教師用教科書 1.25×23人=28.75
旅費	625	職員旅費 25×25人=625.00
合計	5,964	
特定財源	250	旅費補助 10×25=250
差引一般財政源	5,714	
追加財政需要	73	
総計	5,787	
単立費用	385.80	5,787×$\frac{1}{15}$

― 参考資料 ― 131

3 学級経費（投資的経費）

区　分	経　費	積　算　内　容
建設費用	2,575	屋内運動場、プール等建設費 51,500×$\frac{1}{20}$
単位費用	171.67	2,575×$\frac{1}{15}$

4 学校経費（経常経費）

区　分	経　費	積　算　内　容
給与費	1,366	用務員 1,366×1人＝1,366
報酬費	280	内科、歯科、眼科80×3人＝240 薬剤師40×1人＝40
需要費	117	消耗品 117
役務費	252	通信運搬 21×12月＝252

区分	経費	積算内容
施設費	1,655	放送　　560 ⎫ 理科　2,600 ⎪ 体育　2,500 ⎬ ×0.1 → 56, 260, 250, 74, 70, 100 衛生　　740 ⎪ 給食　　700 ⎪ 技家　1,000 ⎭ その他の備品　7,042×0.12＝845
合計	3,670	
特定財源	230	理科 $260 \times \frac{3}{4} = 195$ 給食 $70 \times \frac{1}{2} = 35$
差引一般財源	3,440	
追加財政需要	68	
総計	3,508	
単位費用	3,508	$3,508 \times \frac{1}{1}$

Ⅲ その他の教育

イ 標準施設

区分	人口	教育委員	会計	主任	書記	書記補	園数	学級	園児	教員	事務職	公民館
教育委員会	30,000	5	1	1								2
社会教育及び図書館	〃			1	2	1					図書館 1	0
保健体育	〃											
幼稚園	〃						2	6	240	6		

ロ その他の教育職員給与一覧

区分	給与報酬月額	期末手当	超勤手当	長期給付	短期給付	医療保険	退職金	合計
教育委員長	67	340/340	―	―	―	―	―	1,032
教育委員	62	100	―	―	―	―	―	955
会計	172.89	475	42時間	63.1/1,000	1/1,000	15/1,000	100/1,000	3,328
主任	134.73	100	〃	〃	〃	〃	〃	2,593
書記	109.57	〃	〃	〃	〃	〃	〃	4,218
書記補	71.98	〃	〃	〃	〃	〃	〃	1,386
事務職員	75.80	〃	〃	〃	〃	〃	〃	1,459
幼稚園教員	115.72	〃	〃	〃	〃	〃	〃	2,155

―参考資料―

1 教育委員会費（経常経費）

（単位ドル）

区分	経費	積算内容
報酬	5,001	委員長 67×12月×1人＝804 委員 62×12月×4人＝2,976 監査 3×25日×2人＝150 委員期末手当（67＋62×4）×$\frac{340}{100}$＝1,071
給与費	11,525	会計係 3,328×1人＝3,328 主任級 2,593×1人＝2,593 書記 2,109×2人＝4,218 書記補 1,386×1人＝1,386
人当庁費	175	人当庁費 35×5人＝175
賃金	150	人夫賃 3,00×50人＝150
旅費	458	費用弁償 2.00×24日×5人＝240 連合区会議 4.00×12回＝48 職員旅費 30.00×5人＝150 財政研修 5.00×2人×2回＝20

134

報　　　　酬	300	謝礼、その他	300
需　用　　費	1,475	消耗品費	650
		印刷製本費	550
		光熱水費	175
		修繕費	50
		食糧費	50
役　務　　費	100	通信運搬費	100
使用料賃借料	480	賃借、使用料 40×12月=480	
備品購入費	500	事務局用備品費	
負　担　　金	10,000	連合区分担金 0.33×30,000人=9,900	
		その他	100
合　　　　計	30,164		
特 定 財 源	—		
差引一般財源	30,164		

— 参考資料 —

2 社会教育費及び図書館費（経常経費）

（単位ドル）

区分	経費	積算	答
給与費	4,052	主任級 2,593×1人＝2,593 図書館事務職員費 1,459×1人＝1,459	
人当庁費	70	人当庁費 35×2人＝70	
賃金	180	人夫賃 3.00×60人＝180	
報償費	300	各種行事講師謝礼 300	
旅費	300	講師巡廻指導員費用弁償、職員旅費 300	
需用費	1,275	消耗品費 300 光熱水費 150 燃料費 200 印刷製本費 450 修繕費 100 食糧費 75	
役務費	240	通信運搬費 20×12月＝240	
使用料	240	使用料 20×12月＝240	

― 参考資料 ― 137

区 分	経 費	積　算　内　容	
備品購入	300	事務用備品費	300
負担金補助金	450		450
公民館費	1,000	公民館運営費 50×20館=1,000	
合　計	8,407		
特定財源	―		
差引一般財源	8,407		

3　保健体育（経常経費）

区 分	経 費	積　算　内　容	
報償費	150	体育指導員謝礼及び償賜金	150.00
旅費	80	体育指導員旅費	80
需用費	320	消耗品費	150
		印刷製本費	100
		救急医薬品	70
役務費	651	健康管理手数料　ッ反　0.05×6,800人=340	

― 参考資料 ―

区分	経費	積算内容
委託料	395	入学児童健診 レントゲン $0.25 \times 7,500 \times \frac{20}{100} = 225$ ／ 395.00 ／ $0.25 \times 2,300 \times \frac{15}{100} = 86.25$
備品購入費	60	医薬関係備品 60.00
合計	1,656	
特定財源	―	
差引一般財源	1,656	

4 幼稚園教育（経常経費）

区分	経費	積算内容
給与費	12,930	幼稚園教諭 $2,155.04 \times 6$ 人 $= 12,930.24$
修繕費	530	園舎修繕費 $0.51 \times 1,040 \mathrm{m}^2 = 530.40$
報酬	80	校医手当 80×1 人 $= 80$

区分	項目	積算	金額
旅　　費	職員旅費	25×6人=150	150
需　用　費	消耗品・園児分 　　　　　園数分 印刷製本費 光熱水費 燃料費	0.56×240人=134.40 0.50×2園＝100.00 70×2園＝140 80×2園＝160 50×2園＝100	634
役　務　費	通信運搬		200
備品購入費	園児用図書 教師用図書 学校用備品	100×2園＝200 100 800	1,000
合　　計			15,524
特 定 財 源	給料補助 授業料	$(1136.0×6人×12月)×\frac{1}{2}=4,089.60$ $1.32×12月×240人=3,801.60$	4,090 4,012
計			8,102
差引一般財源			7,422

― 参考資料 ―

5 幼稚園教育費（投資的経費）

（単位ドル）

区　分	経　費	積　算　内　容
園舎建設費	4,056	81,120（$78×1,040㎡）× $\frac{1}{20}$ 年＝4,056
単位費用	0.14	4,056× $\frac{1}{30,000}$

6 その他の教育費総括

（単位ドル）

細　目	総　額	特定財源			差引一般財源
		政府支出金	その他	計	
教育委員会	30,164				30,164
社会・図書館	8,407				8,407
保健体育	1,656				1,656
幼稚園（消）	15,524	4,090	4,012	8,102	7,422
（投）	4,056				4,056
追加財政需要	1,221				1,221
計（消）	56,972	4,090	4,012	8,102	48,870
（投）	4,056	—	—	—	4,056
単位費用	消費的経費 1.63　投資的経費 0.14				

5 教育関係日米政府援助

(単位 ドル)

区分	項目	1971年度	1970年度	比較増△減	備考
琉政	教職員給与	12,637,747	11,388,700	1,249,047	
	学校施設整備	3,848,747	3,404,472	444,275	
	教科書無償給与	542,936	582,497	△39,561	
日政	学校備品購入	514,094	509,475	4,619	
	政府立高校施設整備	423,033	0	423,033	
予	育英奨学事業	225,000	208,333	16,667	
	水産高校実習船建造	200,000	0	200,000	
算	公害防止対策	172,924	0	172,924	
援	産業教育施設整備	145,561	93,895	51,666	前年度は農業教育施設
	災害復旧	129,949	79,400	50,549	
助	準要保護児童生徒就学奨励	114,192	101,531	12,661	
	教員等本土研修	53,008	53,008	0	
	教育研修センター拡充	49,814	0	49,814	

― 参考資料 ―

区分	項目	1971年度	1970年度	比較増△減	備考
琉政日政援助受入	幼稚園施設整備	48,578	43,244	5,334	
	私立学校助成	44,444	22,222	22,222	
	特殊学校就学奨励	36,589	26,667	9,922	
	文化財保護事業	11,480	13,333	△1,853	
	へき地教育振興	9,131	0	9,131	
	視聴覚ライブラリー	4,444	7,222	△2,778	
	青年、婦人国内研修	2,853	2,852	1	
	体育館建設	0	95,072	△95,072	
	青年の家建設	0	41,667	△41,667	
	公民館建設	0	27,778	△27,778	
	(文教局関係計)	19,214,524	16,701,368	2,513,156	
	琉球大学整備	264,581	561,140	△296,559	
	琉大教官等本土研修	10,533	12,717	△2,184	
	小　計	19,489,638	17,275,225	2,214,413	

日政直接支出	国費学生招致	405,828	382,108	23,720
	教育指導費	71,342	△99,869	△28,527
	琉大調査費	11,186	10,858	328
	小　計	488,356	492,835	△4,479
南援経由	公民館図書贈与	42,200	42,200	0
	全国体育大会参加助成	5,555	△5,556	△1
	小　計	47,755	47,756	△1
日本政府援助額合計		20,025,749	17,815,816	2,209,933
米政援助琉政予算受入	教員給料	0	6,000,000	△6,000,000
	学校建設	0	1,700,000	△1,700,000
	学校備品	0	460,000	△460,000
	産業教育備品	0	200,000	△200,000
	英語教育普及	0	65,000	△65,000
	小　計	0	8,425,000	△8,425,000
米国政府援助額合計			8,425,000	△8,425,000
日米両政府援助総額		20,025,749	26,240,816	△6,215,067

（注）教育文化研修費から庁費を除外した。

```
1970年11月 1日 発行
```
教育関係予算の解説

発行所　琉球政府文教局調査計画課
印刷所　松　本　タ　イ　プ
　　　　那覇市松山町2－120
　　　　電話　⑧－5445・1845

復刻版
文教時報 第6回配本
（第17巻・第18巻・付録）

揃定価（本体54,000円＋税）
2019年12月25日　第1刷発行

編・解説者　藤澤健一・近藤健一郎
発行者　小林淳子
発行所　不二出版
　　　東京都文京区水道2-10-10
　　　TEL 03(5981)6704
印刷所　栄光
製本所　青木製本

乱丁・落丁はお取り替えいたします。

第17巻　ISBN978-4-8350-8087-1
第6回配本（全3冊　分売不可　セットISBN978-4-8350-8086-4）